A-Z MAP LONDON

D0375978

Key to Map Pages			
Map Pages	4-101	**Index to Stations**	254-256
Index to Places	102-103	**Underground Map**	back cover
Index to Streets	104-247		

REFERENCE

Motorway	M1	**Underground Station**	●
A Road	A2	**Map Continuation**	▲ 84
B Road	B519	**Church or Chapel**	†
Dual Carriageway		**Disabled Toilet**	♿
One Way Street Traffic flow on A Roads is indicated by a heavy line on the drivers' left.	→	**Fire Station**	■
Junction Names	MARBLE ARCH	**Hospital**	➊
Pedestrianized Road		**House Numbers** A & B Roads only	40 23
Restricted Access		**Information Centre**	🄸
Railway	Tunnel / Level Crossing / Station	**National Grid Reference**	539
Docklands Light Railway	Station DLR	**Police Station**	▲
		Post Office	★

SCALE

Approx. 3 inches to 1 mile   1:21,477 or 4.66 cm to 1 km

0   ¼   ½   ¾   Mile

0   250   500   750 Metres   1 Kilometre

Copyright of Geographers' A-Z Map Company Limited

Head Office : Fairfield Road, Borough Green, Sevenoaks, Kent TN15 8PP   Tel: 01732 781000
Showrooms : 44 Gray's Inn Road, London WC1X 8HX   Tel: 0171 242 9246

Every possible care has been taken to ensure that the information given in this publication is accurate and whilst the publishers would be grateful to learn of any errors, they regret they cannot accept any responsibility for loss thereby caused.

Based upon the Ordnance Survey mapping with the permission of The Controller of Her Majesty's Stationery Office.

2 KEY TO MAP PAGES

2

A5 Kingsbury

HENDON

A1

HORNSEY

		Golders Green		Highgate		
4	5	6	7	8	9	10

Cricklewood

Neasden

18	19	HAMPSTEAD		22	23	24
		20	21			

WILLESDEN

CAMDEN TOWN

ISLIN

Kensal Green	Kilburn			MARYLEBONE		FINS
32	33	34	35	36	37	38

A40

A(40)M

Holborn

ACTON

PADDINGTON

WEST END

Shepherd's Bush

46	47	48	49	50	51	52

KENSINGTON

Westminster

LAM

	CHISWICK		CHELSEA			
A4	HAMMERSMITH					

North Sheen

60	61	62	63	64	65	66

BARNES

FULHAM

BATTERSEA

	PUTNEY			CLAPHAM		BRIX
74	75	76	77	78	79	80

Roehampton

WANDSWORTH

Richmond Park

Balham

88	89	90	91	92	93	94

Tooting

WIMBLEDON

STREATHAM

A23

SCALE

0	1	2 Miles
0	1	2	3 Kilometres

MITCHAM

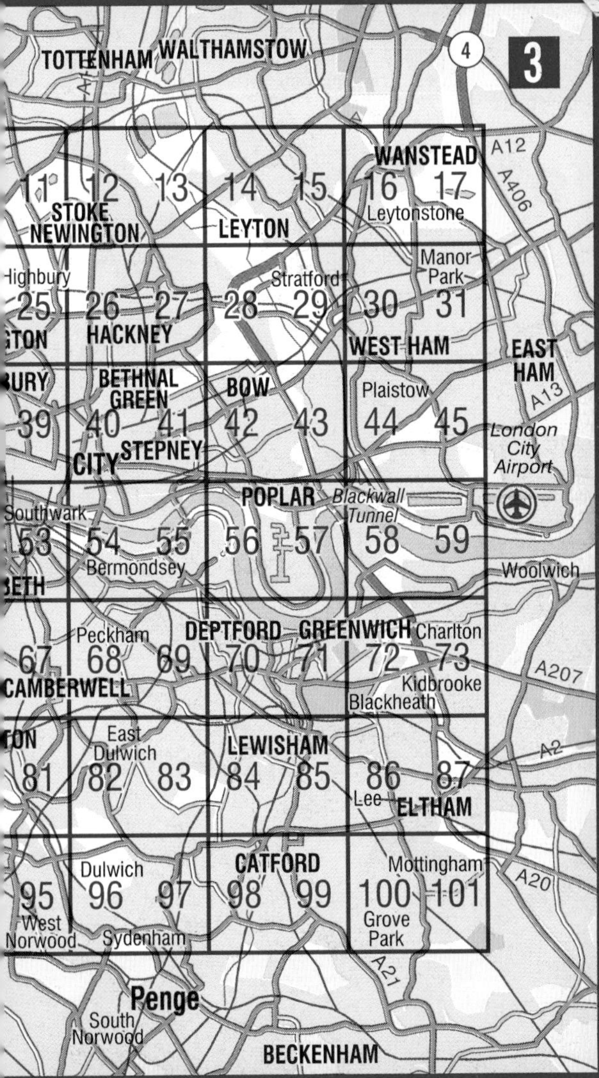

TOTTENHAM
WALTHAMSTOW
4
3
WANSTEAD
A12
A406
11
12
13
14
15
16
17
STOKE NEWINGTON
LEYTON
Leytonstone
Highbury
Stratford
Manor Park
25
26
27
28
29
30
31
GTON
HACKNEY
WEST HAM
EAST HAM
BURY
BETHNAL GREEN
BOW
Plaistow
A13
39
40
41
42
43
44
45
London City Airport
CITY
STEPNEY
POPLAR
Blackwall Tunnel
Southwark
53
54
55
56
57
58
59
Bermondsey
Woolwich
BETH
Peckham
DEPTFORD
GREENWICH
Charlton
67
68
69
70
71
72
73
A207
CAMBERWELL
Kidbrooke
Blackheath
TON
East Dulwich
LEWISHAM
A2
81
82
83
84
85
86
87
Lee
ELTHAM
Dulwich
CATFORD
Mottingham
A20
95
96
97
98
99
100
101
West Norwood
Sydenham
Grove Park
A21
Penge
South Norwood
BECKENHAM

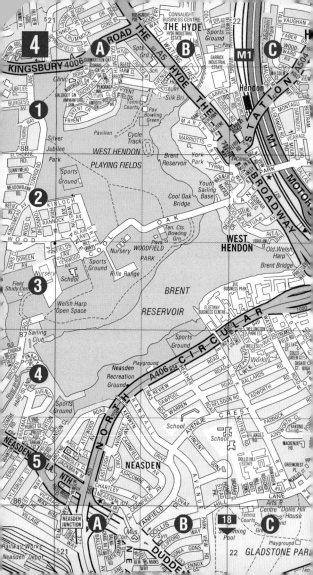

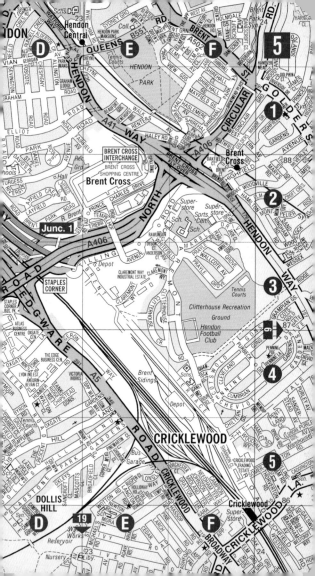

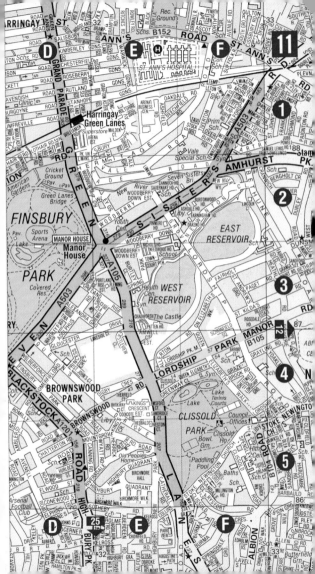

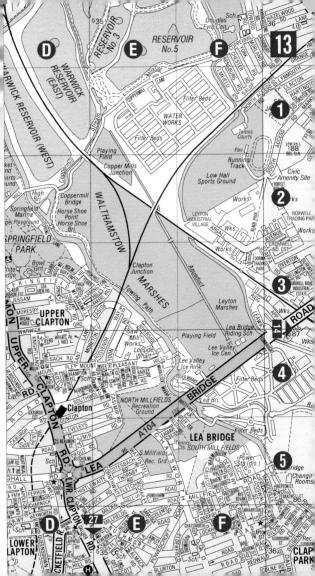

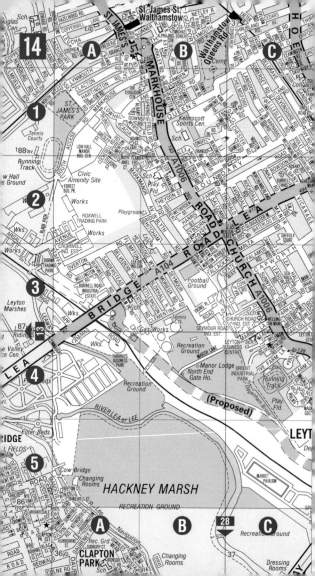

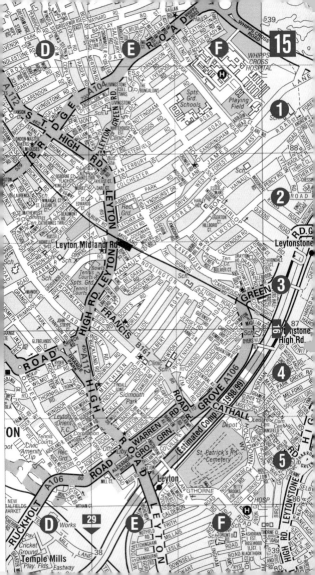

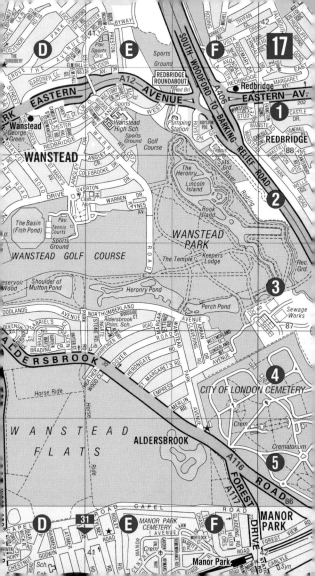

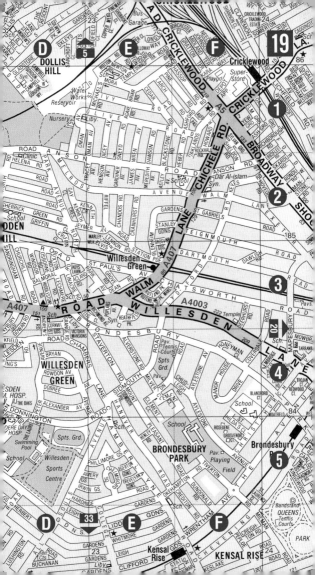

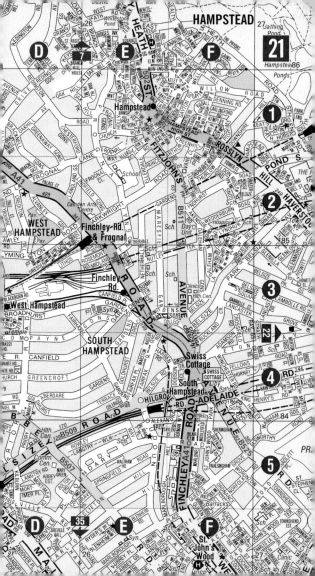

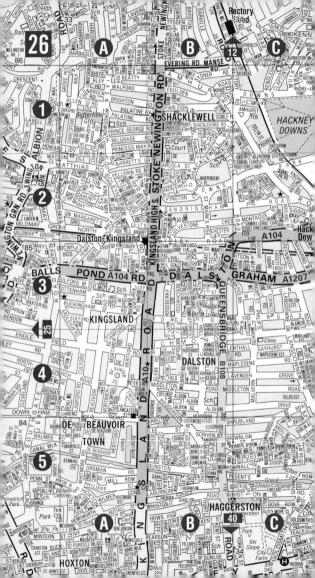

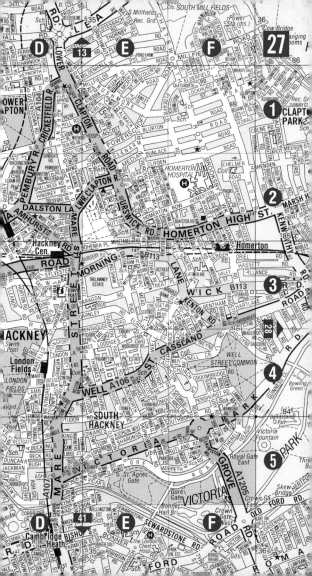

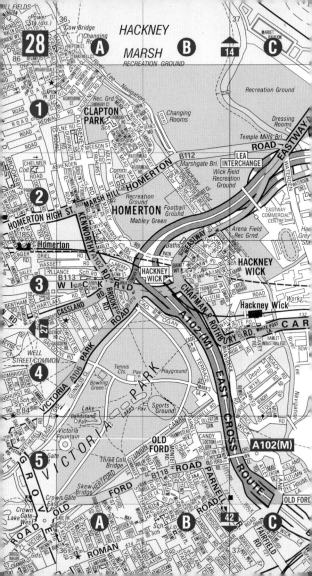

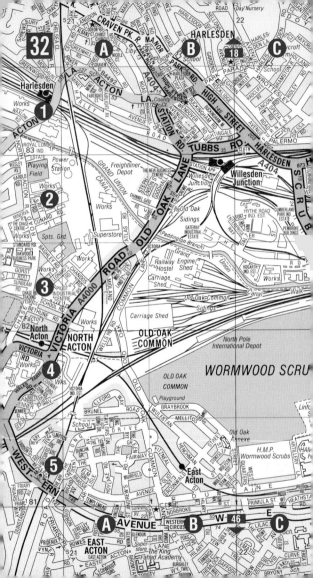

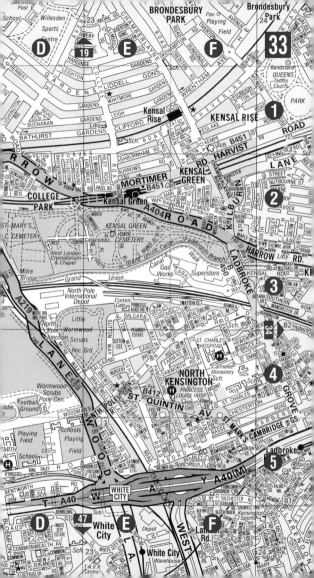

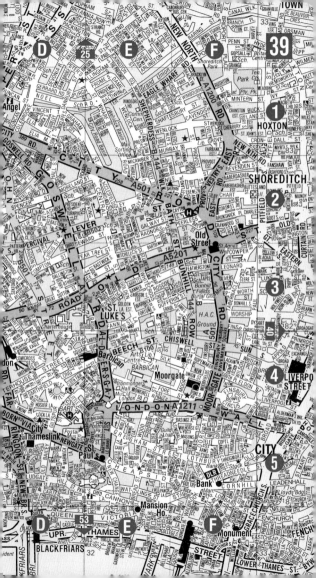

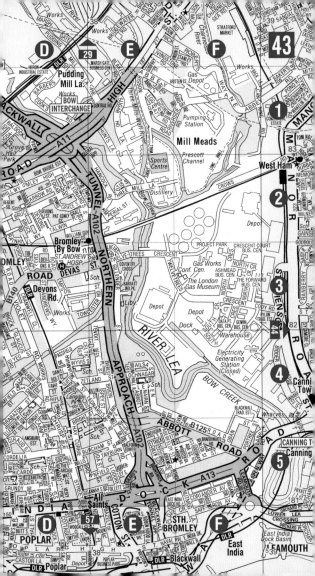

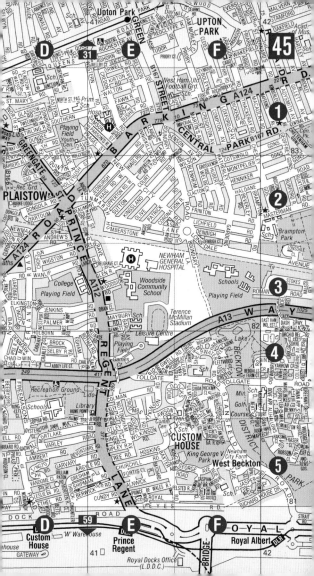

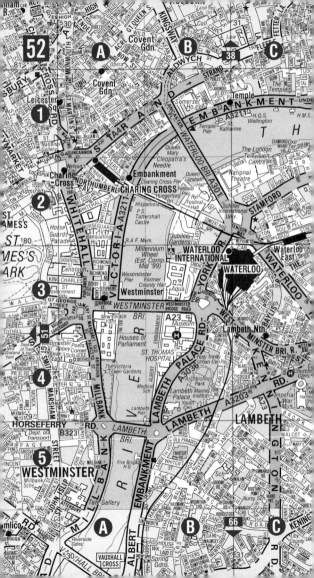

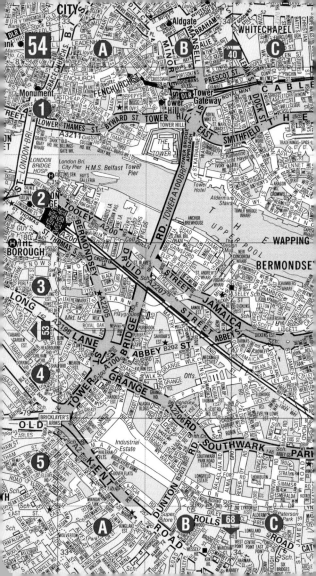

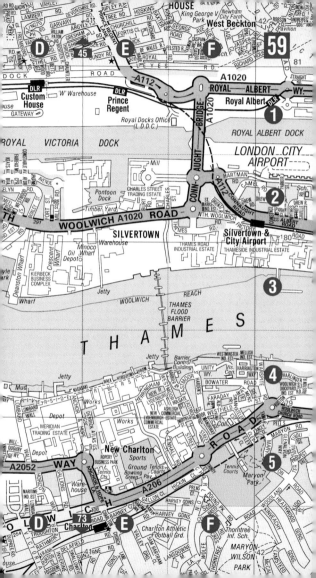

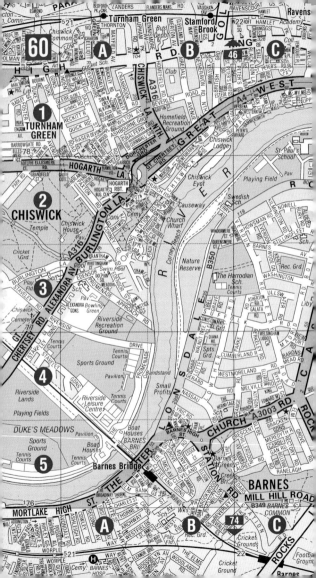

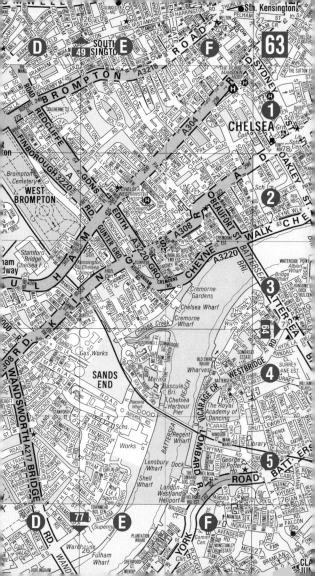

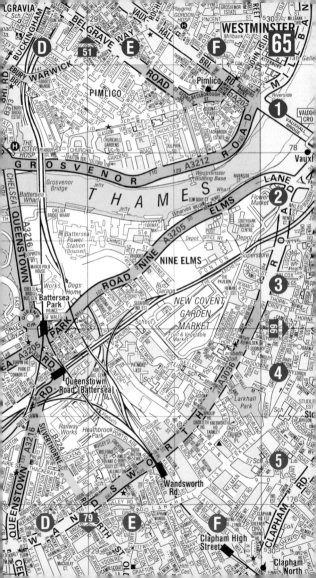

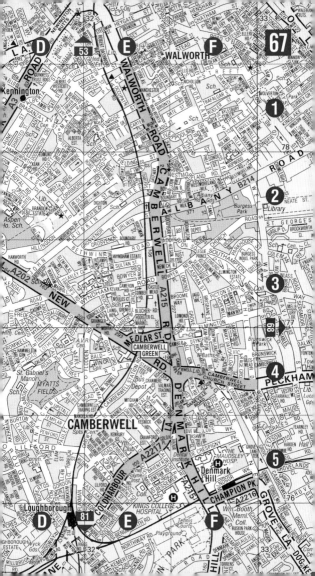

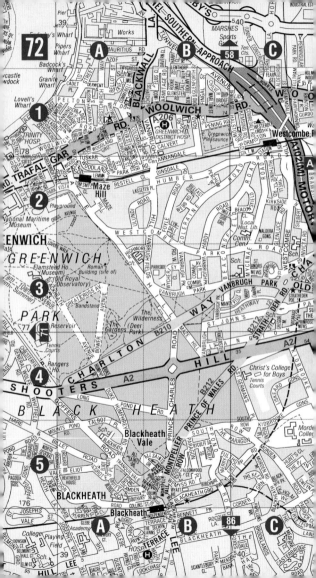

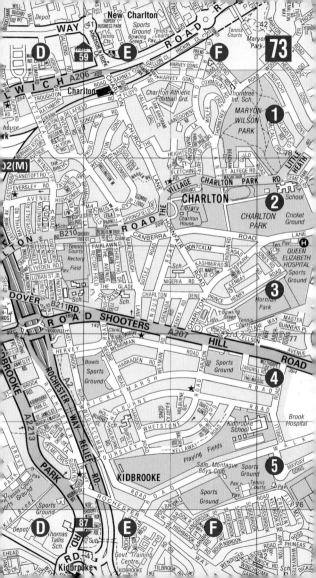

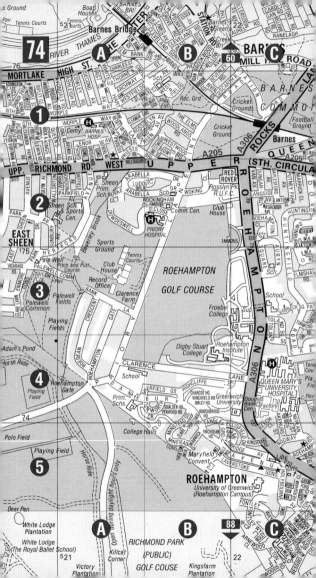

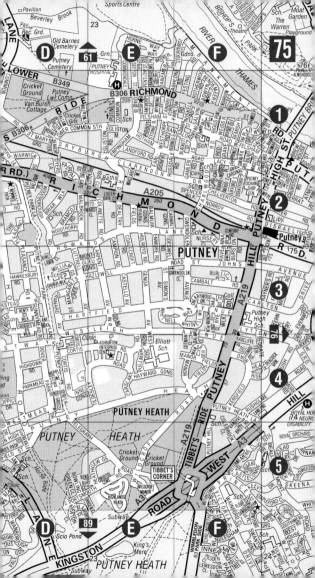

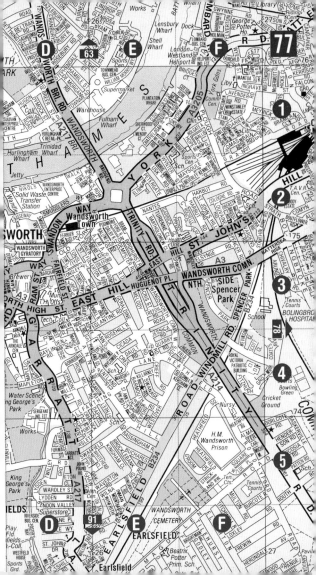

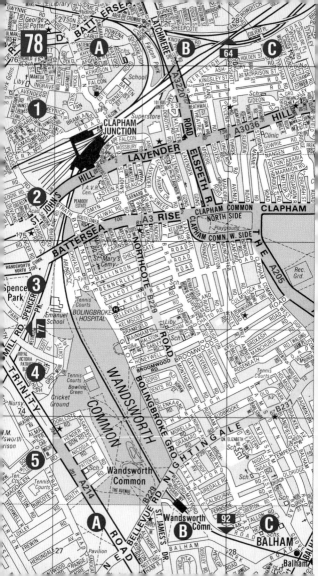

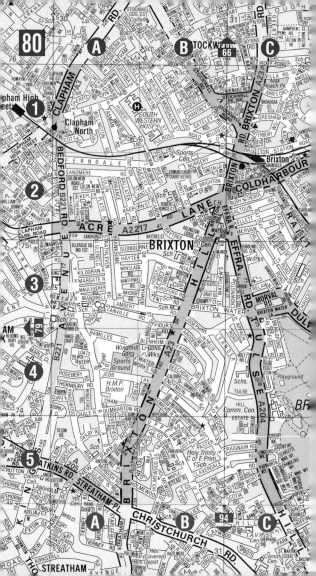

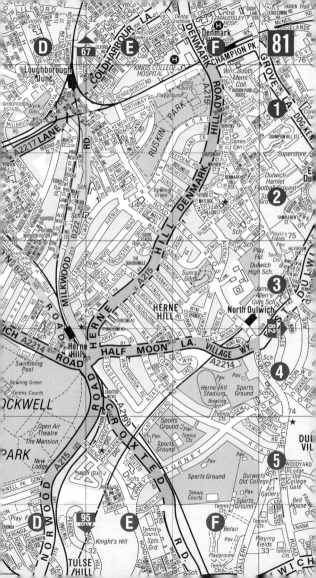

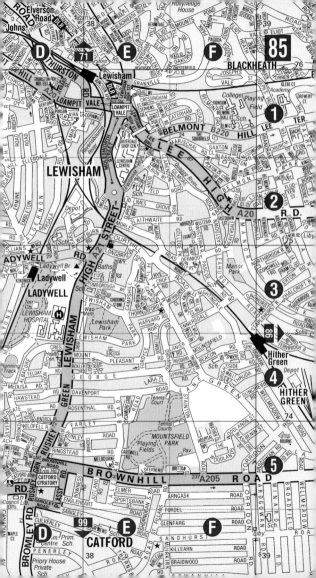

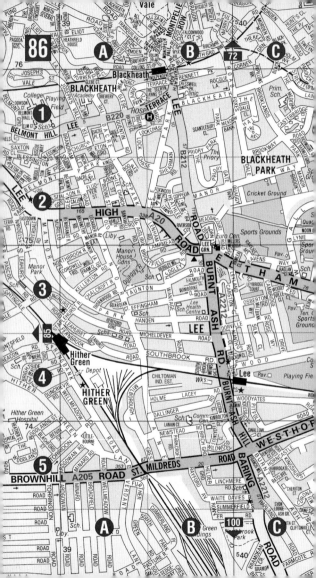

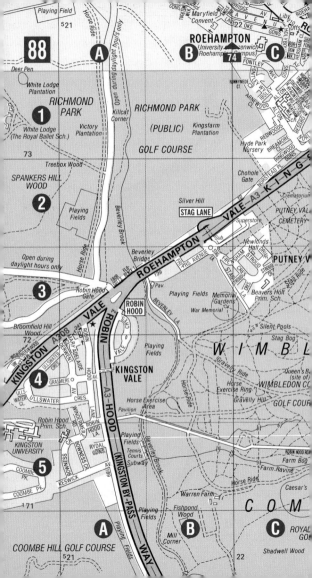

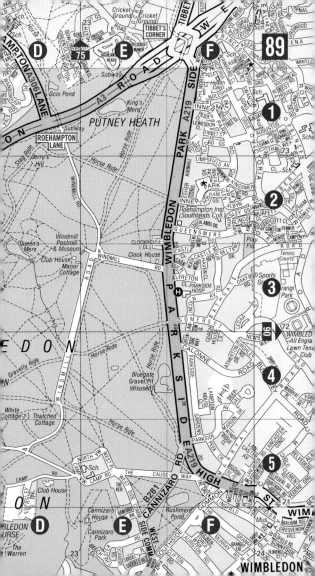

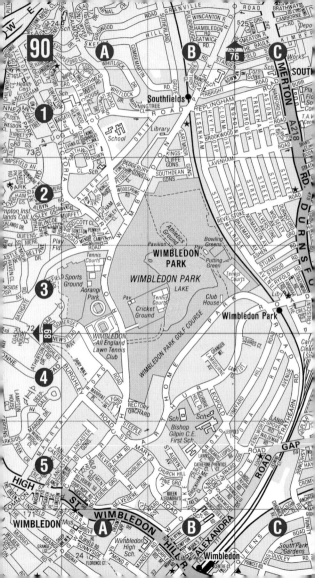

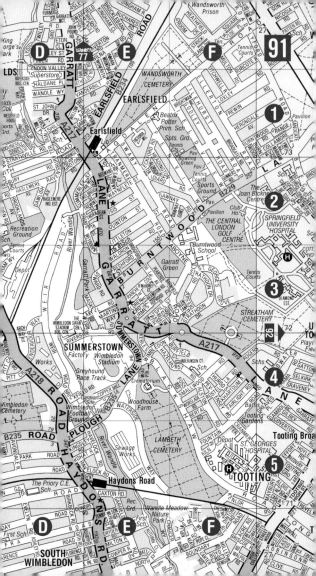

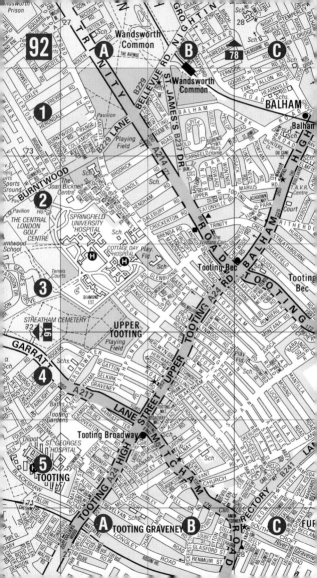

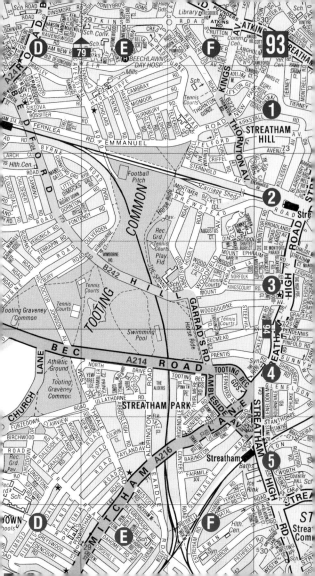

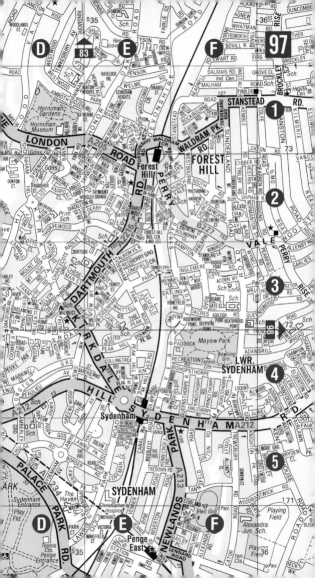

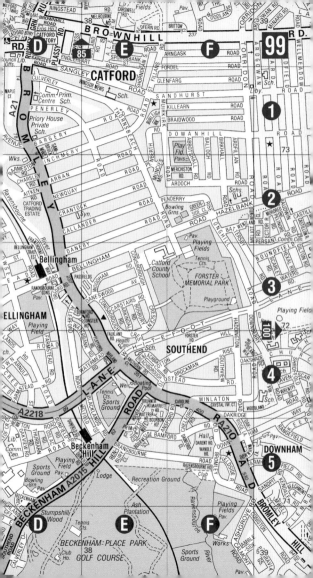

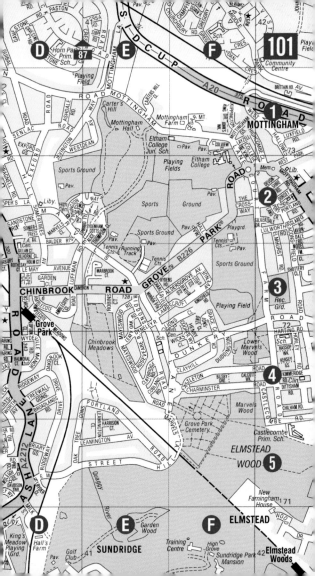

INDEX TO PLACES & AREAS

Names in this index shown in CAPITAL LETTERS, followed by their Postcode District(s), are Posttow

Index to Places & Areas

INDEX TO STREETS

Including Industrial Estates, Junction Names and a selection of Subsidiary Addresses

HOW TO USE THIS INDEX

1. Each street name is followed by its Postal District (or, if outside the London Postal District, by its Posttown or Postal Locality), and then by its map reference;
   e.g. Abbeville Rd. *SW4* —4E **79** is in the South West 4 Postal District and is to be found in square 4E on page **79**. The page number being shown in bold type.
   A strict alphabetical order is followed in which Av., Rd., St., etc. (though abbreviated) are read in full and as part of the street name; e.g. Abbots La. appears after Abbotshall Rd. but before Abbotsleigh Rd.

2. Streets and a selection of Subsidiary names not shown on the Maps, appear in the index in *Italics* with the thoroughfare to which it is connected shown in (brackets);
   e.g. *Abbey Lodge. NW1 —2A* **36** *(off Park Rd.)*

3. With the now general usage of Postcodes for addressing mail, it is not recommended that this index is used for such a purpose.

GENERAL ABBREVIATIONS

All : Alley	Dri : Drive	Pal : Palace
App : Approach	E : East	Pde : Parade
Arc : Arcade	Embkmt : Embankment	Pk : Park
Av : Avenue	Est : Estate	Pas : Passage
Bk : Back	Gdns : Gardens	Pl : Place
Boulevd : Boulevard	Ga : Gate	Quad : Quadrant
Bri : Bridge	Gt : Great	Rd : Road
B'way : Broadway	Grn : Green	Shop : Shopping
Bldgs : Buildings	Gro : Grove	S : South
Bus : Business	Ho : House	Sq : Square
Cvn : Caravan	Ind : Industrial	Sta : Station
Cen : Centre	Junct : Junction	St : Street
Chu : Church	La : Lane	Ter : Terrace
Chyd : Churchyard	Lit : Little	Trad : Trading
Circ : Circle	Lwr : Lower	Up : Upper
Cir : Circus	Mnr : Manor	Vs : Villas
Clo : Close	Mans : Mansions	Wlk : Walk
Comn : Common	Mkt : Market	W : West
Cotts : Cottages	M : Mews	Yd : Yard
Ct : Court	Mt : Mount	
Cres : Crescent	N : North	

POSTTOWN AND POSTAL LOCALITY ABBREVIATIONS

Act V : Acton Vale Ind. Pk.	*Brom* : Bromley	*Ilf* : Ilford
Beck : Beckenham	*Chst* : Chislehurst	*W'way E* : Westway Estate

INDEX TO STREETS

Abberley M. *SW4* —1D **79**
Abbess Clo. *SW2* —1D **95**
Abbeville M. *SW4* —2F **79**
Abbeville Rd. *SW4* —4E **79**
Abbey Bus. Cen. *SW8* —4E **65**
Abbey Dri. *SW17* —5C **92**
Abbey Est. *NW8* —5D **21**
Abbeyfield Est. *SE16* —5E **55**
Abbeyfield Rd. *SE16* —5E **55**
  (in two parts)
Abbey Gdns. *NW8* —1E **35**
Abbey Gdns. *SE16* —5C **54**

Abbey Gdns. *W6* —2A **62**
Abbey La. *E15* —1E **43**
Abbey La. Commercial Est. E15
  —1A **44**
Abbey Life Ct. E16 —4D **45**
Abbey Lodge. NW1 —2A **36**
  (off Park Rd.)
Abbey M. *E17* —1C **14**
Abbey Orchard St. *SW1* —4F **51**
Abbey Orchard St. Est. SW1
  —4F **51**
  (off Abbey Orchard St.)

Abbey Rd. *E15* —1F **43**
Abbey Rd. *NW6 & NW8*
  —4D **21**
Abbey St. *E13* —3C **44**
Abbey St. *SE1* —4A **54**
Abbey Trad. Est. *SE26* —5B **98**
Abbot Ct. SW8 —3A **66**
  (off Hartington Rd.)
Abbotsbury Clo. *E15* —1E **43**
Abbotsbury Clo. *W14* —3B **48**
Abbotsbury M. *SE15* —1E **83**
Abbotsbury Rd. *W14* —3A **48**

Admiral Sq.—Alderminster Rd.

Admiral Sq. *SW10* —4E **63**
Admiral St. *SE8* —4C **70**
Admirals Wlk. *NW3* —5E **7**
Admirals Way. *E14* —3C **56**
Admiralty Clo. *SE8* —3C **70**
Admiral Wlk. *W9* —4C **34**
Adolf St. *SE6* —4D **99**
Adolphus Rd. *N4* —4D **11**
Adolphus St. *SE8* —3B **70**
Adpar St. *W2* —4F **35**
Adrian Av. *NW2* —3D **5**
Adrian Ho. N1 —5B 24
(off Barnsbury Est.)
Adrian Ho. SW8 —3A 66
(off Wyvil Rd.)
Adrian M. *SW10* —2D **63**
Advance Rd. *SE27* —4E **95**
Adys Lawn. *NW2* —3D **19**
Ady's Rd. *SE15* —1B **82**
Affleck St. *N1* —1B **38**
Afghan Rd. *SW11* —5A **64**
Agamemnon Rd. *NW6* —2B **20**
Agar Gro. *NW1* —4E **23**
Agar Gro. Est. *NW1* —4F **23**
Agar Pl. *NW1* —4E **23**
Agar St. *WC2* —1A **52**
Agate Clo. *E16* —5F **45**
Agate Rd. *W6* —4E **47**
Agatha Clo. *E1* —2D **55**
Agave Rd. *NW2* —1E **19**
Agdon St. *EC1* —3D **39**
Agincourt Rd. *NW3* —1B **22**
Agnes Rd. *W3* —2B **46**
Agnes St. *E14* —5B **42**
Agnew Rd. *SE23* —5F **83**
Aigburth Mans. SW9 —3C 66
(off Mowll St.)
Aileen Wlk. *E15* —4B **30**
Ailsa St. *E14* —4E **43**
Ainger M. NW3 —4B 22
(off Ainger Rd.)
Ainger Rd. *NW3* —4B **22**
Ainsdale Dri. *SE1* —1C **68**
Ainsley St. *E2* —2D **41**
Ainslie Wlk. *SW12* —5D **79**
Ainsty St. *SE16* —3F **55**
Ainsty St. *SE16* —3E **55**
Ainsworth Clo. *NW2* —5C **4**
Ainsworth Rd. *SE15* —5A **68**
Ainsworth Rd. *E9* —4E **27**
Ainsworth Way. *NW8* —5D **21**
Aintree Av. *E6* —5F **31**
Aintree Est. SW6 —3A 62
(off Aintree St.)
Aintree St. *SW6* —3A **62**
Airdrie Clo. *N1* —4B **24**
Airedale Av. *W4* —5B **46**
Airedale Av. S. *W4* —1B **60**
Airedale Rd. *SW12* —5B **78**
Airlie Gdns. *W8* —2C **48**
Air St. *W1* —1E **51**
Aisgill Av. *W14* —1B **62**
(in two parts)
Aislibie Rd. *SE12* —2A **86**
Aiten Pl. *W6* —5C **46**
Aitken Clo. *E8* —5C **26**
Aitken Rd. *SE6* —2D **99**
Ajax Rd. *NW6* —2B **20**

106 Mini London

Akehurst St. *SW15* —4C **74**
Akenside Rd. *NW3* —2F **21**
Akerman Rd. *SW9* —5D **67**
Aland Ct. *SE16* —4A **56**
Alan Hocken Way. E15
—1A **44**
Alan Rd. *SW19* —5A **90**
Alanthus Clo. SE12 —4C 86
Alaska Bldgs. SE1 —4B 54
(off Grange Rd.)
Alaska St. *SE1* —2C **52**
Albacore Cres. *SE13* —4D **85**
Alba Gdns. NW11 —1A 6
Alban Highwalk. *EC2* —4E **39**
(in two parts)
Albany. *W1* —1E **51**
Albany Ct. *E10* —2C **14**
Albany Ct. Yd. W1 —1E 51
(off Piccadilly)
Albany M. *N1* —4C **24**
Albany M. *SE5* —2E **67**
Albany M. *Brom* —5C **100**
Albany Pl. *N7* —1C **24**
Albany Rd. *E10* —2C **14**
Albany Rd. *E12* —1F **31**
Albany Rd. *E17* —1A **14**
Albany Rd. *N4* —1C **10**
Albany Rd. *SE5* —2E **67**
Albany Rd. *SW19* —5D **91**
Albany St. *NW1* —1D **37**
Albany Ter. NW1 —3D 37
(off Marylebone Rd.)
Alba Pl. *W11* —5B **34**
Albatross Ct. SE8 —2B 70
(off Childers St.)
Albatross Way. *SE16* —3F **55**
Albemarle. *SW19* —2F **89**
Albemarle St. *W1* —1D **51**
Albemarle Way. *EC1* —3D **39**
Albemarle Ho. SW9 —1C 80
Alberta Est. *SE17* —1D **67**
Alberta Rd. *SE17* —1D **67**
Albert Av. *SW8* —3B **66**
Albert Bigg Point. E15 —5E 29
(off Godfrey St.)
Albert Bri. *SW3 & SW11*
—2A **64**
Albert Bri. Rd. *SW11* —3A **64**
Albert Carr Gdns. *SW16*
—5A **94**
Albert Clo. *E9* —5D **27**
Albert Cotts. E1 —4C 40
(off Deal St.)
Albert Ct. *E7* —1C **30**
Albert Ct. *SW7* —3F **49**
Albert Dri. *SW19* —2D **89**
Albert Embkmt. *SE1* —1A **66**
Albert Gdns. *E1* —5F **41**
Albert Ga. *SW1* —3B **50**
Albert Hall Mans. *SW7* —3F **49**
Albert M. *N4* —3B **10**
Albert M. *SE4* —2A **84**
Albert M. *W8* —4E **49**
Albert Pl. *W8* —3D **49**
Albert Rd. *E10* —4E **15**
Albert Rd. *E16* —2F **59**
Albert Rd. *E17* —1C **14**
Albert Rd. *N4* —3B **10**

Albert Rd. *N15* —1A **12**
Albert Rd. *NW6* —1B **34**
Albert Sq. *E15* —2A **30**
Albert Sq. *SW8* —3B **66**
Albert Starr Ho. SE8 —5F 55
(off Haddonfield)
Albert St. *NW1* —5D **23**
Albert Studios. *SW11* —4B **64**
Albert Ter. *NW1* —5C **22**
Albert Ter. M. *NW1* —5C **22**
Albert Westcott Ho. *SE17*
—1D **67**
Albion Av. *SW8* —5F **65**
Albion Clo. *W2* —1A **50**
Albion Dri. *E8* —4B **26**
(in two parts)
Albion Est. *SE16* —3F **55**
Albion Gdns. *W6* —5D **47**
Albion Ga. W2 —1A 50
(off Albion St.)
Albion Gro. *N16* —1A **26**
Albion M. *N1* —5C **24**
Albion M. *NW6* —4B **20**
Albion M. *W2* —1A **50**
Albion M. *W6* —5D **47**
Albion Pl. *EC1* —4D **39**
Albion Pl. *EC2* —4F **39**
Albion Pl. *W6* —5D **47**
Albion Rd. *N16* —1F **25**
Albion Sq. *E8* —4B **26**
Albion St. *SE16* —3E **55**
Albion St. *W2* —5A **36**
Albion Ter. *E8* —4B **26**
Albion Vs. Rd. *SE26* —3E **97**
Albion Way. *EC1* —4E **39**
Albion Way. *SE13* —2E **85**
Albion Yd. *N1* —1A **38**
Albrighton Rd. *SE22* —1A **82**
Albury M. *E12* —3E **17**
Albury St. *SE8* —2C **70**
Albyn Rd. *SE8* —4C **70**
Alcester Cres. *E5* —4D **13**
Alconbury Rd. *E5* —4C **12**
Aldam Pl. *N16* —4B **12**
Aldbourne Rd. *W12* —2B **46**
Aldbridge St. *SE17* —1A **68**
Aldburgh M. *W1* —5C **36**
(in two parts)
Aldebert Ter. *SW8* —3A **66**
Aldeburgh Clo. *E5* —4D **13**
Aldeburgh St. *SE10* —1C **72**
Alden Av. *E15* —3B **44**
Aldenham St. *NW1* —1E **37**
Aldensley Rd. *W6* —4D **47**
Alderbrook Rd. *SW12* —4D **79**
Alderbury Rd. *SW13* —2C **60**
Alder Clo. *SE15* —2B **68**
Alder Gro. *NW2* —4C **4**
Alderholt Way. *SE15* —3A **68**
Alder Ho. *SE4* —1C **84**
Alder Ho. SE15 —2B 68
(off Alder Clo.)
Alder Lodge. *SW6* —4F **61**
Aldermanbury. *EC2* —5E **39**
Aldermanbury Sq. *EC2* —4E **39**
Aldermans Wlk. *EC2* —4A **40**
Alder M. *N19* —4E **9**
Alderminster Rd. *SE1* —1C **68**

Aldermoor Rd. *SE6* —3B **98**
Alderney Rd. *E1* —3F **41**
Alderney St. *SW1* —5D **51**
Aldersbrook Rd. *E11 & E12*
    —4D **17**
Alders Clo. *E11* —4D **17**
Aldersford Clo. *SE4* —3F **83**
Aldersgate St. *EC1* —4E **39**
Aldersgrove Av. *SE9* —3F **101**
Aldershot Rd. *NW6* —5B **20**
Alderson St. *W10* —3A **34**
Alders, The. *SW16* —4E **93**
Alderton Clo. *NW10* —5A **4**
Alderton Cres. *NW4* —1D **5**
Alderton Rd. *SE24* —1E **81**
Alderton Way. *NW4* —1D **5**
Alderville Rd. *SW6* —5B **62**
Aldford St. *W1* —2C **50**
Aldgate. *EC3* —5A **40**
Aldgate. (Junct.) —5B **40**
    (off Aldgate Barrs)
Aldgate Av. *E1* —5B **40**
Aldgate Barrs. *E1* —5B **40**
Aldgate High St. *EC3* —5B **40**
Aldham Rd. *SE4* —4B **70**
Aldine Ct. *W12* —3E **47**
    (off Aldine St.)
Aldine Pl. *W12* —3E **47**
Aldine St. *W12* —3E **47**
Aldington Ct. *E8* —4C **26**
Aldington Rd. *SE18* —4F **59**
Aldis M. *SW17* —5A **92**
Aldis St. *SW17* —5A **92**
Aldred Rd. *NW6* —2C **20**
Aldren Rd. *SW17* —3E **91**
Aldrich Ter. *SW18* —2E **91**
Aldridge Rd. Vs. *W11* —4B **34**
Aldrington Rd. *SW16* —5E **93**
Aldsworth Clo. *W9* —3D **35**
Aldworth Gro. *SE13* —4E **85**
Aldworth Rd. *E15* —4A **30**
Aldwych. *WC2* —5B **38**
Aldwyn Ho. *SW8* —3A **66**
    (off Davidson Gdns.)
Alestan Beck Rd. *E16* —5F **45**
Alexa Ct. *W8* —5D **49**
Alexander Av. *NW10* —4D **19**
Alexander Ct. *SE16* —2B **56**
Alexander Evans M. *SE23*
    —2F **97**
Alexander Fleming Ho. *SE1*
    (off Rockingham St.) —4E **53**
Alexander M. *W2* —5D **35**
Alexander Pl. *SW7* —5A **50**
Alexander Rd. *N19* —5A **10**
Alexander Sq. *SW3* —5A **50**
Alexander St. *W2* —5C **34**
Alexander Studios. *SW11*
    (off Haydon Way) —2F **77**
Alexandra Av. *SW11* —4C **64**
Alexandra Av. *W4* —3A **60**
Alexandra Cotts. *SE14* —4B **70**
Alexandra Ct. *SW7* —4E **49**
    (off Queen's Ga.)
Alexandra Cres. *Brom*
    —5B **100**
Alexandra Dri. *SE19* —5A **96**
Alexandra Gdns. *W4* —3A **60**

Alexandra Gro. *N4* —3D **11**
Alexandra M. *SW19* —5B **90**
Alexandra Pl. *NW8* —5E **21**
Alexandra Rd. *E10* —5A **15**
Alexandra Rd. *E17* —1B **14**
Alexandra Rd. *NW8* —5E **21**
Alexandra Rd. *SE26* —5F **97**
Alexandra Rd. *SW14* —1A **74**
Alexandra Rd. *SW19* —5B **90**
Alexandra Rd. *W4* —3A **46**
Alexandra Sq. *SW3* —5A **50**
Alexandra St. *E16* —4C **44**
Alexandra St. *SE14* —3A **70**
Alexandra Wlk. *SE19* —5A **96**
Alexandra Yd. *E9* —5F **27**
Alexis St. *SE16* —5C **54**
Alfearn Rd. *E5* —1E **27**
Alford Ho. *N6* —1E **9**
Alford Pl. *N1* —1E **39**
Alfreda St. *SW11* —4D **65**
Alfred Ho. *E9* —2A **28**
    (off Homerton Rd.)
Alfred M. *W1* —4F **37**
Alfred Pl. *WC1* —4F **37**
Alfred Rd. *E15* —2B **30**
Alfred Rd. *SW8* —4F **65**
Alfred Rd. *W2* —4C **35**
Alfred St. *E3* —2B **42**
Alfreton Clo. *SW19* —3F **89**
Alfriston Rd. *SW11* —3B **78**
Algar Ho. *SE1* —3D **53**
    (off Webber Row)
Algarve Rd. *SW18* —1D **91**
Algernon Rd. *NW4* —1C **4**
Algernon Rd. *NW6* —5C **20**
Algernon Rd. *SE13* —2D **85**
Algiers Rd. *SE13* —2C **84**
Alice Burrell Cen. *E10* —4E **15**
    (off Sidmouth Rd.)
Alice Ct. *SW15* —2B **76**
Alice Gilliatt Ct. *W14* —2B **62**
    (off Star Rd.)
Alice La. *E3* —5B **28**
Alice St. *SE1* —4A **54**
Alice Thompson Clo. *SE12*
    —2E **101**
Alice Walker Clo. *SE24*
    —2D **81**
Alie St. *E1* —5B **40**
Alison Ct. *SE1* —1C **68**
Aliwal Rd. *SW11* —2A **78**
Alkerden Rd. *W4* —1A **60**
Alkham Rd. *N16* —4B **12**
Allan Barclay Clo. *N15* —1B **12**
Allanson Ct. *E10* —4C **14**
Allard Gdns. *SW4* —3F **79**
Allardyce St. *SW4* —2B **80**
Allcroft Rd. *NW5* —2C **22**
Allenby Rd. *SE23* —3A **98**
Allen Ct. *E17* —1C **14**
    (off Yunus Khan Clo.)
Allendale Clo. *SE5* —5F **67**
Allendale Clo. *SE26* —4F **97**
Allen Edwards Dri. *SW8*
    —4A **66**
Allenford Ho. *SW15* —4A **74**
    (off Tunworth Cres.)
Allen Rd. *E3* —5B **28**

Allen Rd. *N16* —1A **26**
Allensbury Pl. *NW1* —4F **23**
Allen St. *W8* —4C **48**
Allerford Rd. *SE6* —3D **99**
Allerton Ho. *N1* —1F **39**
    (off Provost Est.)
Allerton Rd. *N16* —4E **11**
Allerton Wlk. *N7* —4B **10**
Allestree Rd. *SW6* —3A **62**
Alleyn Cres. *SE21* —2F **95**
Alleyn Pk. *SE21* —2F **95**
Alleyn Rd. *SE21* —3F **95**
Allfarthing La. *SW18* —4D **77**
Allgood St. *E2* —1B **40**
Allhallows La. *EC4* —1F **53**
Allhallows Rd. *E6* —4F **45**
Alliance Rd. *E13* —4E **45**
Allied Ind. Est. *W3* —3A **46**
Allied Way. *W3* —3A **46**
Allingham St. *N1* —1E **39**
Allington Clo. *SW19* —5F **89**
Allington Ct. *SW8* —5E **65**
Allington Rd. *NW4* —1D **5**
Allington Rd. *W10* —2A **34**
Allington St. *SW1* —4D **51**
Allison Clo. *SE10* —4E **71**
Allison Gro. *SE21* —1A **96**
Allitsen Rd. *NW8* —1A **36**
Allnutt Way. *SW4* —3F **79**
Alloa Rd. *SE8* —1F **69**
Allom Ho. *W11* —1A **48**
    (off Clarendon Rd.)
Alloway Rd. *E3* —2A **42**
All Saints Dri. *SE3* —5A **72**
All Saints Pas. *SW18* —3C **76**
All Saints Rd. *W11* —4B **34**
All Saints St. *N1* —1B **38**
All Saints Tower. *E10* —2D **15**
All Seasons Ct. *E1* —2C **54**
    (off Aragon M.)
Allsop Pl. *NW1* —3B **36**
All Souls Av. *NW10* —1D **33**
All Souls' Pl. *W1* —4D **37**
Allwood Clo. *SE26* —4F **97**
Almack Rd. *E5* —1E **27**
Alma Gro. *SE1* —5B **54**
Alma Pl. *NW10* —2D **33**
Alma Rd. *SW18* —2E **77**
Alma Sq. *NW8* —1E **35**
Alma St. *E15* —3F **29**
Alma St. *NW5* —3D **23**
Alma Ter. *SW18* —5F **77**
Alma Ter. *W8* —4C **48**
Almeida St. *N1* —5D **25**
Almeric Rd. *SW11* —2B **78**
Almington St. *N4* —3B **10**
Almond Clo. *SE15* —5C **68**
Almond Rd. *SE16* —5D **55**
Almondsbury Ct. *SE15* —3A **68**
    (off Lynbrook Clo.)
Almorah Rd. *N1* —4F **25**
Alnwick Rd. *E16* —5B **45**
Alnwick Rd. *SE12* —5D **87**
Alperton Sq. *W10* —3B **34**
Alphabet Sq. *E3* —4C **42**
Alpha Bus. Cen. *E17* —1B **14**
Alpha Clo. *NW1* —3A **36**
Alpha Gro. *E14* —3C **56**

Alpha Pl.—Ansar Gdns.

Alpha Pl. *NW6* —1C **34**
Alpha Pl. *SW3* —2A **64**
Alpha Rd. *SE14* —4B **70**
Alpha St. *SE15* —5C **68**
(in two parts)
Alpine Rd. *SE16* —5F **55**
(in two parts)
Alric Av. *NW10* —4A **19**
Alroy Rd. *N4* —2C **10**
Alsace Rd. *SE17* —1A **68**
Alscot Rd. *SE1* —5B **54**
(in two parts)
Alscot Rd. Ind. Est. *SE16*
(off Alscot Rd.) —4B **54**
Alscot Way. *SE1* —5B **54**
Alsion Ct. *SE1* —1C **68**
Alston Rd. *SW17* —4F **91**
Altenburg Gdns. *SW11*
—2B **78**
Althea St. *SW6* —5D **63**
Althorpe M. *SW11* —4F **63**
(in two parts)
Althorp Rd. *SW17* —1B **92**
Altior Ct. *N6* —1E **9**
Alton Rd. *SW15* —1C **88**
Alton St. *E14* —5D **43**
Aluna St. *SE15* —1E **83**
Alvanley Gdns. *NW6* —2D **21**
Alverstone Av. *SW19* —2C **90**
Alverstone Ho. *SE11* —2C **66**
Alverstone Rd. *NW2* —4E **19**
Alverton Rd. *N16* —4E **11**
Alverton St. *SE8* —1B **70**
Alvey St. *SE17* —1A **68**
Alvington Cres. *E8* —2B **26**
Alwold Cres. *SE12* —4D **87**
Alwyne La. *N1* —4D **25**
Alwyne Pl. *N1* —3E **25**
Alwyne Rd. *N1* —4E **25**
Alwyne Rd. *SW19* —5B **90**
Alwyne Sq. *N1* —3E **25**
Alwyne Vs. *N1* —4D **25**
Alyth Gdns. *NW11* —1C **6**
Amazon St. *E1* —5C **40**
Ambassadors' Ct. *SW1* —2E **51**
(off St James' Pal.)
Ambassador Sq. *E14* —5D **57**
Ambergate St. *SE17* —1D **67**
Amber Gro. *NW2* —3E **5**
Amberley Gro. *SE26* —5D **97**
Amberley Rd. *E10* —2C **14**
Amberley Rd. *W9* —4C **34**
Amber St. *E15* —4F **29**
Amblecote Ct. *SE12* —3D **101**
Amblecote Meadows *SE12*
—3D **101**
Amblecote Rd. *SE12* —3D **101**
Ambler Rd. *N4* —5D **11**
Ambleside. *Brom* —5F **99**
Ambleside Av. *SW16* —4F **93**
Ambleside Clo. *E9* —2E **27**
Ambleside Clo. *E10* —2D **15**
Ambleside Gdns. *SW16*
—5F **93**
Ambleside Point. *SE15* —3E **69**
(off Tustin Est.)
Ambleside Rd. *NW10* —4B **18**
Ambrosden Av. *SW1* —4E **51**
Ambrose Av. *NW11* —2A **6**

Ambrose M. *SW11* —5B **64**
Ambrose St. *SE16* —5D **55**
Ambrose Wlk. *E3* —1C **42**
Amelia St. *SE17* —1D **67**
Amen Corner. *EC4* —5D **39**
Amen Corner. *SW17* —5C **92**
Amen Ct. *EC4* —5D **39**
America Sq. *EC3* —1B **54**
America St. *SE1* —2E **53**
Amerland Rd. *SW18* —3B **76**
Amersham Gro. *SE14* —3B **70**
Amersham Rd. *SE14* —4B **70**
Amersham Vale. *SE14* —3B **70**
Amery Gdns. *NW10* —5D **19**
Amesbury Av. *SW2* —2A **94**
Amesbury Tower. *SW8* —5E **65**
Amethyst Rd. *E15* —1F **29**
Amhurst Pk. *N16* —2F **11**
Amhurst Pas. *E8* —2C **26**
Amhurst Rd. *E8* —2D **27**
Amhurst Rd. *N16 & E8*
—1B **26**
Amhurst Ter. *E8* —1C **26**
Amiel St. *E1* —3E **41**
Amies St. *SW11* —1B **78**
Amina Way. *SE16* —4C **54**
Amity Rd. *E15* —5B **30**
Ammanford Gro. *NW9* —1A **4**
Amner Rd. *SW11* —4C **78**
Amor Rd. *W6* —4E **47**
Amos Est. *SE16* —2F **55**
Amott Rd. *SE15* —1C **82**
Amoy Pl. *E14* —1C **56**
Ampthill Est. *NW1* —1E **37**
Ampton Pl. *WC1* —2B **38**
Ampton St. *WC1* —2B **38**
Amroth Clo. *SE23* —1D **97**
Amroth Grn. *NW9* —1A **4**
Amsterdam Rd. *E14* —4E **57**
Amwell Ct. Est. *N4* —4E **11**
Amwell St. *EC1* —2C **38**
Amy Clo. *SE3* —2E **87**
Amyruth Rd. *SE4* —3C **84**
Anatola Rd. *N19* —4E **9**
Anchorage Clo. *SW19* —5C **90**
Anchor Brewhouse. *SE1*
—2B **54**
Anchor & Hope La. *SE7*
—4D **59**
Anchor M. *SW12* —4D **79**
Anchor St. *SE16* —5D **55**
Anchor Yd. *EC1* —3E **39**
Ancill Clo. *W6* —2F **61**
Ancona Rd. *NW10* —1C **32**
Andalus Rd. *SW9* —1A **80**
Anderson Clo. *W3* —5A **32**
Anderson Ct. *NW2* —3E **5**
Anderson Rd. *E9* —3F **27**
Anderson St. *SW3* —1B **64**
Anderton Clo. *SE5* —1F **81**
Andover Av. *E16* —5F **45**
Andover Pl. *NW6* —1D **35**
Andover Rd. *N7* —4B **10**
Andoversford Ct. *SE15* —2A **68**
(off Bibury Clo.)
Andre St. *E8* —2C **26**
Andrew Borde St. *WC2*
—5F **37**

Andrew Ct. *SE23* —2F **97**
Andrewes Gdns. *E6* —5F **45**
Andrewes Highwalk. *EC2*
(off Barbican) —4E **39**
Andrewes Ho. *EC2* —4E **39**
(off Barbican)
Andrew Pl. *SW8* —4F **65**
Andrews Crosse. *WC2* —5C **38**
(off Chancery La.)
Andrew's Rd. *E8* —5D **27**
Andrew St. *E14* —5E **43**
Andrews Wlk. *SE17* —2D **67**
Anerley Hill. *SE19* —5B **96**
Anerley St. *SW11* —5B **64**
Aneurin Bevan Ct. *NW2* —4D **5**
Anfield Clo. *SW12* —5E **79**
Angel. (Junct.) —1C **38**
Angela Davies Ind. Est. *SW9*
—2D **81**
Angel All. *E1* —5B **40**
Angel Ct. *EC2* —5F **39**
Angel Ct. *SW1* —2E **51**
Angel Ga. *EC1* —2D **39**
Angel La. *E15* —3F **29**
Angell Pk. Gdns. *SW9* —1C **80**
Angell Rd. *SW9* —5C **66**
Angel M. *N1* —1C **38**
Angel Pas. *EC4* —1F **53**
Angel Pl. *SE1* —3F **53**
Angel Sq. *EC1* —1C **38**
Angel St. *EC1* —5E **39**
Angel Wlk. *W6* —5E **47**
Angel Yd. *N6* —3C **8**
Angerstein La. *SE3* —4B **72**
Angler's La. *NW5* —3D **23**
Angles Rd. *SW16* —4A **94**
Anglian Rd. *E11* —5F **15**
Anglo Rd. *E3* —1B **42**
Angrave Ct. *E8* —5B **26**
Angrave Pas. *E8* —5B **26**
Angus Ho. *SW2* —5F **79**
Angus Rd. *E13* —2E **45**
Angus St. *SE14* —3A **70**
Anhalt Rd. *SW11* —3A **64**
Anley Rd. *W14* —3F **47**
Annabel Clo. *E14* —5D **43**
Anna Clo. *E8* —5B **26**
Annandale Rd. *SE10* —2B **72**
Annandale Rd. *W4* —1A **60**
Anna Neagle Clo. *E7* —1C **30**
Annesley Clo. *NW10* —5A **4**
Annesley Ho. *SW9* —3C **66**
Annesley Rd. *SE3* —4D **73**
Annesley Wlk. *N19* —4E **9**
Anne St. *E13* —3C **44**
Annette Rd. *N7* —5B **10**
Annetts Cres. *N1* —4E **25**
Annie Besant Clo. *E3* —5B **28**
Anning St. *EC2* —3A **40**
Annis Rd. *E9* —3A **28**
Ann La. *SW10* —2F **63**
Ann Moss Way. *SE16* —4E **55**
Ann's Clo. *SW1* —3B **50**
(off Kinnerton St.)
Ann's Pl. *E1* —4B **40**
(off Wentworth St.)
Ansar Gdns. *E17* —1A **14**
(off Markhouse Rd.)

108 Mini London

Ansdell Rd. *SE15* —5E **69**
Ansdell St. *W8* —4D **49**
Ansdell Ter. *W8* —4D **49**
Ansell Rd. *SW17* —3A **92**
Anselm Rd. *SW6* —2C **62**
Ansford Rd. *Brom* —5E **99**
Ansleigh Pl. *W11* —1F **47**
Anson Rd. *N7* —1E **23**
Anson Rd. *NW2* —1D **19**
Anstey Rd. *SE15* —1C **82**
Anstice Clo. *W4* —3A **60**
Anthony Cope Ct. *N1* —2F **39**
  (off Chart St.)
Anthony St. *E1* —5D **41**
Antigua Wlk. *SE19* —5F **95**
Antill Rd. *E3* —2A **42**
Antill Ter. *E1* —5F **41**
Anton St. *E8* —2C **26**
Antrim Gro. *NW3* —3B **22**
Antrim Rd. *NW3* —3B **22**
Apollo Bus. Cen. *SE8* —1F **69**
Apollo Ho. *N6* —2B **8**
Apollo Pl. *E11* —5A **16**
Apollo Pl. *SW10* —3F **63**
Apothecary St. *EC4* —5D **39**
Appach Rd. *SW2* —4C **80**
Appleby Clo. *N15* —1F **11**
Appleby Rd. *E8* —4C **26**
Appleby Rd. *E16* —5B **44**
Appleby St. *E2* —1B **40**
Appledore Clo. *SW17* —2B **92**
Appleford Rd. *W10* —3A **34**
Applegarth Rd. *W14* —4F **47**
Apple Rd. *E11* —5A **16**
Appleton Rd. *SE9* —1F **87**
Apple Tree Yd. *SW1* —2E **51**
Applewood Clo. *NW2* —5D **5**
Appold St. *EC2* —4A **40**
Apprentice Way. *E5* —1D **27**
Approach Clo. *N16* —1A **26**
Approach Rd. *E2* —1E **41**
Approach, The. *NW4* —1F **5**
Approach, The. *W3* —5A **32**
April Glen. *SE23* —3F **97**
April St. *E8* —1B **26**
Apsley Way. *NW2* —4C **4**
Apsley Way. *W1* —3C **50**
Aquila St. *NW8* —1F **35**
Aquinas St. *SE1* —2C **52**
Arabella Dri. *SW15* —2A **74**
Arabin Rd. *SE4* —2A **84**
Aragon M. *E1* —2C **54**
Aragon Tower. *SE8* —5B **56**
Arbery Rd. *E3* —2A **42**
Arbor Ct. *N16* —4F **11**
Arborfield Clo. *SW2* —1B **94**
Arbour Sq. *E1* —5F **41**
Arbury Ter. *SE26* —3D **97**
Arbuthnot Rd. *SE14* —5F **69**
Arbutus St. *E8* —5B **26**
Arcade, The. *E14* —5D **43**
Arcade, The. EC2 —4A **40**
  (off Liverpool St.)
Arcadia Ct. E1 —5B **40**
  (off Old Castle St.)
Arcadia St. *E14* —5C **42**
Archangel St. *SE16* —3F **55**
Archbishop's Pl. *SW2* —5B **80**

Archdale Ct. *W12* —2D **47**
Archdale Rd. *SE22* —3B **82**
Archel Rd. *W14* —2B **62**
Archers Lodge. *SE16* —1C **68**
  (off Culloden Clo.)
Archer Sq. *SE14* —2A **70**
Archer St. *W1* —1F **51**
Archers Wlk. SE15 —4B **68**
  (off Exeter Rd.)
Archer Tower. *SE14* —2A **70**
Archery Clo. *W2* —5A **36**
Archery Steps. W2 —1A **50**
  (off St George's Fields)
Arches, The. *SW8* —3F **65**
Arches, The. WC2 —2A **52**
  (off Villiers St.)
Archibald M. *W1* —1C **50**
Archibald Pl. *NW3* —4B **22**
Archibald Rd. *N7* —1F **23**
Archibald St. *E3* —2C **42**
Arch St. *SE1* —4E **53**
Archway. (Junct.) —4E **9**
Archway Bus. Cen. *N19* —5F **9**
Archway Clo. *N19* —4E **9**
Archway Clo. *SW19* —3D **91**
Archway Clo. *W10* —4F **33**
Archway Mall. *N19* —4E **9**
Archway Rd. *N6 & N19* —1C **8**
Archway St. *SW13* —1A **74**
Arcola St. *E8* —2B **26**
Arctic St. *NW5* —2D **23**
Arcus Rd. *Brom* —5A **100**
Ardbeg Rd. *SE24* —3F **81**
Arden Ct. Gdns. *N2* —1F **7**
Arden Cres. *E14* —5C **56**
Arden Est. *N1* —1A **40**
Arden Ho. *SE11* —5B **52**
  (off Black Prince Rd.)
Arden Ho. *SW9* —5A **66**
  (off Grantham Rd.)
Ardfillan Rd. *SE6* —1F **99**
Ardgowan Rd. *SE6* —5A **86**
  (in two parts)
Ardilaun Rd. *N5* —1E **25**
Ardleigh Rd. *N1* —3A **26**
Ardley Clo. *NW10* —5A **4**
Ardley Clo. *SE6* —3A **98**
Ardlui Rd. *SE27* —2E **95**
Ardmere Rd. *SE13* —4F **85**
Ardoch Rd. *SE6* —2F **99**
Ardshiel Clo. *SW15* —1F **75**
Ardwell Rd. *SW2* —2A **94**
Ardwick Rd. *NW2* —1C **20**
Arena Bus. Cen. *N4* —1E **11**
Arena Est. *N4* —1D **11**
Argall Av. *E10* —2F **13**
Argon M. *SW6* —3C **62**
Argosy Ho. *SE8* —5A **56**
Argyle Pl. *W6* —5D **47**
Argyle Rd. *E1* —3F **41**
Argyle Rd. *E15* —1A **30**
Argyle Rd. *E16* —5D **45**
Argyle Sq. *WC1* —2A **38**
Argyle St. *WC1* —2A **38**
Argyle Wlk. *WC1* —2A **38**
Argyle Way. SE16 —1C **68**
  (off St James's Rd.)
Argyll Clo. *SW9* —1B **80**

Argyll Mans. *SW3* —2F **63**
Argyll Rd. *W8* —3C **48**
Argyll St. *W1* —5E **37**
Arica Rd. *SE4* —2A **84**
Ariel Ct. *SE11* —5D **53**
Ariel Rd. *NW6* —3C **20**
Ariel Way. *W12* —2E **47**
Aristotle Rd. *SW4* —1F **79**
Arkindale Rd. *SE6* —3E **99**
Arkley Cres. *E17* —1B **14**
Arkley Rd. *E17* —1B **14**
Arklow Rd. *SE14* —2B **70**
Arklow Rd. Trad. Est. *SE14*
  —2B **70**
Arkwright Ho. SW2 —5A **80**
  (off Streatham Pl.)
Arkwright Rd. *NW3* —2E **21**
Arlesey Clo. *SW15* —3A **76**
Arlesford Rd. *SW9* —1A **80**
Arlingford Rd. *SW2* —3C **80**
Arlington Av. *N1* —5E **25**
Arlington Ho. SE8 —2B **70**
  (off Evelyn St.)
Arlington Lodge. *SW2* —2B **80**
Arlington Pl. *SE10* —3E **71**
Arlington Rd. *NW1* —5D **23**
Arlington Sq. *N1* —5E **25**
Arlington St. *SW1* —2E **51**
Arlington Way. *EC1* —2C **38**
Armada Ct. *SE8* —2C **70**
Armadale Rd. *SW6* —2C **62**
Armagh Rd. *E3* —5B **28**
Arminger Rd. *W12* —2D **47**
Armitage Rd. *NW11* —3A **6**
Armitage Rd. *SE10* —1B **72**
Armour Clo. *N7* —3B **24**
Armoury Rd. *SE8* —5D **71**
Armoury Way. *SW18* —3C **76**
Armstrong Rd. *SW7* —4F **49**
Armstrong Rd. *W3* —2B **46**
Arnal Cres. *SW18* —5A **76**
Arndale Cen., The. *SW18*
  —4D **77**
Arndale Wlk. *SW18* —3D **77**
Arne Ho. *SE11* —1B **66**
  (off Tyers St.)
Arne St. *WC2* —5A **38**
Arne Wlk. *SE3* —2B **86**
Arneway St. *SW1* —4F **51**
Arnewood Clo. *SW15* —1C **88**
Arngask Rd. *SE6* —5F **85**
Arnhem Pl. *E14* —4C **56**
Arnhem Way. *SE22* —3A **82**
Arnold Cir. *E2* —2B **40**
Arnold Est. *SE1* —3B **54**
Arnold Ho. *SE17* —1D **67**
Arnold Mans. W14 —2A **62**
  (off Queen's Club Gdns.)
Arnold Rd. *E3* —2C **42**
Arnot Ho. SE5 —3E **67**
  (off Comber Gro.)
Arnott Clo. *W4* —5A **46**
Arnould Av. *SE5* —2F **81**
Arnside St. *SE17* —2F **67**
Arnulf St. *SE6* —4D **99**
Arnulls Rd. *SW16* —5D **95**
Arodene Rd. *SW2* —4B **80**
Arragon Rd. *E6* —5F **31**

Arragon Rd. *SW18* —1C **90**
Arran Ct. *NW10* —5A **4**
Arran Dri. *E12* —3F **17**
Arran Rd. *SE6* —2D **99**
Arran Wlk. *N1* —4E **25**
Arrel Ho. *SE1* —4E **53**
Arrow Ct. *SW5* —5C **48**
(off W. Cromwell Rd.)
Arrowhead Ct. *E11* —1F **15**
Arrow Rd. *E3* —2D **43**
Arrowsmith Ho. *SE11* —1B **66**
(off Tyers St.)
Artesian Clo. *NW10* —4A **18**
Artesian Rd. *W2* —5C **34**
Artesian Wlk. *E11* —5A **16**
Arthingworth St. *E15* —5A **30**
Arthur Ct. *W10* —5F **33**
(off Silchester Rd.)
Arthur Deakin Ho. *E1* —4C **40**
(off Hunton St.)
Arthurdon Rd. *SE4* —3C **84**
Arthur Henderson Ho. *SW6*
(off Fulham Rd.) —5B **62**
Arthur Rd. *N7* —1B **24**
Arthur Rd. *SW19* —4C **90**
Arthur St. *EC4* —1F **53**
Artichoke Hill. *E1* —1D **55**
Artichoke M. *SE5* —4F **67**
(off Artichoke Pl.)
Artichoke Pl. *SE5* —4F **67**
Artillery Ho. *E15* —3A **30**
Artillery La. *E1* —4A **40**
Artillery La. *W12* —5C **32**
Artillery Pas. *E1* —4A **40**
(off Artillery La.)
Artillery Pl. *SW1* —4F **51**
Artillery Row. *SW1* —4F **51**
Artizan St. *E1* —5A **40**
(off Harrow Pl.)
Arundel Bldgs. *SE1* —4A **54**
(off Swan Mead)
Arundel Clo. *E15* —1A **30**
Arundel Clo. *SW11* —3A **78**
Arundel Gdns. *W11* —1B **48**
Arundel Gt. Ct. *WC2* —1B **52**
Arundel Gro. *N16* —2A **26**
Arundel Mans. *SW6* —4B **62**
(off Kelvedon Rd.)
Arundel Pl. *N1* —3C **24**
Arundel Sq. *N7* —3C **24**
Arundel St. *WC2* —1B **52**
Arundel Ter. *SW13* —2D **61**
Arvon Rd. *N5* —2C **24**
Ascalon Ho. *SW8* —3E **65**
(off Thessaly Rd.)
Ascalon St. *SW8* —3E **65**
Ascham St. *NW5* —2E **23**
Ascot Rd. *N15* —1F **11**
Ascot Rd. *SW17* —5C **92**
Ashbourne Ct. *E5* —1A **28**
Ashbourne Gro. *SE22* —2B **82**
Ashbourne Gro. *W4* —1A **60**
Ashbridge Rd. *E11* —2A **16**
Ashbridge St. *NW8* —3A **36**
Ashbrook Rd. *N19* —3F **9**
Ashburnham Gro. *SE10*
—3D **71**

Ashburnham Mans. *SW10*
—3E **63**
(off Ashburnham Rd.)
Ashburnham Pl. *SE10* —3D **71**
Ashburnham Retreat. *SE10*
—3D **71**
Ashburnham Rd. *NW10*
—2E **33**
Ashburnham Rd. *SW10*
—3E **63**
Ashburnham Tower. *SW10*
(off Worlds End Est.) —3F **63**
Ashburn Pl. *SW7* —5E **49**
Ashburton Enterprise Cen.
SW15 —4E **75**
Ashburton Gro. *N7* —1C **24**
Ashburton Rd. *E16* —5C **44**
Ashburton Ter. *E13* —1C **44**
Ashbury Pl. *SW19* —5E **91**
Ashbury Rd. *SW11* —1B **78**
Ashby Gro. *N1* —4E **25**
Ashby Ho. *N1* —4E **25**
(off Essex Rd.)
Ashby Ho. *SW9* —5D **67**
Ashby M. *SE4* —5B **70**
Ashby Rd. *SE4* —5B **70**
Ashby St. *EC1* —2D **39**
Ashchurch Gro. *W12* —4C **46**
Ashchurch Pk. Vs. *W12*
—4C **46**
Ashchurch Ter. *W12* —4C **46**
Ashcombe Pk. *NW2* —5A **4**
Ashcombe Rd. *SW19* —5C **90**
Ashcombe St. *SW6* —5D **63**
Ashcroft Rd. *E3* —2A **42**
Ashcroft Sq. *W6* —5E **47**
Ashdale Ho. *N4* —2F **11**
Ashdale Rd. *SE12* —1D **101**
Ashdene. *SE15* —4D **69**
Ashdon Rd. *NW10* —5B **18**
Ashdown Cres. *NW5* —2C **22**
Ashdown Est. *E11* —1F **29**
Ashdown Wlk. *E14* —5C **56**
(off Copeland Dri.)
Ashdown Way. *SW17* —2C **92**
Ashenden Rd. *E5* —2A **28**
Ashen Gro. *SW19* —3C **90**
Ashentree Ct. *EC4* —5C **38**
(off Whitefriars St.)
Asher Way. *E1* —1C **54**
Ashfield Rd. *N4* —1E **11**
Ashfield Rd. *W3* —2B **46**
Ashfield St. *E1* —4D **41**
Ashford Clo. *E17* —1B **14**
Ashford Ho. *SE8* —2B **70**
Ashford Ho. *SW9* —2D **81**
Ashford Pas. *NW2* —1F **19**
Ashford Rd. *NW2* —1F **19**
Ashford St. *N1* —2A **40**
Ash Gro. *E8* —5D **27**
Ash Gro. *NW2* —1F **19**
Ash Gro. *SE12* —1C **100**
Ashgrove Rd. *Brom* —5F **99**
Ash Ho. *SE1* —5B **54**
(off Longfield Est.)
Ashington Rd. *SW6* —5B **62**
Ashlake Rd. *SW16* —4A **94**
Ashland Pl. *W1* —4C **36**

Ashleigh Commercial Est. *SE7*
—4E **59**
Ashleigh Point. *SE23* —3F **97**
Ashleigh Rd. *SW14* —1A **74**
Ashley Cres. *SW11* —1C **78**
Ashley Gdns. *SW1* —4E **51**
Ashley Pl. *SW1* —4E **51**
Ashley Rd. *E7* —4E **31**
Ashley Rd. *N19* —3A **10**
Ashley Rd. *SW19* —5D **91**
Ashlin Rd. *E15* —1F **29**
Ashlone Rd. *SW15* —1F **75**
Ashmead Bus. Cen. *E16*
—3F **43**
Ashmead Ho. *E9* —2A **28**
(off Homerton Rd.)
Ashmead Rd. *SE8* —5C **70**
Ashmere Gro. *SW2* —2A **80**
Ashmill St. *NW1* —4A **36**
Ashmole Pl. *SW8* —2B **66**
Ashmole St. *SW8* —2B **66**
Ashmore Rd. *W9* —2B **66**
Ashmount Est. *N19* —2F **9**
Ashmount Rd. *N19* —2F **9**
Ashness Rd. *SW11* —3B **78**
Ash Rd. *E15* —2A **30**
Ashstead Rd. *N16* —2C **12**
Ashtead Rd. *E5* —2C **12**
Ashton Heights. *SE23* —1E **97**
Ashton Ho. *SW9* —3C **66**
Ashton Rd. *E15* —2F **29**
Ashton St. *E14* —1E **57**
Ashurst Gdns. *SW2* —1C **94**
Ashvale Rd. *SW17* —5B **92**
Ashville Rd. *E11* —4F **15**
Ashwater Rd. *SE12* —1C **100**
Ashwin St. *E8* —3B **26**
Ashworth Clo. *SE5* —5F **67**
Ashworth Mans. *W9* —2D **35**
(off Elgin Av.)
Ashworth Rd. *W9* —2D **35**
Asilone Rd. *SW15* —1E **75**
Asker Ho. *N7* —1A **24**
Aske St. *N1* —2A **40**
Askew Cres. *W12* —3B **46**
Askew Rd. *W12* —2B **46**
(off Uxbridge St.)
Askew Rd. *W12* —2B **46**
Askham Ct. *W12* —2C **46**
Askham Rd. *W12* —2C **46**
Askill Dri. *SW15* —3A **76**
Asland Rd. *E15* —5A **30**
Aslett St. *SW18* —5D **77**
Asmara Rd. *NW2* —2A **20**
Asmuns Hill. *NW11* —1C **6**
Asmuns Pl. *NW11* —1B **6**
Asolando Dri. *SE17* —5E **53**
(off King and Queen St.)
Aspen Clo. *N19* —4E **9**
Aspen Ct. *E8* —3B **26**
Aspen Gdns. *W6* —1D **61**
Aspenlea Rd. *W6* —2F **61**
Aspen Way. *E14* —1C **56**
Aspern Gro. *NW3* —2A **22**
Aspinall Rd. *SE4* —1F **83**
Aspinden Rd. *SE16* —5D **55**
Aspley Rd. *SW18* —3D **77**
Assam St. *E1* —5C **40**

Assata M. *N1* —3D **25**
Assembly Pas. *E1* —4E **41**
Astbury Ho. *SE11* —4C **62**
(off Lambeth Wlk.)
Astbury Rd. *SE15* —4E **69**
Astell St. *SW3* —1A **64**
Aste St. *E14* —3E **57**
Astey's Row. *N1* —4E **25**
Astle St. *SW11* —5C **64**
Astley Av. *NW2* —2E **19**
Astley Ho. *SE1* —1B **68**
Aston Ho. *SW8* —4F **65**
Aston St. *E14* —4A **42**
Astonville St. *SW18* —1C **90**
Astoria Mans. *SW16* —3A **94**
Astoria Wlk. *SW9* —1C **80**
Astrop M. *W6* —4E **47**
Astrop Ter. *W6* —3E **47**
Astwood M. *SW7* —5E **49**
Asylum Rd. *SE15* —3D **69**
Atalanta St. *SW6* —3F **61**
Atheldene Rd. *SW18* —1D **91**
Athelney St. *SE6* —3C **98**
Athelstane Gro. *E3* —1B **42**
Athelstane M. *N4* —3C **10**
Athelstan Gdns. *NW6* —4A **20**
Athenaeum Ct. *N5* —1E **25**
Athenlay Rd. *SE15* —3F **83**
Atherden Rd. *E5* —1E **27**
Atherfold Rd. *SW9* —1A **80**
Atherstone M. *SW7* —5E **49**
Atherton Dri. *SW19* —4F **89**
Atherton M. *E7* —3B **30**
Atherton Rd. *E7* —3B **30**
Atherton Rd. *SW13* —3C **60**
Atherton St. *SW11* —5A **64**
Athlone Clo. *E5* —2D **27**
Athlone Rd. *SW2* —5B **80**
Athlone St. *NW5* —3C **22**
Athol Sq. *E14* —5E **43**
Atkinson Ct. *E10* —2D **15**
(off Kings Clo.)
Atkinson Rd. *E16* —4E **45**
Atkins Rd. *E10* —1D **15**
Atkins Rd. *SW12* —5E **79**
Atlantic Rd. *SW9* —2C **80**
Atlas Bus. Cen. *NW2* —4D **5**
Atlas Gdns. *SE7* —5E **59**
Atlas M. *E8* —3B **26**
Atlas M. *N7* —3B **24**
Atlas Rd. *E13* —1C **44**
Atlas Rd. *NW10* —2A **32**
Atlas Wharf. *E9* —3C **28**
Atley Rd. *E3* —5C **28**
Atney Rd. *SW15* —2A **76**
Atterbury Rd. *N4* —1D **11**
Atterbury St. *SW1* —5A **52**
Attewood Av. *NW10* —5A **4**
Attleborough Ct. *SE23*
—2D **97**
Attneave St. *WC1* —2C **38**
Atwater Clo. *SW2* —1C **94**
Atwell Clo. *E10* —1D **15**
Atwell Rd. *SE15* —5C **68**
Atwood M. *W6* —5D **47**
Aubert Ct. *N5* —1D **25**
Aubert Pk. *N5* —1D **25**
Aubert Rd. *N5* —1D **25**

Aubrey Gdns. *NW8* —1E **35**
(off Abbey Rd.)
Aubrey Moore Point. *E15*
(off Abbey La.) —1E **43**
Aubrey Pl. *NW8* —1E **35**
Aubrey Rd. *N8* —1A **10**
Aubrey Rd. *W8* —2B **48**
Aubrey Wlk. *W8* —2B **48**
Auburn Clo. *SE14* —3A **70**
Aubyn Hill. *SE27* —4E **95**
Aubyn Sq. *SW15* —3C **74**
Auckland Hill. *SE27* —4E **95**
Auckland Rd. *E10* —5D **15**
Auckland Rd. *SW11* —2A **78**
Auckland St. *SE11* —1B **66**
Auden Pl. *NW1* —5C **22**
(in two parts)
Audley Clo. *SW11* —1C **78**
Audley Dri. *E16* —2D **59**
Audley Rd. *NW4* —1C **4**
Audley Sq. *W1* —2C **50**
Audrey St. *E2* —1C **40**
Augurs La. *E13* —2D **45**
Augusta St. *E14* —5D **43**
Augustine Rd. *W14* —4F **47**
Augustus Ct. *SW16* —2F **93**
Augustus St. *SW19* —1F **89**
Augustus St. *NW1* —1D **37**
Aulton Pl. *SE11* —1C **66**
Auriga M. *N1* —2A **26**
Auriol Rd. *W14* —5A **48**
Austin Clo. *SE23* —5B **84**
Austin Ct. *E6* —5E **31**
Austin Ct. *SE15* —1C **82**
(off Philip Wlk.)
Austin Friars. *EC2* —5F **39**
Austin Friars Pas. *EC2* —5F **39**
(off Austin Friars)
Austin Friars Sq. *EC2* —5F **39**
(off Austin Friars)
Austin St. *SW11* —4C **64**
Austin St. *E2* —2B **40**
Australia Rd. *W12* —1D **47**
Austral St. *SE11* —5D **53**
Autumn Clo. *SW19* —5E **91**
Autumn St. *E3* —5C **28**
Avalon Rd. *SW6* —4D **63**
Avarn Rd. *SW17* —5B **92**
Avebury Ct. *N1* —5F **25**
(off Colville Est.)
Avebury Rd. *E11* —3F **15**
Avebury St. *N1* —5F **25**
Aveline St. *SE11* —1C **66**
Ave Maria La. *EC4* —5D **39**
Avenell Rd. *N5* —5D **11**
Avening Rd. *SW18* —5C **76**
Avening Ter. *SW18* —5C **76**
Avenons Rd. *E13* —3D **44**
Avenue Clo. *NW8* —5A **22**
Avenue Ct. *NW2* —5B **6**
Avenue Gdns. *SW14* —1A **74**
Avenue Mans. *NW3* —2D **21**
(off Finchley Rd.)
Avenue Pk. Rd. *SE27* —2D **95**
Avenue Rd. *E7* —1D **31**
Avenue Rd. *N6* —2E **9**

Avenue Rd. *N15* —1F **11**
Avenue Rd. *NW3 & NW8*
—4F **21**
Avenue Rd. *NW10* —1B **32**
Avenue, The. *E11* —1D **17**
Avenue, The. *NW6* —5A **20**
Avenue, The. *SE7* —3E **73**
Avenue, The. *SE10* —3F **71**
Avenue, The. *SW4* —3D **79**
Avenue, The. *SW18* —5A **78**
Avenue, The. *W4* —4A **46**
Averill St. *W6* —2F **61**
Avery Farm Row. *SW1*
—5D **51**
Avery Row. *W1* —1D **51**
Aviary Clo. *E16* —4B **44**
Avignon Rd. *SE4* —1F **83**
Avington Way. *SE15* —3B **68**
Avis Sq. *E1* —5F **41**
Avoca Rd. *SW17* —4C **92**
Avocet Clo. *SE1* —1C **68**
Avondale Av. *NW2* —5A **4**
Avondale Ct. *E11* —3A **16**
Avondale Ct. *E16* —4A **44**
Avondale Cres. *Ilf* —1F **17**
Avondale Ho. *SE1* —1C **68**
(off Avondale Sq.)
Avondale Pk. Gdns. *W11*
—1A **48**
Avondale Pk. Rd. *W11* —1A **48**
Avondale Rise. *SE15* —1B **82**
Avondale Rd. *E16* —4A **44**
Avondale Rd. *E17* —2C **14**
Avondale Rd. *N15* —1D **11**
Avondale Rd. *SE9* —2F **101**
Avondale Rd. *SW14* —1A **74**
Avondale Rd. *SW19* —5D **91**
Avondale Sq. *SE1* —1C **68**
Avon Ho. *W8* —4C **48**
(off Allen St.)
Avonley Rd. *SE14* —3E **69**
Avonmore Gdns. *W14* —5B **48**
Avonmore Pl. *W14* —5B **48**
(off Avonmore Rd.)
Avonmore Rd. *W14* —5A **48**
Avonmouth St. *SE1* —4E **53**
Avon Pl. *SE1* —3E **53**
Avon Rd. *SE4* —1C **84**
Axe Ct. *E2* —2B **40**
(off Long St.)
Axminster Rd. *N7* —5A **10**
Aybrook St. *W1* —4C **36**
Aycliffe Rd. *W12* —2C **46**
Ayerst Ct. *E10* —2E **15**
Aylesbury Clo. *E7* —3B **30**
Aylesbury Rd. *SE17* —1F **67**
Aylesbury St. *EC1* —3D **39**
Aylesbury St. *NW10* —5A **4**
Aylesford St. *SW1* —1F **65**
Aylesham Cen., The. *SE15*
—4C **68**
Aylestone Av. *NW6* —4F **19**
Aylmer Ct. *N2* —1B **8**
Aylmer Pde. *N2* —1B **8**
Aylmer Rd. *E11* —3B **16**
Aylmer Rd. *N2* —1A **8**
Aylmer Rd. *W12* —3B **46**

Aylton Est.—Barbers All.

Aylton Est. SE16 —4E 55
Aylward Rd. SE23 —2F 97
Aylward St. E1 —5E 41
Aylwin Est. SE1 —4A 54
Aynhoe Mans. W14 —5F 47
　(off Aynhoe Rd.)
Aynhoe Rd. W14 —5F 47
Ayres Clo. E13 —2C 44
Ayres St. SE1 —3E 53
Ayrsome Rd. N16 —5A 12
Ayrton Rd. SW7 —4F 49
Aysgarth Rd. SE21 —5A 82
Ayton Ho. SE5 —3F 67
　(off Edmund St.)
Aytoun Pl. SW9 —5B 66
Aytoun Rd. SW9 —5B 66
Azenby Rd. SE15 —5B 68
Azof St. SE10 —5A 58

Baalbec Rd. N5 —2D 25
Babington Ct. WC1 —4B 38
　(off Orde Hall St.)
Babington Rd. SW16 —5F 93
Babmaes St. SW1 —1F 51
Bacchus Wlk. N1 —1A 40
　(off Hoxton St.)
Bache's St. N1 —2F 39
Back All. EC3 —5A 40
Bk. Church La. E1 —5C 40
Back Hill. EC1 —3C 38
Backhouse Pl. SE17 —5A 54
Back La. E15 —1F 43
Back La. N8 —1A 10
Back La. NW3 —1E 21
Bacon Gro. SE1 —4B 54
Bacons La. N6 —3C 8
Bacon St. E1 & E2 —3B 40
Bacton St. E2 —2E 41
Baddesley Ho. SE11 —1B 66
　(off Jonathan St.)
Baddow Wlk. N1 —5E 25
　(off Basire St.)
Baden Pl. SE1 —3F 53
Baden-Powell Ho. SW7 —5E 49
　(off Queens Ga.)
Badminton M. E16 —2C 58
Badminton Pl. SW12 —4C 78
Badsworth Rd. SE5 —4E 67
Baffins Pl. SE1 —4F 53
　(off Long La.)
Baffin Way. E14 —2E 57
　(off Blackwall Way)
Bagford St. N1 —5F 25
Bagley's La. SW6 —4D 63
Bagshot St. SE17 —1A 68
Baildon St. SE8 —3B 70
Bailey Pl. SE26 —5F 97
Bainbridge St. WC1 —5F 37
Baird Gdns. SE19 —4A 96
Baird Ho. W12 —1D 47
　(off White City Est.)
Baird St. EC1 —3E 39
Baizdon Rd. SE3 —5A 72
Baker M. N16 —4B 12
Baker Rd. NW10 —1A 58
Bakers Av. E17 —1D 15
Baker's Field. N7 —1A 24

Bakers Hall Ct. EC3 —1A 54
Bakers Hill. E5 —3E 13
Bakers La. N6 —1B 8
Baker's M. W1 —5C 36
Bakers Pas. NW3 —1E 21
　(off Heath St.)
Baker's Rents. E2 —2B 40
Baker's Row. E15 —1A 44
Baker's Row. EC1 —3C 38
Baker St. NW1 & W1 —3B 36
Baker Street. (Junct.) —4B 36
Baker's Yd. EC1 —3C 38
　(off Bakers Rd.)
Bakery Clo. SW9 —3B 66
Bakery Pl. SW11 —2B 78
Bakewell Ct. E5 —5A 14
Balaam St. E13 —3C 44
Balaclava Rd. SE1 —5B 54
Balben Path. E9 —4E 27
Balchen Rd. SE3 —5F 73
Balchier Rd. SE22 —4D 83
Balcombe St. NW1 —3B 36
Balcorne St. E9 —4E 27
Balder Rise. SE12 —2D 101
Balderton St. W1 —5C 36
Baldock St. E3 —1D 43
Baldry Gdns. SW16 —5B 94
Baldwin Ho. SW2 —1C 94
Baldwin Cres. SE5 —4E 67
Baldwins Gdns. EC1 —4C 38
Baldwin St. EC1 —2F 39
Baldwin Ter. N1 —1E 39
Balfern Gro. W4 —1A 60
Balfern St. SW11 —5A 64
Balfe St. N1 —1A 38
Balfour Tower. E14 —5E 43
Balfour Ho. W10 —4F 33
　(off St Charles Sq.)
Balfour M. W1 —2C 50
Balfour Pl. SW15 —2D 75
Balfour Pl. W1 —1C 50
Balfour Rd. N5 —1E 25
Balfour St. SE17 —5F 53
Balham Continental Mkt. SW12
　(off Shipka Rd.) —1D 93
Balham Gro. SW12 —5C 78
Balham High Rd. SW17 &
　SW12 —3C 92
Balham Hill. SW12 —5D 79
Balham New Rd. SW12
　—5D 79
Balham Pk. Rd. SW12 —1B 92
Balham Sta. Rd. SW12
　—1D 93
Balkan Wlk. E1 —1D 55
Balladier Wlk. E14 —4D 43
Ballamore Rd. Brom —3C 100
Ballance Rd. E9 —3F 27
Ballantine St. SW18 —2E 77
Ballantrae Ho. NW2 —1B 20
Ballards Rd. NW2 —4C 4
Ballast Quay. SE10 —1F 71
Ballater Rd. SW2 —2A 80
Ball Ct. EC3 —5F 39
　(off Cornhill)
Ballina St. SE23 —5F 83
Ballingdon Rd. SW11 —4C 78
Balliol Rd. W10 —5E 33

Balloch Rd. SE6 —1F 99
Ballogie Av. NW10 —1A 18
Ballow Clo. SE5 —3A 68
Ball's Pond Pl. N1 —3F 25
Balls Pond Rd. N1 —3F 25
Balmer Rd. E3 —1B 42
Balmes Rd. N1 —5F 25
Balmoral Clo. SW15 —4F 75
Balmoral Ct. SE12 —4D 101
Balmoral Ct. SE27 —4E 95
Balmoral Gro. N7 —3B 24
Balmoral M. W12 —4B 46
Balmoral Rd. E7 —1E 31
Balmoral Rd. E10 —4D 15
Balmoral Rd. NW2 —3D 19
Balmore St. N19 —4D 9
Balmuir Gdns. SW15 —2E 75
Balnacraig Av. NW10 —1A 18
Balniel Ga. SW1 —1F 65
Baltic Ct. SE16 —3F 55
Baltic Ho. SE5 —5E 67
Baltic St. E. EC1 —3E 39
Baltic St. W. EC1 —3E 39
Baltimore Ho. SE11 —1C 66
　(off Hotspur St.)
Balvaird Pl. SW1 —1F 65
Balvernie Gro. SW18 —5B 76
Bamborough Gdns. W12
　—3E 47
Bamford Rd. Brom —5B 99
Bampton Rd. SE23 —3F 97
Banbury Ct. WC2 —1A 52
　(off Long Acre)
Banbury Ho. E9 —4F 27
Banbury Rd. E9 —4F 27
Banbury St. SW11 —5A 64
Banchory Rd. SE3 —3D 73
Bancroft Av. N2 —1A 8
Bancroft Ct. SW8 —3A 66
　(off Allen Edwards Dri.)
Bancroft Rd. E1 —2F 41
Bangalore St. SW15 —1E 75
Banim St. W6 —5D 47
Banister Ho. E9 —2F 27
Banister Rd. W10 —2F 33
Bank End. SE1 —2E 53
Bankfoot Rd. Brom —4A 100
Bankhurst Rd. SE6 —5B 84
Bank La. SW15 —3A 74
Bankside. SE1 —1E 53
Bankside Way. SE19 —5A 96
Bank, The. N6 —3D 9
Bankton Rd. SW2 —2C 80
Bankwell Rd. SE13 —2A 86
Bannerman Ho. SW8 —2B 66
Banner St. EC1 —3E 39
Banning Ho. SE10 —1A 72
Bannister Clo. SW2 —1C 94
Banstead St. SE15 —1E 83
Banting Ho. NW2 —5C 4
Bantry St. SE5 —3F 67
Banyard Rd. SE16 —4D 55
Baptist Gdns. NW5 —3C 22
Barandon Wlk. W11 —1F 47
Barbara Brosnan Ct. NW8
　—1F 35
Barbauld Rd. N16 —5A 12
Barbers All. E13 —2D 45

Barbers Rd. *E15* —1D **43**
Barbican. *EC2* —4E **39**
Barb M. *W6* —4E **47**
Barbon Clo. *WC1* —4B **38**
Barchard St. *SW18* —3D **77**
Barchester St. *E14* —4D **43**
Barclay Clo. *SW6* —3C **62**
Barclay Path. *E17* —1E **15**
Barclay Rd. *E11* —3B **16**
Barclay Rd. *E13* —3E **45**
Barclay Rd. *E17* —1E **15**
Barclay Rd. *SW6* —3C **62**
Barclay Way. *SE22* —1C **96**
Barcombe Av. *SW2* —2A **94**
Bardell Ho. SE1 —3C **54**
 (off Dickens Est.)
Bardolph Rd. *N7* —1A **24**
Bard Rd. *W10* —1F **47**
Bardsey Wlk. *N1* —3E **25**
Bardsley La. *SE10* —2E **71**
Barfett St. *W10* —3B **34**
Barfield Rd. *E11* —3B **16**
Barfleur Ho. *SE8* —1B **70**
Barford St. *N1* —5C **24**
Barforth Rd. *SE15* —1D **83**
Barge Ho. *SE1* —2C **52**
Bargery Rd. *SE6* —1D **99**
Bargrove Cres. *SE6* —2B **98**
Baring Clo. *SE12* —2C **100**
Baring Rd. *SE12* —5C **86**
Baring St. *N1* —5F **25**
Barington Ho. N1 —1B **38**
 (off Collier St.)
Barker Dri. *NW1* —4E **23**
Barker M. *SW4* —2D **79**
Barkers Arc. *W8* —3D **49**
Barker St. *SW10* —2E **63**
Barker Wlk. *SW16* —3F **93**
Barker Way. *SE22* —5C **82**
Barking Rd. *E16, E13 & E6*
 —4B **44**
Bark Pl. *W2* —1D **49**
Barkston Gdns. *SW5* —5D **49**
Barkway Rd. *N4* —4E **11**
Barkworth Rd. *SE16* —1D **69**
Barlborough St. *SE14* —3F **69**
Barlby Gdns. *W10* —3F **33**
Barlby Rd. *W10* —4E **33**
Barleycorn Way. *E14* —1B **56**
Barleymow Pas. EC1 —4D **39**
 (off Long La.)
Barley Mow Pas. *W4* —1A **60**
Barlings Ho. SE4 —2F **83**
 (off Frendsbury Rd.)
Barlow Ho. N1 —2F **39**
 (off Provost Est.)
Barlow Ho. W11 —1A **48**
 (off Walmer Rd.)
Barlow Pl. *W1* —1D **51**
Barlow Rd. *NW6* —3B **20**
Barlow St. *SE17* —5F **53**
Barmeston Rd. *SE6* —2D **99**
Barmouth Rd. *SW18* —4E **77**
Barnabas Rd. *E9* —2F **27**
Barnaby Ct. SE16 —3C **54**
 (off Lidgett Cres.)
Barnaby Pl. SW7 —5F **49**
 (off Brompton Rd.)

Barnard Gro. *E15* —4B **30**
Barnard M. *SW11* —2A **78**
Barnardo Gdns. *E1* —1F **55**
Barnardo St. *E1* —5F **41**
Barnard Rd. *SW11* —2A **78**
Barnard's Inn. EC1 —5C **38**
 (off Fetter La.)
Barnard's Wharf. SE16
 —3B **56**
Barnby Sq. *E15* —5A **30**
Barnby St. *E15* —5A **30**
Barnby St. *NW1* —1E **22**
Barn Elms Pk. *SW15* —1E **75**
Barnes Av. *SW13* —3C **60**
Barnes Clo. *E12* —1F **31**
Barnes Ct. *E16* —4E **45**
Barnes High St. *SW13* —5B **60**
Barnes St. *E14* —5A **42**
Barnet Gro. *E2* —2C **40**
Barnett St. *E1* —5D **41**
Barney Clo. *SE7* —1E **73**
Barn Field. *NW3* —2B **22**
Barnfield Clo. *N4* —2A **10**
Barnfield Clo. *SW17* —3F **91**
Barnfield Pl. *E14* —5C **56**
Barnham St. *SE1* —3A **54**
Barnsbury Est. *N1* —5C **24**
Barnsbury Gro. *N7* —4B **24**
Barnsbury M. *N1* —4C **24**
Barnsbury Pk. *N1* —4C **24**
Barnsbury Rd. *N1* —1C **38**
Barnsbury Sq. *N1* —4C **24**
Barnsbury St. *N1* —4C **24**
Barnsbury Ter. *N1* —4B **24**
Barnsdale Av. *E14* —5D **57**
Barnsdale Rd. *W9* —3B **34**
Barnsley St. *E1* —3D **41**
Barnstable Ho. SE12 —3B **86**
 (off Taunton Rd.)
Barnstable La. *SE13* —2E **85**
Barn St. *N16* —4A **12**
Barnwell Rd. *SW2* —3C **80**
Barnwood Clo. *W9* —3D **35**
Baron Clo. *N1* —1C **38**
Baroness Rd. *E2* —2B **40**
Baronsclere Ct. *N6* —2C **9**
Baron's Ct. Rd. W14 —1A **62**
Barons Keep. *W14* —1A **62**
Baronsmead Rd. *SW13*
 —4C **60**
Baron's Pl. SE1 —3C **52**
Baron St. *N1* —1C **38**
Baron Wlk. *E16* —4B **44**
Barque M. *SE8* —2C **70**
Barrack Yd. *SW1* —3C **50**
Barratt Ind. Pk. *E3* —3E **43**
Barrett Ho. *SE17* —1E **67**
 (off Browning St.)
Barrett Ho. SW9 —1B **80**
 (off Benedict Rd.)
Barrett's Gro. *N16* —2A **26**
Barrett St. *W1* —5C **36**
Barrhill Rd. *SW2* —2A **94**
Barriedale. *SE14* —5A **70**
Barrie Est. *W2* —1F **49**
Barrier App. *SE7* —4F **59**
Barringer Sq. *SW17* —4C **92**
Barrington Clo. *NW5* —2C **22**

Barrington Ct. *NW5* —2C **22**
Barrington Rd. *SW9* —1D **81**
Barrowgate Rd. *W4* —1A **60**
Barrow Hill Est. NW8 —1A **36**
 (off Barrow Hill Rd.)
Barrow Hill Rd. *NW8* —1A **36**
Barrow Rd. *SW16* —5F **93**
Barry Av. *N15* —1B **12**
Barry Rd. *SE22* —4C **82**
Barset Rd. *SE15* —1E **83**
 (in three parts)
Barston Rd. *SE27* —3E **95**
Barstow Cres. *SW2* —1B **94**
Barter St. *WC1* —4A **38**
Bartholomew Clo. *EC1* —4E **39**
 (in two parts)
Bartholomew Clo. *SW18*
 —2E **77**
Bartholomew Ct. EC1 —3E **39**
 (off Old St.)
Bartholomew La. *EC2* —5F **39**
Bartholomew Pl. EC1 —4E **39**
 (off Kinghorn St.)
Bartholomew Rd. *NW5*
 —3E **23**
Bartholomew Sq. *E1* —3D **41**
Bartholomew Sq. *EC1* —3E **39**
Bartholomew St. *SE1* —4F **53**
Bartholomew Vs. *NW5* —3E **23**
Bartle Rd. *W11* —5A **34**
Bartlett Clo. *E14* —5C **42**
Bartlett Ct. *EC4* —5C **38**
Barton Clo. *E9* —2E **27**
Barton Clo. *SE15* —1D **83**
Barton Ct. W14 —1A **62**
 (off Barons Ct. Rd.)
Barton Ho. N1 —4D **25**
 (off Sable St.)
Barton Ho. SW6 —1D **77**
 (off Wandsworth Bri. Rd.)
Barton Rd. *W14* —1A **62**
Barton St. *SW1* —4A **52**
Bartram Rd. *SE4* —3A **84**
Barville Clo. *SE4* —2A **84**
Barwick Rd. *E7* —1D **31**
Bashley Rd. *NW10* —3A **32**
Basil Gdns. *SE27* —5E **95**
Basil Ho. SW8 —3A **66**
 (off Wyvil Rd.)
Basil St. *SW3* —4B **50**
Basing Ct. *SE15* —4B **68**
Basingdon Way. *SE5* —2F **81**
Basinghall Av. *EC2* —5F **39**
Basinghall St. *EC2* —5F **39**
Basing Hill. *NW11* —3B **6**
Basing Ho. Yd. *E2* —2A **40**
Basing Pl. *E2* —2A **40**
Basing St. *W11* —5B **34**
Basire St. *N1* —5E **25**
Baskerville Rd. *SW18* —5A **78**
Basket Gdns. *SE9* —3F **87**
Baslow Wlk. *E5* —1F **27**
Basnett Rd. *SW11* —1C **78**
Bassano St. *SE22* —3B **82**
Bassein Pk. Rd. *W12* —3B **46**
Bassett Rd. *E7* —1F **31**
Bassett Rd. *W10* —5F **33**
Bassett St. *NW5* —3C **22**

Bassingham Rd. *SW18* —5E **77**
Bassishaw Highwalk. *EC2*
   (off London Wall) —4F **39**
Basswood Clo. *SE15* —1D **83**
Basterfield Ho. *EC1* —3E **39**
   (off Golden La. Est.)
Bastion Highwalk. *EC2* —4E **39**
   (off London Wall)
Bastion Ho. *EC2* —4E **39**
   (off London Wall)
Bastwick St. *EC1* —3E **39**
Basuto Rd. *SW6* —4C **62**
Batavia Ho. *SE14* —3A **70**
   (off Batavia Rd.)
Batavia M. *SE14* —3A **70**
Batavia Rd. *SE14* —3A **70**
Batchelor St. *N1* —5C **24**
Bateman's Bldgs. *W1* —5F **37**
   (off Bateman St.)
Bateman's Row. *EC2* —3A **40**
Bateman St. *W1* —5F **37**
Bates Point. *E13* —5C **30**
   (off Pelly Rd.)
Bate St. *E14* —1B **56**
Bath Clo. *SE15* —3C **69**
Bath Ct. *EC1* —3E **38**
   (off St Lukes Est.)
Bath Ct. *SE26* —3C **96**
Bathgate Rd. *SW19* —3F **89**
Bath Pl. *EC2* —2A **40**
Bath Pl. *W6* —1E **61**
   (off Fulham Pal. Rd.)
Bath Rd. *E7* —3F **31**
Bath Rd. *W4* —5A **46**
Baths App. *SW6* —3B **62**
Bath St. *EC1* —2E **39**
Bath Ter. *SE1* —4E **53**
Bathurst Gdns. *NW10* —1D **33**
Bathurst M. *W2* —1F **49**
Bathurst St. *W2* —1F **49**
Batley Pl. *N16* —5B **12**
Batley Rd. *N16* —5B **12**
Batman Clo. *W12* —2D **47**
Batoum Gdns. *W6* —4E **47**
Batson Ho. *E1* —5C **40**
   (off Fairclough St.)
Batson St. *W12* —3C **46**
Battenberg Wlk. *SE19* —5A **96**
Batten Ho. *SW4* —3E **79**
Batten St. *SW11* —1A **78**
Battersby Rd. *SE6* —2F **99**
Battersea Bri. *SW3 & SW11*
   —3F **63**
Battersea Bri. Rd. *SW11*
   —3A **64**
Battersea Chu. Rd. *SW11*
   —4F **63**
Battersea High St. *SW11*
   —4F **63**
Battersea Pk. Rd. *SW11 & SW8*
   —5A **64**
Battersea Rise. *SW11* —3A **78**
Battersea Sq. *SW11* —4F **63**
Battishill St. *N1* —4D **25**
Battlebridge Ct. *N1* —1A **38**
   (off Wharfdale Rd.)
Battle Bri. La. *SE1* —2A **54**

Battle Bri. Rd. *NW1* —1A **38**
Battle Clo. *SW19* —5E **91**
Battledean Rd. *N5* —2D **25**
Batty St. *E1* —5C **40**
Baudwin Rd. *SE6* —2A **100**
Baulk, The. *SW18* —5C **76**
Bavaria Rd. *N19* —4A **10**
Bavent Rd. *SE5* —5E **67**
Bawdale Rd. *SE22* —3B **82**
Bawtree Rd. *SE14* —3A **70**
Baxendale St. *E2* —2C **40**
Baxter Rd. *E16* —5E **45**
Baxter Rd. *N1* —3F **25**
Bayer Ho. *EC1* —3E **39**
   (off Golden La. Est.)
Bayes Clo. *SE26* —5E **97**
Bayfield Ho. *SE4* —2F **83**
   (off Coston Wlk.)
Bayfield Rd. *SE9* —2F **87**
Bayford M. *E8* —4D **27**
   (off Bayford St.)
Bayford Rd. *NW10* —2F **33**
Bayford St. *E8* —4D **27**
Bayham Pl. *NW1* —5E **23**
Bayham Rd. *W4* —4A **46**
Bayham St. *NW1* —5E **23**
Bayley St. *WC1* —4F **37**
Baylin Rd. *SW18* —4D **77**
Baylis Rd. *SE1* —3C **52**
Baynes M. *NW3* —3F **9**
Baynes Pl. *NW1* —4E **23**
Baynes St. *NW1* —4E **23**
Bayonne Rd. *W6* —2A **62**
Bayston Rd. *N16* —5B **12**
Bayswater Rd. *W2* —1D **49**
Baythorne St. *E3* —4B **98**
Baytree Ct. *SW2* —2B **80**
Baytree Rd. *SW2* —2B **80**
Bazely St. *E14* —1E **57**
Beacham Clo. *SE7* —1F **73**
Beachborough Rd. *Brom*
   —4E **99**
Beachcroft Rd. *E11* —5A **16**
Beachcroft Way. *N19* —3F **9**
Beachy Rd. *E3* —4C **28**
Beacon Ga. *SE14* —5F **69**
Beacon Hill. *N7* —2A **24**
Beacon Rd. *SE13* —4F **85**
Beaconsfield Clo. *SE3* —2C **72**
Beaconsfield Pde. *SE9*
   —4F **101**
Beaconsfield Rd. *E10* —5A **18**
Beaconsfield Rd. *E16* —3B **44**
Beaconsfield Rd. *E17* —1B **14**
Beaconsfield Rd. *NW10*
   —3B **18**
Beaconsfield Rd. *SE3* —3B **72**
Beaconsfield Rd. *SE9* —2F **101**
Beaconsfield Rd. *SE17* —1F **67**
Beaconsfield Ter. Rd. *W14*
   —4A **48**
Beaconsfield Wlk. *SW6*
   —4B **62**
Beacontree Rd. *E11* —2B **16**
Beadman Pl. *SE27* —4D **95**
Beadman St. *SE27* —4D **95**
Beadnell Rd. *SE23* —1F **97**
Beadon Rd. *W6* —5E **47**

Beak St. *W1* —1E **51**
Beale Pl. *E3* —1B **42**
Beale Rd. *E3* —5B **28**
Beaminster Ho. *SW8* —3B **66**
   (off Dorset Rd.)
Beamish Ga. *NW1* —4F **23**
Beanacre Clo. *E9* —3B **28**
Bear All. *EC4* —5D **39**
Beardell St. *SE19* —5B **96**
Beardsfield. *E13* —1C **44**
Bear Gdns. *SE1* —2E **53**
Bear La. *SE1* —2D **53**
Bearsted Rise. *SE4* —3B **84**
Bear St. *WC2* —1F **51**
Beatrice Clo. *E13* —3D **44**
Beatrice Pl. *W8* —4D **49**
Beatrice Rd. *E17* —1C **14**
Beatrice Rd. *N4* —2C **10**
Beatrice Rd. *SE1* —5C **54**
Beatson Wlk. *SE16* —2A **56**
Beatty Ho. *E14* —3C **56**
   (off Admirals Way)
Beatty Rd. *N16* —1A **26**
Beatty St. *NW1* —1E **37**
Beauchamp Pl. *SW3* —4A **50**
Beauchamp Rd. *E7* —4D **31**
Beauchamp Rd. *SW11* —2A **78**
Beauchamp St. *EC1* —4C **38**
Beauchamp Ter. *SW15*
   —1D **75**
Beauclerc Rd. *W6* —4D **47**
Beauclerk Ho. *SW16* —3A **94**
Beaufort Clo. *SW15* —5D **75**
Beaufort Gdns. *NW4* —1E **5**
Beaufort Gdns. *SW3* —4A **50**
Beaufort M. *SW6* —2B **62**
Beaufort St. *SW3* —2F **63**
Beaufoy Ho. *SE27* —3D **95**
Beaufoy Wlk. *SE11* —5B **52**
Beaulieu Av. *E16* —2D **59**
Beaulieu Av. *SE26* —4D **97**
Beaulieu Clo. *SE5* —1F **81**
Beaumaris Grn. *NW9* —1A **4**
Beaumont Av. *W14* —1B **62**
Beaumont Ct. *E5* —5D **13**
Beaumont Cres. *W14* —1B **62**
Beaumont Gdns. *NW3* —5C **6**
Beaumont Gro. *E1* —3F **41**
Beaumont Ho. *E10* —2D **15**
Beaumont Ho. *E15* —5B **30**
   (off John St.)
Beaumont M. *W1* —4C **36**
Beaumont Pl. *W1* —3E **37**
Beaumont Rise. *N19* —3F **9**
Beaumont Rd. *E10* —2D **15**
Beaumont Rd. *E13* —2D **45**
Beaumont Rd. *SW19* —5A **76**
Beaumont Sq. *E1* —4F **41**
Beaumont St. *W1* —4C **36**
Beaumont Wlk. *NW3* —4B **8**
Beauval Rd. *SE22* —4B **82**
Beaux Arts Building. *N7*
   —5A **10**
Beav Callender Clo. *SW8*
   —1D **79**
Beavor Gro. *W6* —1C **60**
   (off Beavor La.)
Beavor La. *W6* —5C **46**

Belsize Cres.—Bessborough Pl.

Belsize Cres. *NW3* —2F **21**
Belsize Gro. *NW3* —3A **22**
Belsize La. *NW3* —3F **21**
Belsize M. *NW3* —3F **21**
Belsize Pk. *NW3* —3F **21**
Belsize Pk. Gdns. *NW3*
    —3F **21**
Belsize Pk. M. *NW3* —2F **21**
Belsize Pl. *NW3* —2F **21**
Belsize Rd. *NW6* —5C **20**
Belsize Sq. *NW3* —3F **21**
Belsize Ter. *NW3* —3F **21**
Beltane Dri. *SW19* —3F **89**
Belthorn Cres. *SW12* —5E **79**
Belton Rd. *E7* —4D **31**
Belton Rd. *E11* —1A **30**
Belton Rd. *NW2* —3C **18**
Belton Way. *E3* —4C **42**
Beltran Rd. *SW6* —5D **63**
Belvedere Av. *SW19* —5A **90**
Belvedere Bldgs. *SE1* —3B **53**
Belvedere Dri. *SW19* —5A **90**
Belvedere Gro. *SW19* —5A **90**
Belvedere M. *SE15* —1E **83**
Belvedere Pl. *SE1* —3D **53**
Belvedere Rd. *E10* —3A **14**
Belvedere Rd. *SE1* —3B **52**
Belvedere Sq. *SW19* —5A **90**
Belvedere, The. *SW10* —4E **63**
    (off Chelsea Harbour)
Belvoir Rd. *SE22* —5C **82**
Bembridge Clo. *NW6* —4A **20**
Bembridge Ho. *SE8* —5B **56**
    (off Longshore)
Bemersyde Point. *E13* —2D **45**
    (off Dongola Rd. W.)
Bemerton Est. *N1* —4A **24**
Bemerton St. *N1* —5B **24**
Bemish Rd. *SW15* —1F **75**
Benbow Rd. *W6* —4D **47**
Benbow St. *SE8* —2C **70**
Benbury Clo. *Brom* —5E **99**
Bence Ho. *SE8* —1A **70**
Bendall M. *NW1* —4A **36**
    (off Bell St.)
Bendemeer Rd. *SW15* —1F **75**
Benden Ho. *SE13* —3E **85**
    (off Monument Gdns.)
Bendish Rd. *E6* —4F **31**
Bendon Valley. *SW18* —5D **77**
Benedict Rd. *SW9* —1B **80**
Ben Ezra Ct. *SE17* —5E **53**
    (off Asolando Dri.)
Benfleet Ct. *E8* —5B **26**
Bengal Ct. *EC3* —5F **39**
    (off Birchin La.)
Bengeworth Rd. *SE5* —1E **81**
Benham Clo. *SW11* —1F **77**
Benham's Pl. *NW3* —1E **21**
Benhill Rd. *SE5* —3F **67**
Benhurst Ct. *SW16* —5C **94**
Benhurst La. *SW16* —5C **94**
Benin St. *SE13* —5F **85**
Benjamin Clo. *E8* —5C **26**
Benjamin St. *EC1* —4D **39**
Ben Jonson Ct. *N1* —1A **40**
Ben Jonson Ho. *EC2* —4E **39**
    (off Barbican)

Ben Jonson Pl. *EC2* —4E **39**
    (off Beech St.)
Ben Jonson Rd. *E1* —4F **41**
Benledi St. *E14* —5B **43**
Bennerley Rd. *SW11* —3A **78**
Bennet's Hill. *EC4* —1E **53**
Bennet St. *SW1* —2E **51**
Bennett Ct. *N7* —5B **10**
Bennett Gro. *SE13* —4D **71**
Bennett Pk. *SE3* —1B **86**
Bennett Rd. *E13* —3E **45**
Bennetts Copse. *Chst*
    —5F **101**
Bennett's Rd. *N16* —1A **26**
Bennett St. *W4* —2A **60**
Bennett's Yd. *SW1* —4A **52**
Benniong Clo. *W12* —1D **47**
Benn St. *E9* —3A **28**
Bensbury Clo. *SW15* —5D **75**
Ben Smith Way. *SE16* —4C **54**
Benson Av. *E6* —1E **45**
Benson Quay. *E1* —1E **55**
Benson Rd. *SE23* —1E **97**
Bentfield Gdns. *SE9* —3F **101**
Benthal Rd. *N16* —5C **12**
Bentham Ct. *N1* —4E **25**
    (off Ecclesbourne Rd.)
Bentham Rd. *E9* —3F **27**
Bentinck Clo. *NW8* —1A **36**
Bentinck M. *W1* —5C **36**
Bentinck St. *W1* —5C **36**
Bentley Dri. *NW2* —5B **6**
Bentley Ho. *SE5* —4A **68**
    (off Peckham Rd.)
Bentley Rd. *N1* —3A **26**
Bentons La. *SE27* —4E **95**
Bentons Rise. *SE27* —5F **95**
Bentworth Rd. *W12* —5D **33**
Benville Ho. *SW8* —3A **66**
    (off Oval Pl.)
Benwell Rd. *N7* —2C **24**
Benwick Clo. *SE16* —5D **55**
Benworth St. *E3* —2B **42**
Berber Rd. *SW11* —3B **78**
Berenger Tower. *SW10* —3F **63**
    (off Worlds End Est.)
Berenger Wlk. *SW10* —3F **63**
    (off Worlds End Est.)
Berens Rd. *NW10* —2F **33**
Beresford Rd. *SW18* —4E **77**
Beresford Rd. *N5* —2F **25**
Beresford Ter. *N5* —2E **25**
Berestede Rd. *W6* —1B **60**
Bere St. *E1* —1F **55**
Bergen Ho. *SE5* —5E **67**
Bergen Sq. *SE16* —4A **56**
Berger Rd. *E9* —3F **27**
Berger Sq. *E8* —4B **26**
Berghem M. *W14* —4F **47**
Bergholt Av. *IIf* —1F **17**
Bergholt Cres. *N16* —2A **12**
Bergholt M. *NW1* —4E **23**
Bering Wlk. *E16* —5F **45**
Berkeley Clo. *NW11* —2B **6**
    (off Ravenscroft Av.)
Berkeley Gdns. *W8* —2C **48**

Berkeley M. *W1* —5B **36**
Berkeley Rd. *E12* —2F **31**
Berkeley Rd. *N8* —1F **9**
Berkeley Rd. *N15* —1F **11**
Berkeley Rd. *SW13* —4C **60**
Berkeley Sq. *W1* —1D **51**
Berkeley St. *W1* —1D **51**
Berkeley Wlk. *N7* —4B **10**
    (off Durham Rd.)
Berkley Gro. *NW1* —4B **22**
Berkley Rd. *NW1* —4B **22**
Berkley Works. *NW1* —4B **22**
    (off Berkley Rd.)
Berkshire Rd. *SE6* —4C **98**
Berkshire Rd. *E9* —3B **28**
Bermans Way. *NW10* —1A **18**
Bermondsey Sq. *SE1* —4A **54**
Bermondsey St. *SE1* —2A **54**
Bermondsey Trad. Est. *SE16*
    —1E **69**
Bermondsey Wall E. *SE16*
    —3C **54**
Bermondsey Wall W. *SE16*
    —3C **54**
Bernard Ashley Dri. *SE7*
    —1D **73**
Bernard Cassidy St. *E16*
    —4B **44**
Bernard Gdns. *SW19* —5B **90**
Bernard Rd. *N15* —1B **12**
Bernard St. *WC1* —3A **38**
Bernay's Gro. *SW9* —2B **80**
Berners M. *W1* —4E **37**
Berners Pl. *W1* —5E **37**
Berners Rd. *N1* —5D **25**
Berners St. *W1* —4E **37**
Berridge M. *NW6* —2C **20**
Berridge Rd. *SE19* —5F **95**
Berriman Rd. *N7* —5B **10**
Berry Clo. *NW10* —4A **18**
Berryfield Rd. *SE17* —1D **67**
Berry La. *SE21* —4F **95**
Berryman's La. *SE26* —4F **97**
Berry Pl. *EC1* —2D **39**
Berry St. *EC1* —3D **39**
Bertal Rd. *SW17* —4F **91**
Berthon St. *SE8* —3C **70**
Bertie Rd. *NW10* —3C **18**
Bertie Rd. *SE26* —5F **97**
Bertram Rd. *NW4* —1C **4**
Bertram St. *N19* —5D **9**
Bertrand Ho. *SW16* —3A **94**
    (off Leigham Av.)
Bertrand St. *SE13* —1D **85**
Berwick Rd. *E16* —5D **45**
Berwick St. *W1* —5E **37**
Berwick Tower. *SE14* —2A **70**
Berwyn Rd. *SE24* —1D **95**
Beryl Rd. *W6* —1F **61**
Besant Ct. *N1* —2F **25**
Besant Ho. *NW8* —5E **21**
    (off Boundary Rd.)
Besant Rd. *NW2* —1A **20**
Besant Wlk. *N7* —4B **10**
Besley St. *SW16* —5E **93**
Bessborough Gdns. *SW1*
    —1F **65**
Bessborough Pl. *SW1* —1F **65**

Blucher Rd. *SE5* —3E **67**
Blue Anchor La. *SE16* —5C **54**
Blue Anchor Yd. *E1* —1C **54**
Blue Ball Yd. *SW1* —2E **51**
Bluebell Av. *E12* —2F **31**
Bluebell Clo. *SE26* —4B **96**
Blundell Ho. *SE14* —3A **70**
(off Goodwood Rd.)
Blundell St. *N7* —4A **24**
Blurton Rd. *E5* —1E **27**
Blyth Clo. *E14* —5F **57**
Blythe Clo. *SE6* —5B **84**
Blythe Hill. *SE6* —5B **84**
Blythe Hill La. *SE6* —5B **84**
Blythe Ho. *SE11* —2C **66**
Blythe M. *W14* —4F **47**
Blythe Rd. *W14* —4F **47**
Blythe St. *E2* —2D **41**
Blythe Vale. *SE6* —1B **98**
Blyth Rd. *E17* —2B **14**
Blythwood Rd. *N4* —2A **10**
Boades M. *NW3* —1F **21**
Boadicea St. *N1* —5B **24**
Boathouse Wlk. *SE15* —3C **68**
Boat Lifter Way. *SE16* —4A **56**
Bob Anker Clo. *E13* —2C **44**
Bobbin Clo. *SW4* —1E **79**
Bob Marley Way. *SE24*
—2C **80**
Bocking St. *E8* —5D **27**
Boddicott Clo. *SW19* —2A **90**
Boddington Ho. *SE14* —4E **69**
(off Pomeroy St.)
Boddy's Bri. *SE1* —2C **52**
(off Hatfields)
Bodenay Ho. *SE5* —4A **68**
(off Peckham Rd.)
Boden Ho. *E1* —4C **40**
(off Woodseer St.)
Bodley Mnr. Way. *SW2*
—5C **80**
Bodmin St. *SW18* —1C **90**
Bodney Rd. *E8* —2D **27**
Bohemia Pl. *E8* —3C **27**
Boileau Rd. *SW13* —3C **60**
Bolden St. *SE8* —5D **71**
Boldero Pl. *NW8* —3A **36**
(off Gateforth St.)
Boleyn Rd. *E6* —1F **45**
Boleyn Rd. *E7* —4C **30**
Boleyn Rd. *N16* —2A **26**
Bolina Rd. *SE16* —1E **69**
Bolingbroke Gro. *SW11*
—2A **78**
Bolingbroke Rd. *W14* —4F **47**
Bolingbroke Wlk. *SW11*
—4F **63**
Bolney Ga. *SW7* —3A **50**
Bolney St. *SW8* —3B **66**
Bolsover St. *W1* —3D **37**
Bolt Ct. *EC4* —5C **38**
Bolton Cres. *SE5* —3D **67**
Bolton Gdns. *NW10* —1F **33**
Bolton Gdns. *SW5* —1D **63**
Bolton Gdns. M. *SW10*
—1E **63**
Bolton Ho. *SE10* —1A **72**
(off Trafalgar Rd.)

Bolton Pl. *SW10* —1E **63**
Bolton Rd. *E15* —3B **30**
Bolton Rd. *NW8* —5D **21**
Bolton Rd. *NW10* —5A **18**
Boltons, The. *SW10* —1E **63**
Bolton St. *W1* —2D **51**
Bolton Wlk. *N7* —4B **10**
(off Durham Rd.)
Bombay St. *SE16* —5D **55**
Bomore Rd. *W11* —1A **48**
Bonar Rd. *SE15* —3C **68**
Bonchurch Rd. *W10* —4A **34**
Bond Ct. *EC4* —5F **39**
Bond Ho. *SE14* —3A **70**
(off Goodwood Rd.)
Bonding Yd. Wlk. *SE16*
—4A **56**
Bond Rd. *E15* —5D **29**
Bond St. *E15* —2A **30**
Bond St. *W4* —5A **46**
Bondway. *SW8* —2A **66**
Bonfield Rd. *SE13* —2E **85**
Bonham Rd. *SW2* —3B **80**
Bonheur Rd. *W4* —3A **46**
Bonhill St. *EC2* —2F **39**
Bon Marche Ter. *SE27* —4A **96**
Bonner Rd. *E2* —1E **41**
Bonner St. *E2* —1F **41**
Bonneville Gdns. *SW4* —4E **79**
Bonnington Sq. *SW8* —2B **66**
Bonny St. *NW1* —4E **23**
Bonsor St. *SE5* —3A **68**
Bonville Rd. *Brom* —5B **100**
Booker Clo. *E14* —4B **42**
Boones Rd. *SE13* —2A **86**
Boone St. *SE13* —2A **86**
Boord St. *SE10* —4A **58**
Boothby Rd. *N19* —4F **9**
Booth Clo. *E9* —5D **27**
Booth La. *EC4* —1E **53**
(off Baynard St.)
Booth's Pl. *W1* —4E **37**
Boot St. *N1* —2A **40**
Border Cres. *SE26* —5D **97**
Border Rd. *SE26* —5D **97**
Bordon Wlk. *SW15* —5C **74**
Boreas Wlk. *N1* —1D **39**
(off Nelson Pl.)
Boreham Av. *E16* —5C **44**
Boreham Clo. *E11* —3E **15**
Borland Rd. *SE15* —2E **83**
Borneo St. *SW15* —1E **75**
Borough High St. *SE1* —3E **53**
Borough Rd. *SE1* —4D **53**
Borough Sq. *SE1* —3E **53**
(off MacCoid Way)
Borrett Clo. *SE17* —1E **67**
Borrodaile Rd. *SW18* —4D **77**
Borthwick M. *E15* —1A **30**
Borthwick Rd. *E15* —1A **30**
Borthwick Rd. *NW9* —1B **4**
Borthwick St. *SE8* —1C **70**
Bosbury Rd. *SE6* —3E **99**
Boscastle Rd. *NW5* —5D **9**
Boscobel Pl. *SW1* —5C **50**
Boscobel St. *NW8* —3F **35**
Boscombe Av. *E10* —2F **15**

Boscombe Clo. *E5* —2A **28**
Boscombe Rd. *SW17* —5C **92**
Boscombe Rd. *W12* —2C **46**
Boss Ho. *SE1* —3B **54**
(off Boss St.)
Boss St. *SE1* —3B **54**
Boston Gdns. *W4* —2A **60**
Boston Pl. *NW1* —3B **36**
Boston Rd. *E6* —2F **45**
Boston Rd. *E17* —1C **14**
Boswell Ct. *WC1* —4A **38**
Boswell St. *WC1* —4A **38**
Bosworth Rd. *W10* —3A **34**
Botha Rd. *E13* —4D **45**
Bothwell Clo. *E16* —4B **44**
Bothwell St. *W6* —2F **61**
Bothwick St. *SE8* —1C **70**
Botolph All. *EC3* —1A **54**
(off Botolph La.)
Botolph La. *EC3* —1A **54**
Botts M. *W2* —5C **34**
Boulcott St. *E1* —5F **41**
Boulevard, The. *SW17* —2C **92**
Boulter Ho. *SE14* —4E **69**
(off Kender St.)
Bounaparte M. *SW1* —1F **65**
Boundaries Rd. *SW12* —2B **92**
Boundary Av. *E17* —2B **14**
Boundary Ho. *SE5* —3E **67**
Boundary La. *E13* —3F **45**
Boundary La. *SE5 & SE17*
—2E **67**
Boundary La. *SE17* —2E **67**
Boundary M. *NW8* —5E **21**
(off Boundary Rd.)
Boundary Pas. *E2* —3B **40**
Boundary Rd. *E13* —1E **45**
Boundary Rd. *E17* —2B **14**
Boundary Rd. *NW8* —5D **21**
Boundary Rd. *SW19* —5F **91**
Boundary Row. *SE1* —3D **53**
Boundary St. *E2* —2B **40**
(in two parts)
Boundfield Rd. *SE6* —3A **100**
Bourbon Ho. *SE6* —5E **99**
Bourchier St. *W1* —1F **51**
Bourdon Pl. *W1* —1D **51**
(off Bourdon St.)
Bourdon St. *W1* —1D **51**
Bourke Clo. *NW10* —3A **18**
Bourke Clo. *SW4* —4A **80**
Bourlet Clo. *W1* —4E **37**
Bournbrook Rd. *SE3* —1F **87**
Bourne Est. *EC1* —4C **38**
Bourne M. *W1* —5C **36**
Bournemouth Rd. *SE15*
—5C **68**
Bourne Pl. *W4* —1A **60**
Bourne Rd. *E7* —5B **16**
Bourne Rd. *N8* —1A **10**
Bournes Ho. *N15* —1A **12**
(off Chisley Rd.)
Bourneside Gdns. *SE6* —5E **99**
Bourne St. *SW1* —5C **50**
Bourne Ter. *W2* —4D **35**
Bournevale Rd. *SW16* —4A **94**
Bournville Rd. *SE6* —5C **84**
Bousfield Rd. *SE14* —5F

Boutflower Rd. *SW11* —2A **78**
Bouverie M. *N16* —4A **12**
Bouverie Pl. *W2* —5F **35**
Bouverie Rd. *N16* —4A **12**
Bouverie St. *EC4* —5C **38**
Boveney Rd. *SE23* —5F **83**
Bovill Rd. *SE23* —5F **83**
Bovingdon Clo. *N19* —4E **9**
Bovingdon Rd. *SW6* —4D **63**
Bowater Clo. *SW2* —4A **80**
*Bowater Ho. EC1 —3E 39
 (off Golden La. Est.)*
Bowater Pl. *SE3* —3D **73**
Bowater Rd. *SE18* —4F **59**
Bow Bri. Est. *E3* —2D **43**
*Bow Chyd. EC4 —5E 39
 (off Cheapside)*
Bow Comn. La. *E3* —3A **42**
Bowden St. *SE11* —1C **66**
Bowditch. *SE8* —5B **56**
Bowdon Rd. *E17* —2C **14**
Bowen Dri. *SE21* —3A **96**
Bowen St. *E14* —5D **43**
Bower Av. *SE10* —4A **72**
Bowerdean St. *SW6* —4D **63**
Bowerman Av. *SE14* —2A **70**
*Bowerman St. N19 —4F 9
 (off St John's Way)*
Bower St. *E1* —5F **41**
Bowes Rd. *W3* —1A **46**
Bowfell Rd. *W6* —2E **61**
Bowhill Clo. *SW9* —3C **66**
Bowie Clo. *SW4* —5F **79**
Bow Ind. Pk. *E15* —4C **28**
Bow Interchange. (Junct.)
                                   —1D **43**
Bowland Rd. *SW4* —2F **79**
*Bowland Yd. SW1 —3B 50
 (off Kinnerton St.)*
Bow La. *EC4* —5E **39**
Bowl Ct. *EC2* —3A **40**
Bowles Rd. *SE1* —2C **68**
Bowley Clo. *SE19* —5B **96**
Bowley Ho. *SE16* —4C **54**
Bowley La. *SE19* —5B **96**
Bowling Grn. Clo. *SW15*
                                   —5D **75**
Bowling Grn. La. *EC1* —3C **39**
Bowling Grn. Pl. *SE1* —3F **53**
Bowling Grn. St. *SE11* —2C **66**
Bowling Grn. Wlk. *N1* —2A **40**
Bowman Av. *E16* —1B **58**
Bowman M. *SW18* —1B **90**
Bowman's M. *E1* —1C **54**
Bowman's M. *N7* —5A **10**
Bowman's Pl. *N7* —5A **10**
Bowmore Wlk. *NW1* —4F **23**
Bowness Clo. *E8* —3D **27**
*Bowness Cres. SW15 —5A 88
 (off Beechwood Rd.)*
*Bowness Ho. SE15 —3E 69
 (off Hillbeck Clo.)*
Bowness Rd. *SE6* —5D **85**
Bowood Rd. *SW11* —3C **78**
Bow Rd. *E3* —2B **42**
Bow St. *E15* —2A **30**
Bow St. *WC2* —5A **38**

Bow Triangle Bus. Cen. *E3*
                                   —3C **42**
*Bowyer Ho. N1 —5A 26
 (off Whitmore Est.)*
Bowyer Pl. *SE5* —3E **67**
Bowyer St. *SE5* —3E **67**
Boxall Rd. *SE21* —4A **82**
Boxley St. *E16* —2D **59**
*Boxmoor Ho. W11 —2F 47
 (off Queensdale Cres.)*
Box Tree Ho. *SE8* —1A **70**
Boxworth Gro. *N1* —5B **24**
Boyce Way. *E13* —3C **44**
Boydell Ct. *NW8* —4F **21**
Boyd Rd. *SW19* —5F **91**
Boyd St. *E1* —5C **40**
Boyfield St. *SE1* —3D **53**
Boyland Rd. *Brom* —5B **100**
Boyle St. *W1* —1E **51**
Boyne Rd. *SE13* —1E **85**
Boyne Ter. M. *W11* —2B **48**
Boyson Rd. *SE17* —2F **67**
Boyson Wlk. *SE17* —2F **67**
Boyton Clo. *E1* —3E **41**
*Brabant Ct. EC3 —1A 54
 (off Philpot La.)*
Brabazon St. *E14* —5D **43**
Brabourne Clo. *SE19* —5A **96**
Brabourn Gro. *SE15* —5E **69**
*Bracer Ho. N1 —1A 40
 (off Whitmore Est.)*
Bracewell Rd. *W10* —4E **33**
Bracey M. *N4* —4A **10**
Bracey St. *N4* —4A **10**
Bracken Av. *SW12* —4C **78**
*Brackenbury. N4 —3C 10
 (off Osborne Rd.)*
Brackenbury Gdns. *W6*
                                   —4D **47**
Brackenbury Rd. *W6* —4D **47**
Brackenfield Clo. *E5* —5D **13**
Bracken Gdns. *SW13* —5C **60**
Brackley Rd. *W4* —1A **60**
Brackley St. *EC1* —3E **39**
Brackley Ter. *W4* —1A **60**
Bracklyn Ct. *N1* —1F **39**
Bracklyn St. *N1* —1F **39**
Bracknell Gdns. *NW3* —1D **21**
Bracknell Ga. *NW3* —2D **21**
Bracknell Way. *NW3* —1D **21**
Bradbourne St. *SW6* —5C **62**
Bradbury St. *N16* —2A **26**
Braddyll St. *SE10* —1A **72**
Bradenham Clo. *SE17* —2F **67**
Braden St. *W9* —3D **35**
Bradfield Rd. *E16* —3C **58**
Bradford Clo. *SE26* —4D **97**
Bradford Rd. *W3* —3A **46**
Bradgate Rd. *SE6* —4D **85**
Brading Cres. *E11* —4D **17**
Brading Rd. *SW2* —5B **80**
Brading Ter. *W6* —4C **46**
Bradiston Rd. *W9* —2B **34**
Bradley Clo. *N7* —3A **24**
*Bradley Ho. SE16 —5E 55
 (off Raymouth Rd.)*
Bradley M. *SW17* —1B **92**
Bradley Rd. *SE19* —5E **95**

Bradley's Clo. *N1* —1C **38**
Bradmead. *SW8* —3D **65**
Bradmore Pk. Rd. *W6* —5D **47**
Bradshaw Clo. *SW19* —5C **90**
Bradstock Ho. *E9* —4A **28**
Bradstock Rd. *E9* —3F **27**
Brad St. *SE1* —2C **52**
Brady St. *E3* —3D **41**
Braemar Av. *NW10* —5A **4**
Braemar Av. *SW19* —2C **90**
Braemar Rd. *E13* —3B **44**
Braemar Rd. *N15* —1A **12**
*Braemer Clo. SE16 —1D 69
 (off Masters Dri.)*
Braeside. *Beck* —5C **98**
Braes St. *N1* —4D **25**
Braganza St. *SE17* —1D **67**
Braham Ho. *SE11* —1B **66**
Braham St. *E1* —5B **40**
Braid Av. *W3* —5A **32**
*Braid Ho. SE10 —4E 71
 (off Blackheath Hill)*
Braidwood Pas. *EC1* —4E **39**
 (off Aldersgate St.)
Braidwood Rd. *SE6* —1F **99**
Brailsford Rd. *SW2* —3C **80**
Braintree St. *E2* —2E **41**
Braithwaite Ho. *E14* —5F **43**
*Braithwaite Tower. W2 —4F 35
 (off Hall Pl.)*
Bramah Grn. *SW9* —4C **66**
Bramalea Clo. *N6* —1C **8**
Bramall Clo. *E15* —2B **30**
*Bramall Ct. N7 —3B 24
 (off Georges Rd.)*
Bramber. *WC1* —2A **38**
 (off Cromer St.)
Bramber Rd. *W14* —2B **62**
Bramble Gdns. *W12* —1B **46**
*Brambles, The. SW19 —5B 90
 (off Woodside)*
Bramcote Gro. *SE16* —1E **69**
Bramcote Rd. *SW15* —2D **75**
*Bramdean Cres. SE12
                                   —1C 100*
*Bramdean Gdns. SE12
                                   —1C 100*
Bramerton St. *SW3* —2A **64**
*Bramfield Ct. N4 —5E 11
 (off Queens Dri.)*
Bramfield Rd. *SW11* —4A **78**
Bramford Rd. *SW18* —2E **77**
Bramham Gdns. *SW5* —1D **63**
Bramham Ho. *SE22* —2A **82**
Bramhope La. *SE7* —2E **73**
Bramlands Clo. *SW11* —1A **78**
Bramley Cres. *SW8* —3F **65**
*Bramley Ho. SW15 —4B 74
 (off Tunworth Cres.)*
Bramley Ho. *W10* —5F **33**
Bramley Rd. *W10* —1F **47**
Bramley Rd. *W10* —5F **33**
Brampton Clo. *E5* —4D **13**
Brampton Gdns. *N15* —1E **11**
Brampton Rd. *E6* —2F **45**
Brampton Rd. *N15* —1E **11**
Bramshaw Rd. *E9* —3F **27**
Bramshill Gdns. *NW5* —5D **9**

Brockley Gro. *SE4* —3B **84**
Brockley Hall Rd. *SE4* —3A **84**
Brockley M. *SE4* —3A **84**
Brockley M. *SE22* —3A **84**
Brockley Pk. *SE23* —5A **84**
Brockley Rise. *SE23* —1A **98**
Brockley Rd. *SE4* —1B **84**
Brockley View. *SE23* —5A **84**
Brockley Way. *SE4* —3F **83**
Brockman Rise. *Brom* —4F **99**
Brockmer Ho. *E1* —1D **55**
  (off Crowder St.)
Brock Pl. *E3* —3D **43**
Brock Rd. *E13* —4D **45**
Brock St. *SE15* —1E **83**
Brockway Clo. *E11* —4A **16**
Brockwell Ct. *SW2* —3C **80**
Brockwell Ho. *SE11* —2B **66**
  (off Vauxhall St.)
Brockwell Pk. Gdns. *SE24*
  —5D **81**
Brockworth Clo. *SE15* —2A **68**
Brodia Rd. *N16* —5A **8**
Brodie Ho. *SE1* —1B **68**
Brodie St. *SE1* —1B **68**
Brodlove La. *E1* —1F **55**
Brodrick Rd. *SW17* —2A **92**
Broken Wharf. *EC4* —1E **53**
Brokesley St. *E3* —2B **42**
Broke Wlk. *E8* —5C **26**
Bromar Rd. *SE5* —1A **82**
Bromell's Rd. *SW4* —2E **79**
Bromfelde Rd. *SW4* —1F **79**
Bromfelde Wlk. *SW4* —5F **65**
Bromfield St. *N1* —1C **38**
Bromhead St. *E1* —5E **41**
Bromleigh Ct. *SE23* —2D **97**
Bromley Hall Rd. *E14* —4E **43**
Bromley High St. *E3* —2D **43**
Bromley Hill. *Brom* —5A **100**
Bromley Pl. *W1* —4E **37**
Bromley Rd. *E10* —1D **15**
Bromley *SE6 & Brom*
  —1D **99**
Bromley St. *E1* —4F **41**
Brompton Arc. *SW3* —3B **50**
  (off Brompton Rd.)
Brompton Pk. Cres. *SW6*
  —2D **63**
Brompton Pl. *SW3* —4A **50**
Brompton Rd. *SW3, SW7 &*
  SW1 —5A **50**
Brompton Sq. *SW3* —4A **50**
Bromwich Av. *N6* —4C **8**
Bromyard Av. *W3* —1A **46**
Brondesbury M. *NW6* —4C **22**
Brondesbury Pk. *NW2 & NW6*
  —3D **19**
Brondesbury Rd. *NW6* —1B **36**
Brondesbury Vs. *NW6* —1B **34**
Bronsart Rd. *SW6* —3A **62**
Bronte Clo. *E7* —1C **30**
Bronte Ho. *N16* —2A **26**
Bronte Ho. *SW4* —5E **79**
Bronti Clo. *SE17* —1E **67**
Bronze St. *SE8* —3C **70**
Brookbank Rd. *SE13* —1C **84**
Brook Ct. *E11* —5A **16**

Brook Ct. *E15* —2D **29**
  (off Clays La.)
Brookdale Rd. *SE6* —5D **85**
Brook Dri. *SE11* —4C **52**
Brookehowse Rd. *SE6* —2C **98**
Brooke Rd. *E5* —5C **12**
Brooke Rd. *N16* —5B **12**
Brooke's Ct. *EC1* —4C **38**
Brooke's Mkt. *EC1* —4C **38**
  (off Dorrington St.)
Brooke St. *EC1* —4C **38**
Brookfield. *N6* —5C **8**
Brookfield Pk. *NW5* —5D **9**
Brookfield Rd. *E9* —3A **28**
Brookfield Rd. *W4* —3A **46**
Brook Gdns. *SW13* —1B **74**
Brook Ga. *W1* —1B **50**
Brook Grn. *W6* —4F **47**
Brooking Rd. *E7* —2C **30**
Brooklands Av. *SW19* —2D **91**
Brooklands Pk. *SE3* —1C **86**
Brooklands Pas. *SW8* —4F **65**
Brooklands St. *SW8* —4F **65**
Brook La. *SE3* —5D **73**
Brook La. *Brom* —5C **100**
Brookmarsh Ind. Est. *SE10*
  —3D **71**
Brook M. N. *W2* —1E **49**
Brookmill Rd. *SE8* —4C **70**
Brook Pas. *SW6* —3C **62**
Brook Rd. *NW2* —4B **4**
Brooksbank St. *E9* —3F **27**
Brooksby M. *N1* —4C **24**
Brooksby St. *N1* —4C **24**
Brooksby's Wlk. *E9* —2F **27**
Brooks Ct. *SW8* —3E **65**
  (off Cringle St.)
Brookside Rd. *N19* —4E **9**
Brookstone Ct. *SE15* —2D **83**
Brook St. *W1* —1D **51**
Brook St. *W2* —1F **49**
Brooksville Av. *NW6* —5A **20**
Brookview Rd. *SW16* —5E **93**
Brookville Rd. *SW6* —3B **62**
Brookway. *SE3* —1C **86**
Brookwood Av. *SW13* —5B **60**
Brookwood Rd. *SW18* —1B **90**
Broome Way. *SE5* —3F **67**
Broomfield. *E17* —2B **14**
Broomfield Ct. *SE16* —4C **54**
  (off John Roll Way)
Broomfield St. *E14* —4C **42**
Broomgrove Rd. *SW9* —5B **66**
Broomhill Rd. *SW18* —3D **76**
Broomhouse La. *SW6* —5C **62**
Broomhouse Rd. *SW6* —5C **62**
Broomsleigh Bus. Pk. *SE26*
  —5B **98**
  (off Worsley Bri. Rd.)
Broomsleigh St. *NW6* —2B **20**
Broomwood Rd. *SW11* —4B **78**
Broseley Gro. *SE26* —5A **98**
Brougham Rd. *E8* —5C **26**
Brougham St. *SW11* —5B **64**
Brough Clo. *SW8* —3A **66**

Brough St. *SW8* —3A **66**
Broughton Dri. *SW9* —2D **81**
Broughton Gdns. *N6* —1E **9**
Broughton Rd. *SW6* —5D **63**
Broughton St. *SW8* —5C **64**
Brownfield St. *E14* —5D **43**
Brown Hart Gdns. *W1* —1C **50**
Brownhill Rd. *SE6* —5D **85**
Browning Clo. *W9* —3E **35**
Browning M. *W1* —4D **37**
Browning Rd. *E11* —2B **16**
Browning St. *SE17* —1E **67**
Brownlow Ho. *SE16* —3C **54**
  (off George Row)
Brownlow M. *WC1* —3B **38**
Brownlow Rd. *E7* —1C **30**
Brownlow Rd. *E8* —5C **26**
Brownlow Rd. *NW10* —4A **18**
Brownlow St. *WC1* —4B **38**
Browns Arc. *W1* —1E **51**
  (off Regent St.)
Brown's Bldgs. *EC3* —5A **40**
Browns La. *NW5* —2D **23**
Brown St. *W1* —5B **36**
Brownswood Rd. *N4* —5D **11**
Broxash Rd. *SW11* —4C **78**
Broxbourne Rd. *E7* —5C **16**
Broxholme Ho. *SW6* —4D **63**
  (off Harwood Rd.)
Broxholm Rd. *SE27* —3C **94**
Broxted Rd. *SE6* —2B **98**
Broxwood Way. *NW8* —5A **22**
Bruce Clo. *W10* —4F **33**
Bruce Hall M. *SW17* —4C **92**
Bruce Rd. *E3* —2D **43**
Bruce Rd. *NW10* —4A **18**
Bruckner St. *W10* —2B **34**
Brudenell Rd. *SW17* —3B **92**
Bruges Pl. *NW1* —4E **23**
Brune Ho. *E1* —4B **40**
  (off Bell La.)
Brunel St. *E2* —4C **34**
Brunel Rd. *E17* —1A **14**
Brunel Rd. *SE16* —3E **55**
Brunel Rd. *W'way E* —4A **32**
Brunel St. *E16* —5B **44**
Brune St. *E1* —4B **40**
Brunner Clo. *NW11* —1D **7**
Brunner Ho. *SE6* —4E **99**
Brunner Rd. *E17* —1A **14**
Brunswick Cen. *WC1* —3A **38**
Brunswick Clo. Est. *EC1*
  —2D **39**
Brunswick Ct. *EC1* —2D **39**
  (off Tompion St.)
Brunswick Ct. *SE1* —3A **54**
Brunswick Gdns. *W8* —2C **48**
Brunswick M. *SW16* —5F **93**
Brunswick M. *W1* —5B **36**
Brunswick Pk. *SE5* —4A **68**
Brunswick Pl. *N1* —2F **39**
Brunswick Quay. *SE16* —4F **55**
Brunswick Rd. *E10* —3E **15**
Brunswick Rd. *E14* —5E **43**
Brunswick Sq. *WC1* —3A **38**
Brunswick Vs. *SE5* —4A **68**
Brunton Pl. *E14* —5A **42**
Brushfield St. *E1* —4A **40**

Brussels Rd.—Burne Jones Ho.

Brussels Rd. *SW11* —2F **77**
Bruton La. *W1* —1D **51**
Bruton Pl. *W1* —1D **51**
Bruton St. *W1* —1D **51**
Brutus Ct. *SE11* —5D **53**
(off Kennington La.)
Bryan Av. *NW10* —4D **19**
Bryan Ho. *SE16* —3B **56**
Bryan Rd. *SE16* —3B **56**
Bryanston Ct. *W1* —5B **36**
(off York St.)
Bryanstone Rd. *N8* —1F **9**
Bryanston M. E. *W1* —4B **36**
Bryanston M. W. *W1* —4B **36**
Bryanston Pl. *W1* —4B **36**
Bryanston Sq. *W1* —5B **36**
Bryanston St. *W1* —5B **36**
Bryant Ct. *E2* —1B **40**
(off Whiston Rd.)
Bryant St. *E15* —4F **29**
Bryantwood Rd. *N7* —2C **24**
Bryden St. *SE26* —5A **98**
Brydges Pl. *WC2* —1A **52**
Brydges Rd. *E15* —2F **29**
Brydon Wlk. *N1* —5A **26**
Bryer Ct. *EC2* —4E **39**
(off Barbican)
Bryet Rd. *N7* —5A **10**
Bryher Ct. *SE11* —1C **66**
(off Sancroft St.)
Brymay Clo. *E3* —1C **42**
Brynmaer Rd. *SW11* —4B **64**
Bryony Rd. *W12* —1C **46**
Buccleugh Ho. *E5* —2C **12**
Buchanan Ct. *SE16* —5F **55**
(off Worgan St.)
Buchanan Gdns. *NW10*
—1D **33**
Buchan Rd. *SE15* —1E **83**
Bucharest Rd. *SW18* —5E **77**
Buckden Clo. *SE12* —4B **86**
Buckfast St. *E2* —2C **40**
Buck Hill Wlk. *W2* —1F **49**
Buckhold Rd. *SW18* —4C **76**
Buckhurst Ho. *N7* —2F **23**
Buckhurst St. *E1* —3D **41**
Buckingham Arc. *WC2* —1A **52**
(off Strand)
Buckingham Ga. *SW1* —4E **51**
Buckingham La. *SE23* —5A **84**
Buckingham Mans. *NW6*
(off W. End La.) —2D **21**
Buckingham M. *N1* —3A **26**
(off Culford Rd.)
Buckingham M. *NW10*
—1B **32**
Buckingham M. *SW1* —4E **51**
(off Stafford Pl.)
Buckingham Pal. Rd. *SW1*
—5D **51**
Buckingham Pl. *SW1* —4E **51**
Buckingham Rd. *E10* —5D **15**
Buckingham Rd. *E11* —1E **17**
Buckingham Rd. *E15* —2B **30**
Buckingham Rd. *N1* —3A **26**
Buckingham Rd. *NW10*
—1B **32**
Buckingham St. *WC2* —2A **52**

Buckland Ct. *N1* —1A **40**
(off St Johns Est.)
Buckland Cres. *NW3* —4F **21**
Buckland Rd. *E10* —4E **15**
Buckland St. *N1* —1F **39**
Bucklers All. *SW6* —2B **62**
Bucklersbury. *EC4* —5F **39**
(in two parts)
Buckle St. *E1* —5B **40**
Buckley Clo. *NW6* —4B **20**
Buckley Rd. *NW6* —4B **20**
Buckmaster Clo. *SW9* —1C **80**
Buckmaster Ho. *N7* —1B **24**
Buckmaster Rd. *SW11* —2A **78**
Bucknall St. *WC2* —5A **38**
Bucknell Clo. *SW2* —2B **80**
Buckner Rd. *SW2* —2B **80**
Buckstone Clo. *SE23* —4E **83**
Buck St. *NW1* —4D **23**
Buckters Rents. *SE16* —2A **56**
Buckthorne Rd. *SE4* —3A **84**
Budge Row. *EC4* —1F **53**
Budge's Wlk. W2 —2E **49**
(off North Wlk.)
Buer Rd. *SW6* —5A **62**
Bugsby's Way. *SE10 & SE7*
—5B **58**
Bulinga St. *SW1* —5A **52**
Bullace Row. *SE5* —4F **67**
Bull All. *SE1* —1C **52**
Bullard's Pl. *E2* —2F **41**
Bulleid Way. *SW1* —5D **51**
Bullen St. *SW11* —5A **64**
Buller Clo. *SE15* —3C **68**
Buller Rd. *NW10* —2F **33**
Bullingham Mans. *W8* —3C **48**
Bull Inn Ct. *WC2* —1A **52**
(off Strand)
Bullivant St. *E14* —1E **57**
Bull Rd. *E15* —1B **44**
Bulls Gdns. *SW3* —5A **50**
Bulls Head Pas. EC3 —5A **40**
(off Gracechurch St.)
Bull Yd. *SE15* —4C **68**
Bulmer M. *W11* —1C **48**
Bulmer Pl. *W11* —2C **48**
Bulow Est. SW6 —4D **63**
(off Pearscroft Rd.)
Bulstrode Pl. *W1* —4C **36**
Bulstrode St. *W1* —5C **36**
Bulwer Ct. *E11* —3F **15**
Bulwer Ct. Rd. *E11* —3F **15**
Bulwer Rd. *E11* —2F **15**
Bulwer St. *W12* —2E **47**
Bungalows, The. *E10* —1E **15**
Bunhill Row. *EC1* —3F **39**
Bunhouse Pl. *SW1* —1C **64**
Bunkers Hill. *NW11* —2E **7**
Bunning Way. *N7* —4A **24**
Bunsen St. *E3* —1A **42**
Bunyan Ct. *EC2* —4E **39**
(off Barbican)
Buonaparte M. *SW1* —1F **65**
Burbage Clo. *SE1* —4F **53**
Burbage Ho. N1 —5F **25**
(off Poole St.)
Burbage Rd. *SE24 & SE21*
—4E **81**

Burcham St. *E14* —5D **43**
Burchell Ho. *SE11* —1B **66**
(off Jonathan St.)
Burchell Rd. *E10* —3D **15**
Burchell Rd. *SE15* —4D **69**
Burcote Rd. *SW18* —5F **77**
Burden Ho. *SW8* —3A **66**
(off Thorncroft St.)
Burden Way. *E11* —4D **17**
Burder Clo. *N1* —3A **26**
Burder Rd. *N1* —3A **26**
Burdett M. *NW3* —3F **21**
Burdett M. *W2* —5D **35**
Burdett Rd. *E3 & E14* —3A **42**
Burdett St. *SE1* —4C **52**
Burfield Clo. *SW17* —4F **91**
Burford Rd. *E6* —2F **45**
Burford Rd. *E15* —5F **29**
Burford Rd. *SE6* —2B **98**
Burford Wlk. *SW6* —3E **63**
Burge Rd. *E7* —1F **31**
Burges Gro. *SW13* —3D **61**
Burgess Av. *NW9* —1A **4**
Burgess Hill. *NW2* —1C **20**
Burgess Ind. Pk. *SE5* —3F **67**
Burgess Rd. *E15* —1A **30**
Burgess St. *E14* —4C **42**
Burge St. *SE1* —4F **53**
Burghill Rd. *SE26* —4A **98**
Burghley Hall Clo. *SW19*
—1A **90**
Burghley Rd. *E11* —3A **16**
Burghley Rd. *NW5* —1D **23**
Burghley Rd. *SW19* —4F **89**
Burghley Tower. *W3* —1B **46**
Burgh St. *N1* —1D **39**
Burgon St. *EC4* —5D **39**
Burgos Gro. *SE10* —4D **71**
Burgoyne Rd. *N4* —1D **11**
Burgoyne Rd. *SW9* —1B **80**
Burke Clo. *SW15* —2A **74**
Burke Lodge. *E13* —2D **45**
Burke St. *E16* —4B **44**
Burland Rd. *SW11* —3B **78**
Burleigh Ho. SW3 —2F **63**
(off Beaufort St.)
Burleigh Ho. W10 —2A **34**
(off St Charles Sq.)
Burleigh Pl. *SW15* —3F **75**
Burleigh St. *WC2* —1B **52**
Burleigh Wlk. *SE6* —1E **99**
Burley Rd. *E16* —5E **45**
Burlington Arc. *W1* —1E **51**
Burlington Clo. *W9* —3C **34**
Burlington Gdns. *W1* —1E **51**
Burlington Gdns. *W6* —5A **62**
Burlington La. *W4* —3A **60**
Burlington Rd. *SW6* —5A **62**
Burma M. *N16* —1F **25**
Burma Rd. *N16* —1F **25**
Burma Ter. *SE19* —5A **96**
Burmester Rd. *SW17* —3E **91**
Burnaby St. *SW10* —3E **63**
Burnand Pl. *N7* —2B **24**
Burnaston Ho. *E5* —5C **12**
Burnbury Rd. *SW12* —1E **93**
Burne Jones Ho. W14 —5A **48**
(off N. End Rd.)

Burnell Wlk. *SE1* —1B **68**
(off Abingdon Clo.)
Burness Clo. *N7* —3B **24**
Burne St. *NW1* —4A **36**
Burnett Clo. *E9* —2E **27**
Burnett Ho. *SE13* —5E **71**
(off Lewisham Hill)
Burney St. *SE10* —3E **71**
Burnfoot Av. *SW6* —4A **62**
Burnham Clo. *SE1* —1B **68**
Burnham St. *E2* —2E **41**
Burnham Way. *SE26* —5B **98**
Burnhill Clo. *SE15* —3D **69**
Burnley Rd. *NW10* —2B **18**
Burnley Rd. *SW9* —5B **66**
Burnsall St. *SW3* —1A **64**
Burnsbury Ho. *SW4* —4F **79**
Burns Clo. *SW19* —5F **91**
Burns Ho. *SE17* —1D **67**
(off Doddington Gro.)
Burnside Clo. *SE16* —2F **55**
Burns Rd. *NW10* —5B **18**
Burns Rd. *SW11* —5B **64**
Burnt Ash Hill. *SE12* —4B **86**
(in two parts)
Burnt Ash La. *Brom* —5C **100**
Burnt Ash Rd. *SE12* —3B **86**
Burnthwaite Rd. *SW6* —3B **62**
Burntwood Clo. *SW18* —1A **92**
Burntwood Grange Rd. *SW18*
—1F **91**
Burntwood La. *SW17* —3E **91**
Burntwood View. *SE19* —5B **96**
Buross St. *E1* —5D **41**
Burrage Ct. *SE16* —5F **55**
(off Worgan St.)
Burrard Rd. *E16* —5D **45**
Burrard Rd. *NW6* —2C **20**
Burr Clo. *E1* —2C **54**
Burrell St. *SE1* —2D **53**
Burrell's Wharf Sq. *E14*
—1D **71**
Burrell Towers. *E10* —2C **14**
Burrmill Ct. *SE16* —5F **55**
(off Worgan St.)
Burrow Ho. *SW9* —5B **66**
(off Stockwell Pk. Rd.)
Burrow Rd. *SE22* —2A **82**
Burrows M. *SE1* —3D **53**
Burrows Rd. *NW10* —2E **33**
Burrow Wlk. *SE21* —5E **81**
Burr Rd. *SW18* —1C **90**
Bursar St. *SE1* —2A **54**
(off Tooley St.)
Burslem St. *E1* —5C **40**
Burstock Rd. *SW15* —2A **76**
Burston Rd. *SW15* —3F **75**
Burtley Clo. *N4* —3E **11**
Burton Gro. *SE17* —1F **67**
Burton Ho. *SE16* —3D **55**
(off Cherry Garden St.)
Burton La. *SW9* —5C **66**
(in two parts)
Burton M. *SW1* —5C **50**
Burton Pl. *WC1* —3F **37**
Burton Rd. *NW6* —4B **20**
Burton Rd. *SW9* —5C **66**
(in two parts)

Burtons Ct. *E15* —4F **29**
Burton St. *WC1* —2F **37**
Burtonwood Ho. *N4* —2F **11**
Burt Rd. *E16* —2F **59**
Burtwell La. *SE27* —4F **95**
Burwell Clo. *E1* —5D **41**
Burwell Rd. *E10* —3A **14**
Burwell Rd. Ind. Est. *E10*
—3A **14**
Burwell Wlk. *E3* —3C **42**
Burwood Ho. *SW9* —2D **81**
Burwood Pl. *W2* —5A **36**
Bury Clo. *SE16* —2F **55**
Bury Ct. *EC3* —5A **40**
Bury Pl. *WC1* —4A **38**
Bury St. *EC3* —5A **40**
Bury St. *SW1* —2E **51**
Bury Wlk. *SW3* —5A **50**
Busby M. *NW5* —3F **23**
Busby Pl. *NW5* —3F **23**
Bushbaby Clo. *SE1* —4A **54**
Bushberry Rd. *E9* —3A **28**
Bush Cotts. *SW18* —3C **76**
Bush Ct. *W12* —3F **47**
Bushell Clo. *SW2* —2B **94**
Bushell St. *E1* —2C **54**
Bushey Down. *SW12* —2D **93**
Bushey Hill Rd. *SE5* —4A **68**
Bushey Rd. *E13* —1E **45**
Bushey Rd. *N15* —1A **12**
Bush Ind. Est. *N19* —5E **9**
Bush La. *EC4* —1F **53**
Bushnell Rd. *SW17* —2D **93**
Bush Rd. *E8* —5D **27**
Bush Rd. *E11* —2B **16**
Bush Rd. *SE8* —5F **55**
Bushwood. *E11* —2B **16**
Bushwood Dri. *SE1* —5B **54**
Butcher Row. *E14 & E1*
—1F **55**
Butchers Rd. *E16* —5C **44**
Bute Gdns. *W6* —5F **47**
Bute St. *SW7* —5F **49**
Bute Wlk. *N1* —3F **25**
Butler Pl. *SW1* —4F **51**
(off Palmer St.)
Butler Rd. *NW10* —4A **18**
Butler St. *E2* —2E **41**
Butlers Wharf. *SE1* —3B **54**
(off Shad Thames)
Butterfield Clo. *SE16* —3D **55**
Butterfields. *E17* —1E **15**
Butterfly Wlk. *SE5* —5F **67**
Buttermere Clo. *SE1* —5B **54**
Buttermere Dri. *SW15* —3A **76**
Buttermere Wlk. *E8* —3B **26**
Butterwick. *W6* —5E **47**
Buttesland St. *N1* —2F **39**
Butts Rd. *Brom* —5A **100**
Buxted Rd. *E8* —4B **26**
Buxted Rd. *SE22* —2A **82**
Buxton Ct. *N1* —2E **39**
(off Thoresby St.)
Buxton Rd. *E6* —2F **45**
Buxton Rd. *E15* —2A **30**
Buxton Rd. *N19* —3F **9**
Buxton Rd. *NW2* —3D **19**

Buxton Rd. *SW14* —1A **74**
Buxton St. *E1* —3B **40**
Byam St. *SW6* —5E **63**
Byards Ct. *SE16* —5F **55**
(off Worgan St.)
Byelands Clo. *SE16* —2F **55**
Bye, The. *W3* —5A **32**
Byfeld Gdns. *SW13* —4C **60**
Byfield Clo. *SE16* —3A **56**
Byford Clo. *E15* —4A **30**
Bygrove St. *E14* —5D **43**
Byne Rd. *SE26* —5E **97**
Byng Pl. *WC1* —3F **37**
Byng St. *E14* —3C **56**
Byrne Rd. *SW12* —1D **93**
Byron Av. *E12* —3F **31**
Byron Clo. *E8* —5C **26**
Byron Clo. *SE26* —5A **98**
Byron Dri. *N2* —1F **7**
Byron M. *NW3* —2B **22**
Byron Rd. *E10* —3D **15**
Byron Rd. *NW2* —4D **5**
Byron St. *E14* —5E **43**
Bythorn St. *SW9* —1B **80**
Byton Rd. *SW17* —5B **92**
Bywater Pl. *SE16* —2A **56**
Bywater St. *SW3* —1B **64**
Byway. *E11* —1E **17**
Bywell Pl. *W1* —4E **37**
(off Wells St.)
Byworth Wlk. *N19* —3A **10**

Cabbell St. *NW1* —4A **36**
Cable Pl. *SE10* —4E **71**
Cable St. *E1* —1C **54**
Cabot Ct. *SE16* —5F **55**
(off Worgan St.)
Cabot Sq. *E14* —2C **56**
Cabot Way. *E6* —5F **31**
Cab Rd. *SE1* —3C **52**
Cabul Rd. *SW11* —5A **64**
Cactus Clo. *SE15* —5A **68**
Cactus Wlk. *W12* —5B **32**
Cadbury Way. *SE16* —5B **54**
(in two parts)
Caddington Rd. *NW2* —5A **6**
Cadell Clo. *E2* —1B **40**
Cade Rd. *SE10* —4F **71**
Cader Rd. *SW18* —4E **77**
Cadet Dri. *SE1* —1B **68**
Cadet St. *SE10* —1A **72**
Cadiz St. *SE17* —1E **67**
Cadley Ter. *SE23* —2E **97**
Cadman Clo. *SW9* —3D **67**
Cadmus Clo. *SW4* —1F **79**
Cadogan Gdns. *SW3* —5B **50**
Cadogan Ga. *E9* —4B **28**
Cadogan Ga. *SW1* —5B **50**
Cadogan Ho. *SW3* —2F **63**
(off Beaufort St.)
Cadogan La. *SW1* —4C **50**
Cadogan Pl. *SW1* —4B **50**
Cadogan Sq. *SW1* —4B **50**
Cadogan St. *SW3* —5B **50**
Cadogan Ter. *E9* —3B **28**
Cadoxton Av. *N15* —1B **12**

Campden Hill Ga. *W8* —3C **48**
Campden Hill Pl. *W11* —2B **48**
Campden Hill Rd. *W8* —2C **48**
Campden Hill Sq. *W8* —2B **48**
Campden Ho. Clo. *W8* —3C **48**
Campden Houses. *W8* —3C **48**
Campden St. *W8* —2C **48**
Campen Clo. *SW19* —2A **90**
Camperdown St. *E1* —5B **40**
Campfield Rd. *SE9* —5F **87**
Campion Rd. *SW15* —2E **75**
Campion Ter. *NW2* —5F **5**
Camplin St. *SE14* —3F **69**
Camp Rd. *SW19* —5D **89**
Campshill Pl. *SE13* —3E **85**
Campshill Rd. *SE13* —3E **85**
Campus Rd. *E17* —1B **14**
Camp View. *SW19* —5D **89**
Cam Rd. *E15* —5F **29**
Canada Est. *SE16* —4E **55**
Canada Gdns. *SE13* —3E **85**
Canada Sq. *E14* —2D **57**
Canada St. *SE16* —3F **55**
Canada Way. *W12* —1D **47**
Canada Wharf. *SE16* —2B **56**
Canadian Av. *SE6* —5D **85**
Canal App. *SE8* —2A **70**
Canal Clo. *E1* —3A **42**
Canal Clo. *W10* —3F **33**
Canal Gro. *SE15* —2C **68**
Canal Head. *SE15* —4C **68**
Canal Path. *E2* —5B **26**
Canal Rd. *E3* —3A **42**
Canal St. *SE5* —2F **67**
Canal Wlk. *N1* —5F **25**
Canal Wlk. *SE26* —5E **97**
Canal Way. *W10* —3F **33**
Canberra Rd. *SE7* —2E **73**
Canbury M. *SE26* —3C **96**
Cancell Rd. *SW9* —4C **66**
Candahar Rd. *SW11* —5A **64**
Candler St. *N15* —1F **11**
Candover St. *W1* —4E **37**
Candy St. *E3* —5B **28**
Caney M. *NW2* —4F **5**
Canfield Gdns. *NW6* —4D **21**
Canfield Ho. N15 —1A 12
(off Albert Rd.)
Canfield Pl. *NW6* —3E **21**
Canford Rd. *SW11* —3C **78**
Canham Rd. *W3* —3A **46**
Cann Hall Rd. *E11* —1A **30**
Canning Cross. *SE5* —5A **68**
Canning Ho. W12 —1D 47
(off White City Est.)
Canning Pas. *W8* —4E **49**
Canning Pl. *W8* —4E **49**
Canning Pl. M. W8 —4E 49
(off Canning Pl.)
Canning Rd. *E15* —1F **43**
Canning Rd. *N5* —5D **11**
Canning Town. (Junct.)
—4A **44**
Cannizaro Rd. *SW19* —5E **89**
Cannock Ho. *N4* —2E **11**
Cannon Dri. *E14* —1C **56**
Cannon Hill. *NW6* —2C **20**

Cannon Ho. *SE11* —5B **52**
(off Beaufoy Wlk.)
Cannon La. *NW3* —5F **7**
Cannon Pl. *NW3* —5F **7**
Cannon St. *EC4* —5E **39**
Cannon St. Rd. *E1* —5D **41**
Cannon Wharf Bus. Pk. *SE8*
—5A **56**
Canon Beck Rd. *SE16* —3E **55**
Canonbie Rd. *SE23* —5E **83**
Canonbury Bus. Cen. *N1*
—5E **25**
Canonbury Cres. *N1* —4E **25**
Canonbury Gro. *N1* —4E **25**
Canonbury La. *N1* —4D **25**
Canonbury Pk. N. *N1* —3E **25**
Canonbury Pk. S. *N1* —3E **25**
Canonbury Pl. *N1* —3D **25**
Canonbury Rd. *N1* —3D **25**
Canonbury Sq. *N1* —4D **25**
Canonbury St. *N1* —4E **25**
Canonbury Vs. *N1* —4D **25**
Canon Murnane Rd. SE1
(off Grange Rd.) —4B **54**
Canon Row. *SW1* —3A **52**
Canon's Clo. *N2* —2F **7**
Canon St. *N1* —5E **25**
Canrobert St. *E2* —1D **41**
Cantelowes Rd. *NW1* —3F **23**
Canterbury Av. *Ilf* —2F **17**
Canterbury Clo. *SE5* —5E **67**
Canterbury Ct. *SE12* —3D **101**
Canterbury Cres. *SW9* —1C **80**
Canterbury Gro. *SE27* —4C **94**
Canterbury Ho. *SE1* —4B **52**
Canterbury Ho. *SW9* —2D **53**
Canterbury Ind. Est. *SE15*
—2E **69**
Canterbury Pl. *SE17* —5D **53**
Canterbury Rd. *E10* —2E **15**
Canterbury Rd. *NW6* —1C **34**
Canterbury Ter. *NW6* —1C **34**
Canthus Dri. *SE1* —1C **68**
Cantium Retail Pk. SE1 —2C 68
(off Olmar St.)
Canton St. *E14* —5C **42**
Cantrell Rd. *E3* —3B **42**
Canute Gdns. *SE16* —5F **55**
Canvey St. *SE1* —2E **53**
Capel Rd. *E7 & E12* —1D **31**
Capener's Clo. SW1 —3C 50
(off Kinnerton St.)
Capern Rd. *SW18* —1E **91**
Cape Yd. *E1* —1C **54**
Capital Wharf. E1 —2C 54
(off High St. Wapping.)
Capland St. *NW8* —3F **35**
Caple Rd. *NW10* —1B **32**
Capper St. *WC1* —3F **37**
Capstan Rd. *SE8* —5B **56**
Capstan Sq. *E14* —3E **57**
Capstan Way. *SE16* —2A **56**
Capstone Rd. *Brom* —4B **100**
Capulet M. *E16* —2C **58**
Capworth St. *E10* —3C **14**
Caradoc Clo. *W2* —5C **34**
Caradoc St. *SE10* —1A **72**
Caradon Clo. *E11* —3A **16**

Caravel Clo. *E14* —4C **56**
Caravel M. *SE8* —2C **70**
Caraway Clo. *E13* —4D **45**
Carbis Rd. *E14* —5B **42**
Carburton St. *W1* —4D **37**
Cardale St. *E14* —3E **57**
Carden Rd. *SE15* —1D **83**
Cardigan Rd. *E3* —1B **42**
Cardigan Rd. *SW13* —5C **60**
Cardigan St. *SE11* —1C **66**
Cardigan Wlk. *N1* —4E **25**
(off Ashby Gro.)
Cardinal Bourne St. SE1
(off Burge St.) —4F **53**
Cardinal Cap All. *SE1* —2E **53**
Cardinal Pl. *SW15* —2F **75**
Cardinals Way. *N19* —3F **9**
Cardine M. *SE15* —3D **69**
Cardington St. *NW1* —2A **24**
Cardozo Rd. *N7* —2A **24**
Cardross St. *W6* —4D **47**
Cardwell Rd. *N7* —1A **24**
Carew Clo. *N7* —4B **10**
Carew St. *SE5* —5E **67**
Carey Gdns. *SW8* —4E **65**
Carey La. *EC2* —5E **39**
Carey Pl. *SW1* —5F **51**
Carey St. *WC2* —5B **38**
Carfax Pl. *SW4* —2F **79**
Carfree Clo. *N1* —4C **24**
Cargill Rd. *SW18* —1D **91**
Carholme Rd. *SE23* —1B **98**
Carina M. *SE27* —4E **95**
Carisbrooke Gdns. *SE15*
—3B **68**
Carker's La. *NW5* —2D **23**
Carleton Gdns. *N19* —2E **23**
Carleton Rd. *N7* —2F **23**
Carleton Vs. *NW5* —2E **23**
Carlile Clo. *E3* —1B **42**
Carlingford Rd. *NW3* —1F **21**
Carlisle Av. *EC3* —5B **40**
Carlisle Av. *W3* —5A **32**
Carlisle Gdns. *Ilf* —1F **17**
Carlisle La. *SE1* —4B **52**
Carlisle Mans. *SW1* —5E **51**
(off Carlisle Pl.)
Carlisle M. *NW8* —4F **35**
Carlisle Pl. *SW1* —4E **51**
Carlisle Rd. *E10* —3C **14**
Carlisle Rd. *N4* —2C **10**
Carlisle Rd. *NW6* —5A **20**
Carlisle St. *W1* —5F **37**
Carlisle Wlk. *E8* —3B **26**
Carlisle Way. *SW17* —5C **92**
Carlos Pl. *W1* —1C **50**
Carlow St. *NW1* —1E **37**
Carlton Clo. *SW9* —4C **6**
Carlton Dri. *SW15* —3F **75**
Carlton Gdns. *SW1* —2F **51**
Carlton Gro. *SE15* —4D **69**
Carlton Hill. *NW8* —1D **35**
Carlton Ho. Ter. *SW1* —2F **51**
Carlton Lodge. N4 —2C 10
(off Carlton Rd.)
Carlton Mans. *W9* —2D **35**
Carlton Rd. *E11* —3B **16**

Chambord St. *E2* —2B **40**
Chamomile Ct. *E17* —1C **14**
(off Yunus Khan Clo.)
Champion Cres. *SE26* —4A **98**
Champion Gro. *SE5* —1F **81**
Champion Hill. *SE5* —1F **81**
Champion Hill Est. *SE5*
—1A **82**
Champion Pk. *SE5* —5F **67**
Champion Rd. *SE26* —4A **98**
Champlain Ho. *W12* —1D **47**
(off White City Est.)
Champness Clo. *SE27* —4F **95**
Chancel Ind. Est. *NW10*
—3B **18**
Chancellor Gro. *SE21* —2E **95**
Chancellor Pas. *E14* —2C **93**
Chancellors Ct. *WC1* —4B **38**
(off Olde Hall St.)
Chancellor's Rd. *W6* —1E **61**
Chancellor's St. *W6* —1E **61**
Chancellors Wharf. *W6*
—1E **61**
Chancel St. *SE1* —2D **53**
Chancery La. *WC2* —5C **38**
Chance St. *E2 & E1* —3B **40**
Chandler Av. *E16* —4C **64**
Chandlers M. *E14* —3C **56**
Chandler St. *E1* —2D **55**
Chandlers Way. *SW2* —5C **80**
Chandler Way. *SE15* —3B **68**
Chandos Pl. *WC2* —1A **52**
Chandos Rd. *E15* —2F **29**
Chandos Rd. *NW2* —2E **19**
Chandos Rd. *NW10* —3A **32**
Chandos St. *W1* —4D **37**
Chandos Way. *NW11* —3D **7**
Change All. *EC3* —5F **39**
Channel Ga. Rd. *NW10*
—2A **32**
Channelsea Rd. *E15* —5F **29**
Chantrey Rd. *SW9* —1B **80**
Chantry Clo. *W9* —3B **34**
Chantry Sq. *W8* —4D **49**
Chantry St. *N1* —5D **25**
Chant Sq. *E15* —4F **29**
Chant St. *E15* —4F **29**
Chapel St. *SE1* —3F **53**
(off Borough High St.)
Chapel Cl. *SW1* —5F **53**
Chapel Ho. St. *E14* —1D **71**
Chapel Mkt. *N1* —1C **38**
Chapel Path. *E11* —1C **16**
(off Woodbine Pl.)
Chapel Pl. *EC2* —2A **40**
Chapel Pl. *N1* —1C **38**
Chapel Pl. *W1* —5D **37**
Chapel Rd. *SE27* —4D **95**
Chapel Side. *W2* —1D **49**
Chapel St. *NW1* —4A **36**
Chapel St. *SW1* —4C **50**
Chapel Way. *N7* —5B **10**
Chapel Yd. *SW18* —3C **75**
(off Wandsworth High St.)
Chaplin Clo. *SE1* —3D **53**
Chaplin Rd. *E15* —1B **44**
Chaplin Rd. *NW2* —3C **18**
Chapman Rd. *E9* —3B **28**

Chapmans Pk. Ind. Est. *NW10*
—3B **18**
Chapman St. *E1* —1D **55**
Chapone Pl. *W1* —5F **37**
(off Dean St.)
Chapter Ho. Ct. *EC4* —5E **39**
(off St Paul's All.)
Chapter Rd. *NW2* —2C **18**
Chapter Rd. *SE17* —1D **67**
Chapter St. *SW1* —5F **51**
Chapter Ter. *SE17* —2D **67**
Charcroft Ct. *W14* —3F **47**
(off Minford Gdns.)
Chardin Rd. *W4* —5A **46**
Chardmore Rd. *N16* —3C **12**
Charecroft Way. *W12* —4F **47**
Charfield St. *W9* —3D **35**
(off Shirland Rd.)
Charford Rd. *E16* —4C **63**
Chargeable La. *E13* —3B **44**
Chargeable St. *E16* —3B **44**
Chargrove Clo. *SE16* —3F **55**
Charing Cross. *SW1* —2A **52**
(off Whitehall)
Charing Cross Rd. *WC2*
—5F **37**
Charing Ho. *SE1* —3C **52**
(off Windmill Wlk.)
Charlbert Ct. *NW8* —1A **36**
(off Charlbert St.)
Charlbert St. *NW8* —1A **36**
Charlecote Gro. *SE26* —3D **97**
Charles Barry Clo. *SW4*
—1E **79**
Charlesfield. *SE9* —3E **101**
Charles Flemwell M. *E16*
—2C **58**
Charles Gardner Ct. *N1* —2F **39**
(off Haberdasher St.)
Charles La. *NW8* —1A **36**
Charles Pl. *NW1* —2E **37**
Charles Rd. *E7* —4E **31**
Charles Rowan Ho. *WC1*
(off Margery St.) —2C **38**
Charles II Pl. *SW3* —1A **64**
Charles II St. *SW1* —2F **51**
Charles Sq. *N1* —2F **39**
Charles Sq. Est. *N1* —2F **39**
(off Charles Sq.)
Charles St. *E16* —2E **59**
Charles St. *SW13* —4A **60**
Charles St. *W1* —2D **51**
Charles St. Trad. Est. *E16*
—2E **59**
Charleston St. *SE17* —5E **53**
Charles Uton Ct. *E8* —1C **26**
Charles Whincup Rd. *E16*
—2D **59**
Charleville Cir. *SE26* —5C **96**
Charleville Mans. *W14* —1A **62**
(off Charleville Rd.)
Charleville Rd. *W14* —1A **62**
Charlmont Rd. *SW17* —5A **92**
Charlotte Ct. *N8* —1F **9**
Charlotte Ct. *SE1* —5A **54**
(off Old Kent Rd.)
Charlotte Ct. *SE17* —5A **54**
(off Mason St.)

Charlotte Despard Av. *SW11*
—4C **64**
Charlotte M. *W1* —4E **37**
Charlotte M. *W10* —5F **33**
Charlotte M. *W14* —5A **48**
Charlotte Pl. *SW1* —5E **51**
Charlotte Pl. *W1* —4E **37**
Charlotte Rd. *EC2* —2A **40**
Charlotte Rd. *SW13* —4B **60**
Charlotte Row. *SW4* —1E **79**
Charlotte St. *W1* —4E **37**
Charlotte Ter. *N1* —5B **24**
Charlow Clo. *SW6* —5E **63**
Charlton Chu. La. *SE7* —1E **73**
Charlton Ct. *E2* —5B **26**
Charlton Dene. *SE7* —3E **73**
Charlton King's Rd. *NW5*
—2F **23**
Charlton La. *SE7* —5F **59**
Charlton Pk. La. *SE7* —3F **73**
Charlton Pk. Rd. *SE7* —2F **73**
Charlton Pl. *N1* —1D **39**
Charlton Rd. *NW10* —5A **18**
Charlton Rd. *SE3 & SE7*
—3C **72**
Charlton Way. *SE3* —4A **72**
Charlwood Pl. *SW1* —5E **51**
Charlwood Rd. *SW15* —2F **75**
Charlwood St. *SW1* —1E **65**
(in two parts)
Charlwood Ter. *SW15* —2F **75**
Charminster Rd. *SE9* —4F **101**
Charmouth Ho. *SW8* —3B **66**
Charnock Rd. *E5* —5D **13**
Charnwood Gdns. *E14* —5C **56**
Charnwood St. *E5* —4D **13**
Charrington St. *NW1* —1F **37**
Charsley Rd. *SE6* —2D **99**
Charter Ct. *N4* —3C **10**
Charterhouse Bldgs. *EC1*
—3D **39**
Charterhouse M. *EC1* —4D **39**
Charterhouse Sq. *EC1* —4D **39**
Charterhouse St. *EC1* —4C **38**
Charteris Rd. *N4* —3C **10**
Charteris Rd. *NW6* —5B **20**
Charters Clo. *SE19* —5A **96**
Chartfield Av. *SW15* —3D **75**
Chartfield Sq. *SW15* —3F **75**
Chartham Ho. *SW9* —1C **80**
(off Canterbury Cres.)
Chatham Gro. *SE27* —3D **95**
Chartley Av. *NW2* —5A **4**
Chart St. *N1* —2F **39**
Char Wood. *SW16* —4C **94**
Chasefield Rd. *SW17* —4B **92**
Chaseley St. *E14* —5A **42**
Chase Rd. *NW10* —3A **32**
Chase Rd. Trad. Est. *NW10*
—3A **32**
Chase, The. *E12* —1F **31**
Chase, The. *SW4* —2D **79**
Chaston St. *NW5* —2C **22**
(off Grafton Ter.)
Chatfield Rd. *SW11* —1E **77**
Chatham Clo. *NW11* —1C **6**
Chatham Pl. *E9* —3E **27**
Chatham Rd. *SW11* —4B **78**

Chestnut Dri.—Church Path

Chestnut Dri. *E11* —1C **16**
Chestnut Gro. *SW12* —5C **78**
Chestnut Ho. W4 —5A **46**
  (off Orchard, The)
Chestnut Rd. *SE27* —3D **95**
Chestnut St. *E1* —1A **10** *25*
Chestnuts, The. N5 —1E **25**
  (off Highbury Grange)
Chettle Clo. SE1 —4F **53**
  (off Spurgeon St.)
Chettle St. *N8* —1C **10**
Chetwode Rd. *SW17* —3B **92**
Chetwynd Rd. *NW5* —1D **23**
Cheval Pl. *SW7* —4A **50**
Cheval St. *E14* —4C **56**
Chevening Rd. *NW6* —1F **33**
Chevening Rd. *SE10* —1B **72**
Cheverton Rd. *N19* —3F **9**
Chevet St. *E9* —2A **28**
Cheviot Gdns. *NW2* —4F **5**
Cheviot Gdns. *SE27* —4D **95**
Cheviot Ga. *NW2* —4A **6**
Cheviot Rd. *SE27* —5C **94**
Chevron Clo. *E16* —5C **44**
Cheyne Clo. *NW4* —1E **5**
Cheyne Ct. *SW3* —2B **64**
Cheyne Gdns. *SW3* —2A **64**
Cheyne M. *SW3* —2A **64**
Cheyne Pl. *SW3* —2B **64**
Cheyne Row. *SW3* —2A **64**
Cheyne Wlk. *NW4* —1E **5**
Cheyne Wlk. *SW10 & SW3*
  (in three parts) —3F **63**
Chichele Rd. *NW2* —2F **19**
Chicheley St. *SE1* —3B **52**
Chichester Bldgs. SE1 —4A **54**
  (off Swan Mead)
Chichester Clo. *SE3* —4E **73**
Chichester Ho. SW9 —3C **66**
  (off Brixton Rd.)
Chichester M. *SE27* —4C **94**
Chichester Rents. WC2 —5C **38**
  (off Chancery La.)
Chichester Rd. *E11* —5A **16**
Chichester Rd. *NW6* —1C **34**
Chichester Rd. *W2* —4D **35**
Chichester St. *SW1* —1E **65**
Chichester Way. *E14* —5F **57**
Chicksand St. *E1* —4B **40**
Chiddingstone. *SE13* —3E **85**
Chiddingstone St. *SW6*
  —5C **62**
Chigwell Hill. *E1* —1D **55**
Chilcot Clo. *E14* —5D **43**
Childebert Rd. *SW17* —2D **93**
Childeric Rd. *SE14* —3A **70**
Childerley St. *SW6* —4A **62**
Childers St. *SE8* —2A **70**
Childs Hill Wlk. NW2 —5B **6**
  (off Cricklewood La.)
Child's Pl. *SW5* —5C **48**
Child's St. *SW5* —5C **48**
Child's Wlk. *SW5* —5C **48**
Chilham Ho. *SE1* —4F **53**
Chilham Ho. *SE15* —2E **69**
Chilham Rd. *SE9* —4F **101**
Chillerton Rd. *SW17* —5C **92**
Chillingworth Rd. *N7* —2C **24**
Chiltern Gdns. *NW2* —5F **5**

Chiltern Ho. SE17 —2F **67**
  (off Portland St.)
Chiltern Rd. *E3* —3C **42**
Chiltern St. *W1* —4C **36**
Chilthorne Clo. *SE6* —5B **84**
Chilton Gro. *SE8* —5F **57**
Chiltonian Ind. Est. *SE12*
  —4B **86**
Chilton St. *E2* —3B **40**
Chilver St. *SE10* —1B **72**
Chilworth Ct. *SW19* —1F **89**
Chilworth M. *W2* —5F **35**
Chilworth St. *W2* —5E **35**
Chimney Ct. E1 —2D **55**
  (off Brewhouse La.)
China Wharf. SE1 —3C **54**
  (off Mill St.)
Chinbrook Cres. *SE12*
  —3D **101**
Chinbrook Rd. *SE12* —3D **101**
Ching Ct. WC2 —5A **38**
  (off Monmouth St.)
Chingley Clo. *Brom* —5A **100**
Chipka St. *E14* —3E **57**
Chipley St. *SE14* —2A **70**
Chippendale St. *E5* —5F **13**
Chippenham Gdns. *NW6*
  —2C **34**
Chippenham M. *W9* —3C **34**
Chippenham Rd. *W9* —3C **34**
Chipstead Gdns. *NW2* —4D **5**
Chipstead St. *SW6* —4C **62**
Chip St. *SW4* —1F **79**
Chisenhale Rd. *E3* —1A **42**
Chisledon Wlk. *E9* —3B **28**
  (off Eastway)
Chisley Rd. *N15* —1A **12**
Chiswell Sq. *SE3* —5D **73**
Chiswell St. *EC1* —4F **39**
Chiswick Comn. Rd. *W4*
  —5A **46**
Chiswick La. N. *W4* —1A **60**
Chiswick La. S. *W4* —2B **60**
Chiswick Mall. *W4 & W6*
  —2B **60**
Chiswick Sq. *W4* —2A **60**
Chiswick Wharf. *W4* —2B **60**
Chitty St. *W1* —4E **37**
Chivalry Rd. *SW11* —3A **78**
Chiver St. *SE10* —1B **72**
Chobham Gdns. *SW19* —2F **89**
Chobham Rd. *E15* —2F **29**
Cholmeley Cres. *N6* —2D **9**
Cholmeley Lodge. *N6* —3D **9**
Cholmeley Pk. *N6* —3D **9**
Cholmley Gdns. *NW6* —2C **20**
Cholmondeley Av. *NW10*
  —1C **32**
Choppin's Ct. *E1* —2D **55**
Chopwell Clo. *E15* —4A **30**
Choumert Gro. *SE15* —5C **68**
Choumert Rd. *SE15* —1B **82**
Choumert Sq. *SE15* —5C **68**
Chow Sq. E8 —2B **26**
  (off Arcola St.)
Chrisp St. *E14* —4D **43**
  (in two parts)
Christchurch Av. *NW6* —5F **19**

Christchurch Ct. *NW10*
  —5A **18**
Christchurch Hill. *NW3* —5F **7**
Christchurch Ho. SW2 —1B **94**
  (off Christchurch Rd.)
Christchurch Pas. *NW3* —5E **7**
Christchurch Pl. *SW8* —5F **65**
Christchurch Rd. *N8* —1A **10**
Christchurch Rd. *SW2* —1B **94**
Christchurch Sq. *E9* —5E **27**
Christchurch Ter. SW3 —2B **64**
  (off Christchurch St.)
Christchurch Way. *SE10*
  —1A **72**
Christian Ct. *SE16* —2B **56**
Christian Pl. E1 —5C **40**
  (off Burslem St.)
Christian St. *E1* —5C **40**
Christie Ct. *N19* —4A **10**
Christie Rd. *E9* —3A **28**
Christina Sq. *N4* —3D **11**
Christina St. *EC2* —3A **40**
Christopher Clo. *SE16* —3F **55**
Christopher Pl. *NW1* —2C **38**
Christophers M. *W11* —2A **48**
Christopher St. *EC2* —4A **40**
Chryssell Rd. *SW9* —3C **66**
Chubworthy St. *SE14* —2A **70**
Chudleigh Rd. *NW6* —4F **19**
Chudleigh Rd. *SE4* —3B **84**
Chudleigh St. *E1* —5F **41**
Chulsa Rd. *SE26* —5D **97**
Chumleigh St. *SE5* —2A **68**
Church App. *SE21* —3F **95**
Church Av. *NW1* —3D **23**
Churchbury Rd. *SE9* —5F **87**
Church Cloisters. EC3 —1A **54**
  (off Lovat La.)
Church Clo. *W8* —3D **49**
Church Cres. *E9* —4F **27**
Churchcroft Clo. *SW12* —5C **78**
Churchdown. *Brom* —4A **100**
Church Entry. EC4 —5D **39**
  (off Carter La.)
Churchfield Mans. SW6
  (off New King's Rd.) —5B **62**
Churchfields. *SE10* —2E **71**
Church Ga. *SW6* —1A **76**
Church Gro. *SE13* —3D **85**
Church Hill. *SW19* —5B **90**
Churchill Gdns. *SW1* —1E **65**
Churchill Gdns. *SW7* —4F **49**
Churchill Gdns. Rd. *SW1*
  —1D **65**
Churchill Pl. *E14* —2D **57**
Churchill Rd. *E16* —5E **45**
Churchill Rd. *NW2* —3D **19**
Churchill Rd. *NW5* —1D **23**
Churchill Wlk. *E9* —2E **27**
Church La. *E11* —3A **16**
Church La. *SW17* —5B **92**
Churchley Rd. *SE26* —4D **97**
Churchmead Rd. *NW10*
  —3C **18**
Church Mt. *N2* —1F **7**
Church Path. *E11* —1C **16**

Clavering Av.—Clowders Rd.

Clavering Av. *SW13* —2D **61**
Clavering Ho. *SE13* —2F **85**
  (off Blessington Rd.)
Clavering Rd. *E12* —3F **17**
Claverton St. *SW1* —1E **65**
Clave St. *E1* —2E **55**
Claxton Gro. *W6* —1F **61**
Claxton Path. SE4 —2F **83**
  (off Coston Wlk.)
Claybank Gro. *SE13* —1D **85**
Claybridge Rd. *SE12* —4E **101**
Claybrook Rd. *W6* —2F **61**
Clayhill Cres. *SE9* —4F **101**
Claylands Pl. *SW8* —3C **66**
Claylands Rd. *SW8* —2B **66**
Claypole Ct. E17 —1C **14**
  (off Yunus Khan Clo.)
Claypole Rd. *E15* —1E **43**
Clays La. *E15* —2D **29**
Clays La. Clo. *E15* —2D **29**
Clay St. *W1* —4B **36**
Clayton Rd. *SE15* —4C **68**
Clayton St. *SE11* —2C **66**
Clearbrook Way. *E1* —5E **41**
Clearwell Dri. *W9* —3D **35**
Cleaver Sq. *SE11* —1C **66**
Cleaver St. *SE11* —1C **66**
Cleeve Hill. *SE23* —1D **97**
Clegg St. *E1* —2D **55**
Clegg St. *E13* —1C **44**
Clematis St. *W12* —1C **46**
Clem Attlee Ct. *SW6* —2B **62**
Clem Attlee Est. *SW6* —2B **62**
Clem Attlee Pde. SW6 —2B **62**
  (off N. End Rd.)
Clemence St. *E14* —4B **42**
Clement Av. *SW4* —2F **79**
Clement Clo. *NW6* —4E **19**
Clement Ho. *SE8* —5A **56**
Clementina Rd. *E10* —3B **14**
Clement Rd. *SW19* —5A **90**
Clement's Av. *E16* —1C **58**
Clement's Inn. *WC2* —5B **38**
Clement's Inn Pas. WC2
  (off Grange Ct.) —5B **38**
Clements La. *EC4* —1F **53**
Clement's Rd. *SE16* —4C **54**
Clemson Ho. *E8* —5B **26**
Clennam St. *SE1* —3E **53**
Clenston M. *W1* —5B **36**
Clephane Rd. *N1* —3E **25**
Clephane Rd. N. *N1* —3E **25**
Clere Pl. *EC2* —3F **39**
Clere St. *EC2* —3F **39**
Clerkenwell Clo. *EC1* —3C **38**
  (in two parts)
Clerkenwell Grn. *EC1* —3D **39**
Clerkenwell Rd. *EC1* —3C **38**
Clermont Rd. *E9* —5E **27**
Clevedon Clo. *N16* —5B **12**
Clevedon Mans. *NW5* —1C **22**
Clevedon Pas. *N16* —4B **12**
Cleveland Av. *W4* —5B **46**
Cleveland Gdns. *N4* —1E **11**
Cleveland Gdns. *NW2* —4F **5**
Cleveland Gdns. *SW13*
   —5B **60**
Cleveland Gdns. *W2* —5E **35**

Cleveland Gro. *E1* —3E **41**
Cleveland Mans. SW9 —3C **66**
  (off Mowll St.)
Cleveland M. *W1* —4E **37**
Cleveland Pl. *SW1* —2E **51**
Cleveland Rd. *N1* —4F **25**
Cleveland Rd. *SW13* —5B **60**
Cleveland Row. *SW1* —2E **51**
Cleveland Sq. *W2* —5E **35**
Cleveland St. *W1* —3D **37**
Cleveland Ter. *W2* —5E **35**
Cleveland Way. *E1* —3E **41**
Cleveley Clo. *SE7* —5F **59**
Cleveleys Rd. *E5* —5D **13**
Cleverly Est. *W12* —2C **46**
Cleve Rd. *NW6* —4C **20**
Cleves Rd. *E6* —5F **31**
Clewer Ct. *E10* —3C **14**
Cley Ho. *SE4* —2F **83**
Clichy Est. *E1* —4E **41**
Clifden Rd. *E5* —2E **27**
Clifford Dri. *SW9* —2D **81**
Clifford Gdns. *NW10* —1E **33**
Clifford Rd. *E16* —3B **44**
Clifford's Inn Pas. *EC4*
   —5C **38**
Clifford St. *W1* —1E **51**
Clifford Way. *NW10* —1B **18**
Cliff Rd. *NW1* —3F **23**
Cliffsend Ho. SW9 —4C **66**
  (off Cowley Rd.)
Cliff Ter. *SE8* —5C **70**
Cliffview Rd. *SE13* —1C **84**
Cliff Vs. *NW1* —3F **23**
Cliff Wlk. *E16* —4B **44**
  (in two parts)
Clifton Av. *W12* —2B **46**
Clifton Copse. *SE8* —1B **70**
Clifton Ct. N4 —4C **10**
  (off Playford Rd.)
Clifton Ct. *SE15* —3D **69**
Clifton Est. *SE15* —4D **69**
Clifton Cres. *SE15* —3D **69**
Clifton Ct. W9 —3F **35**
  (off Maida Vale)
Clifton Gdns. *N15* —1B **12**
Clifton Gdns. *NW11* —1B **6**
Clifton Gdns. *W4* —5A **46**
Clifton Gdns. *W9* —3E **35**
Clifton Gro. *E8* —3C **26**
Clifton Hill. *NW8* —1D **35**
Clifton Ho. *E11* —4A **16**
Clifton Pl. *SE16* —3E **55**
Clifton Pl. *W2* —5F **35**
Clifton Rise. *SE14* —3A **70**
  (in two parts)
Clifton Rd. *E7* —3F **31**
Clifton Rd. *E16* —4A **44**
Clifton Rd. *N8* —1F **9**
Clifton Rd. *NW10* —1C **32**
Clifton Rd. *SW19* —5F **89**
Clifton Rd. *W9* —3E **35**
Clifton St. *EC2* —4A **40**
Clifton Ter. *N4* —4C **10**
Clifton Vs. *W9* —4E **35**
Cliftonville Ct. *SE12* —1C **100**
Clifton Wlk. W6 —5D **47**
  (off King St.)

Clifton Way. *SE15* —3E **69**
Clinch Ct. *E16* —4C **44**
  (off Plymouth Rd.)
Clinger Ct. *N1* —5A **26**
Clink St. *SE1* —2F **53**
Clinton Ho. *SE8* —2C **70**
Clinton Rd. *E3* —2A **42**
Clinton Rd. *E7* —1C **30**
Clipper Clo. *SE16* —3F **55**
Clipper Way. *SE13* —2E **85**
Clipstone M. *W1* —4E **37**
Clipstone St. *W1* —4D **37**
Clissold Ct. *N16* —4E **11**
Clissold Cres. *N16* —5F **11**
Clissold Rd. *N16* —5F **11**
Clitheroe Rd. *SW9* —5A **66**
Clitterhouse Cres. *NW2* —3E **5**
Clitterhouse Rd. *NW2* —3E **5**
Clive Ct. W9 —3E **35**
  (off Maida Vale)
Cliveden Pl. *SW1* —5C **50**
Clive Lloyd Ho. *N15* —1E **11**
  (off Woodlands Pk. Rd.)
Clive Lodge. *NW4* —1F **5**
Clive Pas. *SE21* —3F **95**
Clive Rd. *SE21* —3F **95**
Clive Rd. *SW19* —5A **92**
Cloak La. *EC4* —1E **53**
Clochar Ct. *NW10* —5B **18**
Clockhouse Clo. *SW19*
   —2E **89**
Clockhouse Pl. *SW15* —4A **76**
Clock Pl. SE1 —5D **53**
  (off Newington Butts)
Clock Tower M. *N1* —5E **25**
Clock Tower Pl. *N7* —3A **24**
Cloister M. *NW2* —5B **6**
Cloisters Bus. Cen. SW8
   —3D **65**
  (off Battersea Pk. Rd.)
Cloisters, The. E1 —4B **40**
  (off Commercial St.)
Cloisters, The. *SW9* —4C **66**
Clonbrock Rd. *N16* —1A **26**
Cloncurry St. *SW6* —5F **61**
Clonmel Rd. *SW6* —3B **62**
Clonmore St. *SW18* —1B **90**
Clorane Gdns. *NW3* —5C **6**
Cloth Ct. EC1 —4D **39**
  (off Cloth Fair)
Cloth Fair. *EC1* —4D **39**
Clothier St. *E1* —5A **40**
Cloth St. *EC1* —4E **39**
Cloudesdale Rd. *SW17*
   —2D **93**
Cloudesley Pl. *N1* —5C **24**
Cloudesley Rd. *N1* —5C **24**
Cloudesley Sq. *N1* —5C **24**
Cloudesley St. *N1* —5C **24**
Clova Rd. *E7* —3B **30**
Clove Cres. *E14* —1E **57**
Clove Hitch Quay. *SW11*
   —1E **77**
Clovelly Way. *E1* —5E **41**
Clover Clo. *E11* —4F **15**
Clover M. *SW3* —2B **64**
Clove St. *E13* —3C **44**
Clowders Rd. *SE6* —3B **98**

Cloysters Grn. *E1* —2C **54**
Club Row. *E2 & E1* —3B **40**
Clunbury St. *N1* —1F **39**
Cluny Est. *SE1* —4A **54**
Cluny M. *SW5* —5C **48**
Cluny Pl. *SE1* —4A **54**
Clutton St. *E14* —4D **43**
Clyde Ho. *SE15* —3C **68**
(off Sumner Est.)
Clyde Pl. *E10* —2D **15**
Clydesdale Rd. *W11* —5B **34**
Clyde St. *SE8* —2B **70**
Clyde Ter. *SE23* —2E **97**
Clyde Vale. *SE23* —2E **97**
Clyde Wharf. *E16* —2C **58**
Clyston St. *SW8* —5E **65**
Cmabrian Clo. *SE27* —3D **95**
Coach & Horses Yd. *W1*
—1E **51**
Coach Ho. La. *N5* —1D **25**
Coach Ho. La. *SW19* —4F **89**
Coach Ho. M. *SE23* —4F **83**
Coach Ho. Yd. *NW3* —1E **21**
(off Hampstead High St.)
Coach Ho. Yd. *SW18* —2D **77**
Coaldale Wlk. *SE21* —5E **81**
Coalecroft Rd. *SW15* —2E **75**
Coalport Ho. *SE11* —5C **52**
(off Walnut Tree Wlk.)
Coal Wharf Rd. *W12* —2F **47**
Coates Av. *SW18* —4A **78**
Coate St. *E2* —1C **40**
Cobalt Sq. *SW8* —2B **66**
(off S. Lambeth Rd.)
Cobbetts Av. *Ilf* —1F **17**
Cobbett St. *SW8* —3B **66**
Cobble La. *N1* —4D **25**
Cobbold M. *W12* —3B **46**
Cobbold Rd. *E11* —5B **16**
Cobbold Rd. *NW10* —3B **18**
Cobbold Rd. *W12* —3A **46**
Cobb's Ct. *EC4* —5D **39**
(off Carter La.)
Cobb St. *E1* —4B **40**
Cobden Ho. *NW1* —1E **37**
(off Arlington Rd.)
Cobden Rd. *E11* —5A **16**
Cobden St. *E14* —4D **43**
Cobham Clo. *SW11* —4A **78**
Cobham M. *NW1* —4F **23**
Cobland Rd. *SE12* —4E **101**
Coborn Rd. *E3* —2B **42**
Coborn St. *E3* —2B **42**
Cobourg Rd. *SE5* —2B **68**
Cobourg St. *NW1* —2E **37**
Coburg Clo. *SW1* —5E **51**
(off Windsor Pl.)
Coburg Cres. *SW2* —1B **94**
Cochrane Clo. *E14* —3C **56**
(off Admirals Way)
Cochrane Ho. *NW8* —1F **35**
(off Cochrane St.)
Cochrane Ct. *E10* —3C **14**
Cochrane M. *NW8* —1F **35**
Cochrane St. *NW8* —1F **35**
Cockayne Way. *SE8* —5A **56**
Cockerell Rd. *E17* —2A **14**
Cock Hill. *E1* —4A **40**

Cock La. *EC1* —4D **39**
Cockpit Steps. *SW1* —3F **51**
(off Birdcage Wlk.)
Cockpit Yd. *WC1* —4B **38**
Cockspur Ct. *SW1* —2F **51**
Cockspur St. *SW1* —2F **51**
Coda Cen., The. *SW6* —4A **62**
Code St. *E1* —3B **40**
Codicote Ter. *N4* —4E **11**
Codling Clo. *E1* —2C **54**
Codrington Ct. *E1* —3D **41**
Codrington Ct. *SE16* —2A **56**
Codrington Hill. *SE23* —5A **84**
Codrington M. *W11* —5A **34**
Cody Rd. *E16* —3F **43**
Coin St. *SE1* —2C **52**
Coity Rd. *NW5* —3C **22**
Cokers La. *SE21* —1F **95**
Coke St. *E1* —5C **40**
Colas M. *NW6* —5C **20**
Colbeck M. *SW7* —5D **49**
Colberg Pl. *N16* —2B **12**
Colby M. *SE19* —5A **96**
Colby Rd. *SE19* —5A **96**
Colchester Rd. *E10* —2E **15**
Colchester Rd. *E17* —1C **14**
Colchester St. *E1* —5B **40**
Coldbath Sq. *EC1* —3C **38**
Coldbath St. *SE13* —4D **71**
Cold Blow La. *SE14* —3F **69**
(in two parts)
Coldharbour. *E14* —3E **57**
Coldharbour La. *SW9 & SE5*
—2C **80**
Coldharbour Pl. *SE5* —5E **67**
Coldstream Gdns. *SW18*
—4B **76**
Colebeck M. *N1* —3D **25**
Colebert Av. *E1* —3E **41**
Colebrook Clo. *SW15* —5F **75**
Colebrooke Dri. *E11* —2D **17**
Colebrooke Pl. *N1* —5D **25**
Colebrooke Row. *N1* —1D **39**
(in two parts)
Coleby Path. *SE5* —3F **67**
Coleford Rd. *SW18* —3E **77**
Colegrave Rd. *E15* —2F **29**
Colegrove Rd. *SE15* —2B **68**
Coleherne Ct. *SW5* —1D **63**
Coleherne M. *SW10* —1D **63**
Coleherne Rd. *SW10* —1D **63**
Colehill Gdns. *SW6* —4A **62**
Colehill La. *SW6* —4A **62**
Cole Ho. *SE1* —3C **52**
(off Baylis Rd.)
Coleman Fields. *N1* —5E **25**
Coleman Mans. *N8* —2A **10**
Coleman Rd. *SE5* —3A **68**
Coleman St. *EC2* —5F **39**
Coleman St. Bldgs. *EC2*
(off Colman St.) —5F **39**
Colenso Rd. *E5* —1E **27**
Coleraine Rd. *SE3* —2B **72**
Coleridge Av. *E12* —3F **31**
Coleridge Clo. *SW8* —5D **65**
Coleridge Ct. *W14* —4F **47**
(off Blythe Rd.)
Coleridge Gdns. *NW6* —4E **21**

Coleridge Ho. *SE17* —1E **67**
(off Browning St.)
Coleridge La. *N8* —1A **10**
Coleridge Rd. *N4* —4C **10**
Coleridge Rd. *N8* —1F **9**
Colesbourne Ct. *SE15* —3A **68**
(off Birdlip Clo.)
Coles Grn. Ct. *NW2* —4C **4**
Coles Grn. Rd. *NW2* —3C **4**
Coleshill Flats. *SW1* —1C **64**
(off Pimlico Rd.)
Colestown St. *SW11* —5A **64**
Cole St. *SE1* —3E **53**
Colet Gdns. *W14* —5F **47**
Colet Ho. *SE17* —1D **67**
(off Doddington Gro.)
Coley St. *WC1* —3B **38**
Colfe & Hatcliffe Glebe. *SE13*
—3E **85**
(off Lewisham High St.)
Colfe Rd. *SE23* —1A **98**
Colin Dri. *NW9* —1B **4**
Colinette Rd. *SW15* —2E **75**
Colin Rd. *NW10* —3C **18**
Colin Winter Ho. *E1* —3E **41**
(off Nicholas Rd.)
Coliston Pas. *SW18* —5C **76**
Coliston Rd. *SW18* —5C **76**
Collamore Av. *SW18* —1A **92**
Collard Pl. *NW1* —4D **23**
College App. *SE10* —2E **71**
College Clo. *E9* —2E **27**
College Ct. *SW3* —1B **64**
(off West Rd.)
College Ct. *W6* —1E **61**
(off Queen Caroline St.)
College Cres. *NW3* —3E **21**
(in two parts)
College Cross. *N1* —4C **24**
College E. *E1* —4B **40**
College Gdns. *SE21* —1A **96**
College Gdns. *SW17* —2A **92**
College Gdns. *Ilf* —1F **17**
College Gro. *NW1* —5E **23**
College Hill. *EC4* —1E **53**
College La. *NW5* —1D **23**
College M. *SW1* —4A **52**
(off Gt. College St.)
College M. *SW18* —3D **77**
College Pk. Clo. *SE13*
—2F **85**
College Pl. *NW1* —5E **23**
College Pl. *SW10* —3E **63**
College Point. *E15* —3B **30**
College Rd. *E17* —1E **15**
College Rd. *NW10* —1E **30**
College Rd. *SE21 & SE19*
—5A **82**
College Row. *E9* —2F **27**
College St. *EC4* —1E **53**
College Ter. *E3* —2B **42**
College View. *SE9* —1F **101**
College Yd. *NW5* —1D **23**
Collent St. *E9* —3E **27**
Collerston Rd. *SE3* —2B **72**
Colless Rd. *N15* —1B **12**
Collett Rd. *SE16* —4D **55**
Collier St. *N1* —1B **38**

Cromwell Rd.—Curlew Ho.

Cromwell Rd. *SW9* —4D **67**
Cromwell Rd. *SW19* —5C **90**
Cromwell Tower. *EC2* —4E **39**
 (off Barbican)
Crondace Rd. *SW6* —4C **62**
Crondall Ct. *N1* —1F **39**
 (off St Johns Est.)
Crondall St. *N1* —1F **39**
Cronin St. *SE15* —3B **68**
 (off Shanklin Way)
Crooked Billet. *SW19* —5E **89**
Crooked Billet Yd. *E2* —2A **40**
Crooke Rd. *SE8* —1A **70**
Crookham Rd. *SW6* —4B **62**
Coombs Rd. *E16* —4E **45**
Croom's Hill. *SE10* —3E **71**
Croom's Hill Gro. *SE10*
 —3E **71**
Cropley St. *N1* —1F **39**
Cropthorne Ct. *W9* —2E **35**
 (off Maida Vale)
Crosby Ct. *SE1* —3F **53**
 (off Crosby Row)
Crosby Ho. *E7* —3C **30**
Crosby Rd. *E7* —3C **30**
Crosby Row. *SE1* —3F **53**
Crosby Sq. *EC3* —5A **40**
Crosby Wlk. *E8* —3B **26**
Crosby Wlk. *SW2* —5C **80**
Crosby Way. *SW2* —5C **80**
Crosland Pl. *SW11* —1C **78**
Cross Av. *SE10* —2F **71**
Crossbrook Rd. *SE3* —1F **87**
Cross Clo. *SE15* —5D **69**
Crossfield Ho. *W11* —1A **48**
 (off Mary Pl.)
Crossfield Rd. *NW3* —3F **21**
Crossfield St. *SE8* —3C **70**
Crossford St. *SW9* —5B **66**
Cross Keys Clo. *W1* —4C **36**
Cross Keys Sq. *EC1* —4E **39**
 (off Lit. Britain)
Cross La. *EC3* —1A **54**
Crossleigh Ct. *SE14* —3B **70**
 (off New Cross Rd.)
Crosslet St. *SE17* —5F **53**
Crosslet Vale. *SE10* —4D **71**
Crossley St. *N7* —3C **24**
Crossthwaite Av. *SE5* —2F **81**
Crosswall. *EC3* —1B **54**
Crossway. *N16* —2A **26**
Crossway. *SE4* —5A **70**
Crossways Ter. *E5* —1E **27**
Crossway, The. *SE9* —2F **101**
Croston St. *E8* —5C **26**
Crouch End Hill. *N8* —2F **9**
Crouch Hall Ct. *N19* —3A **10**
Crouch Hall Rd. *N8* —1F **9**
Crouch Hill. *N8 & N4* —1A **10**
Crouchman's Clo. *SE26*
 —3B **96**
Crowborough Rd. *SW17*
 —5C **92**
Crowder St. *E1* —1D **55**
Crowfield Ho. *N5* —1E **25**

Crowfoot Clo. *E9* —2B **28**
Crowhurst Clo. *SW9* —5C **66**
Crowhurst Ho. *SW9* —5B **66**
 (off Aytoun Rd.)
Crowland Rd. *N15* —1B **12**
Crowland Ter. *N1* —4F **25**
Crowlin Wlk. *N1* —3F **25**
Crowmarsh Gdns. *SE23*
 —5E **83**
Crown Clo. *E3* —5C **28**
Crown Clo. *NW6* —3D **21**
Crown Clo. Bus. Cen. *E3*
 (off Crown Clo.) —5C **28**
Crown Ct. *EC2* —5E **39**
 (off Cheapside)
Crown Ct. *SE12* —4D **87**
Crown Ct. *WC2* —3A **38**
Crown Dale. *SE19* —5D **95**
Crowndale Rd. *NW1* —1E **37**
Crownfield Rd. *E15* —1F **29**
Crown Hill Rd. *NW10* —5B **18**
Crown La. *SW16* —5C **94**
Crown La. Gdns. *SW16*
 —5C **94**
Crown M. *E13* —5E **31**
Crown M. *W6* —5C **46**
Crown Office Row. *EC4*
 —1C **52**
Crown Pde. *SE19* —5D **95**
Crown Pas. *SW1* —2E **51**
Crown Pl. *NW5* —3D **23**
Crownstone Ct. *SW2* —3C **80**
Crownstone Rd. *SW2* —3C **80**
Crown St. *SE5* —3E **67**
Crows Rd. *E15* —2F **43**
Crowthorne Clo. *SW18* —5B **76**
Crowthorne Rd. *W10* —5F **33**
Croxley Rd. *W9* —2B **34**
Croxted Clo. *SE21* —5E **81**
Croxted M. *SE24* —4E **81**
Croxted Rd. *SE24 & SE21*
 —4E **81**
Croxteth Ho. *SW8* —5F **65**
Croydon Ho. *SE1* —3C **52**
 (off Wootton St.)
Croydon Rd. *E13* —3B **44**
Crozier Ho. *SW8* —3B **66**
 (off Wilkinson St.)
Crozier Ter. *E9* —2F **27**
Crucifix La. *SE1* —3A **54**
Cruden St. *N1* —5D **25**
Cruikshank Rd. *E15* —1A **30**
Cruikshank St. *WC1* —2C **38**
Crummock Gdns. *NW9* —1A **4**
Crutched Friars. *EC3* —1A **54**
Crutchley Rd. *SE6* —2A **100**
Crystal Pal. Pde. *SE19* —5B **96**
Crystal Pal. Pk. Rd. *SE26*
 —5C **96**
Crystal Pal. Rd. *SE22* —4B **82**
Crystal Pal. *SE19* —5F **95**
Crystal View Ct. *Brom* —4F **99**
Cuba St. *E14* —3C **56**
Cubitt Ho. *SW4* —4E **79**
Cubitt Steps. *E14* —2C **56**
Cubitt St. *WC1* —2B **38**
Cubitt's Yd. *WC2* —1A **52**
 (off James St.)

Cubitt Ter. *SW4* —1E **79**
Cudham St. *SE6* —5E **85**
Cudworth St. *E1* —3D **41**
Cuff Cres. *SE9* —4F **87**
Culford Gdns. *SW3* —5B **50**
Culford Gro. *N1* —3A **26**
Culford M. *N1* —3A **26**
Culford Rd. *N1* —4A **26**
Culling Rd. *SE16* —4E **55**
Cullingworth Rd. *NW10*
 —2C **18**
Culloden Clo. *SE16* —1C **68**
Culloden St. *E14* —5E **43**
Cullum St. *EC3* —1A **54**
Cullum Welch Ct. *N1* —2F **39**
 (off Haberdasher St.)
Culmore Rd. *SE15* —3D **69**
Culmstock Rd. *SW11* —3C **78**
Culpepper Ct. *SE11* —5C **52**
 (off Kennington Rd.)
Culross St. *W1* —1C **50**
Culverden Rd. *SW12* —2E **93**
Culverhouse Gdns. *SW16*
 —3B **94**
Culverley Rd. *SE6* —1D **99**
Culvert Pl. *SW11* —5C **64**
Culvert Rd. *N15* —1A **12**
Culvert Rd. *SW11* —5B **64**
Culworth St. *NW8* —1A **36**
Cumberland Clo. *E8* —3B **26**
Cumberland Cres. *W14*
 —5A **48**
Cumberland Gdns. *WC1*
 —2C **38**
Cumberland Ga. *W1* —1B **50**
Cumberland Mans. *W1* —5B **36**
 (off George St.)
Cumberland Mkt. *NW1* —2D **37**
Cumberland Mills Sq. *E14*
 —1F **71**
Cumberland Pk. Ind. Est. *NW10*
 —2C **32**
Cumberland Pl. *NW1* —2D **37**
Cumberland Pl. *SE6* —5B **98**
Cumberland Rd. *E12* —1F **31**
Cumberland Rd. *E13* —4D **45**
Cumberland Rd. *SW13*
 —4B **60**
Cumberland St. *SW1* —1D **65**
Cumberland Ter. *NW1* —1D **37**
Cumberland Ter. M. *NW1*
 (in three parts) —1D **37**
Cumbrian Gdns. *NW2* —4F **5**
Cumming St. *N1* —1B **38**
Cunard Pl. *EC3* —5A **40**
Cunard Rd. *NW10* —2A **32**
Cunard Wlk. *SE16* —5F **55**
Cundy Rd. *E16* —5E **45**
Cundy St. *SW1* —5C **50**
Cunliffe St. *SW16* —5E **93**
Cunningham Ho. *SE5* —3F **67**
 (off Elmington St.)
Cunningham Pl. *NW8* —3F **35**
Cupar Rd. *SW11* —4C **64**
Cupola Clo. *Brom* —5D **101**
Cureton St. *SW1* —5F **51**
Curlew Ho. *SE4* —2A **84**
 (off St Norbert Rd.)

Curlew St. *SE1* —3B **54**
Curnick's La. *SE27* —4E **95**
Curricle St. *W3* —2A **46**
Currie Hill Clo. *SW19* —4B **90**
Cursitor St. *EC4* —5C **38**
Curtain Pl. *EC2* —3A **40**
(off Curtain Rd.)
Curtain Rd. *EC2* —3A **40**
(in two parts)
Curtis Dri. *W3* —5A **32**
Curtis Field Rd. *SW16* —4B **94**
Curtis Ho. SE17 —1F **67**
(off Morecambe St.)
Curtis St. *SE1* —5B **54**
Curtis Way. *SE1* —5B **54**
Curve, The. *W12* —1C **46**
Curwen Av. *E7* —1D **31**
Curwen Rd. *W12* —3C **46**
Curzon Clo. SW6 —4D **63**
(off Maltings Pl.)
Curzon Cres. *NW10* —4A **18**
Curzon Ga. *W1* —2C **50**
Curzon Pl. *W1* —2C **50**
Curzon St. *W1* —2C **50**
Custance Ho. N1 —1F **39**
(off Provost Est.)
Custom Ho. Reach. *SE16*
—3B **56**
Custom Ho. Wlk. EC3 —1A **54**
(off Lwr. Thames St.)
Cutbush Ho. *N7* —2F **23**
Cutcombe Rd. *SE5* —5E **67**
Cuthbert Harrowing Ho. EC1
(off Golden La. Est.) —3E **39**
Cuthberts Rd. *NW2* —3B **20**
Cuthbert St. *W2* —4F **35**
Cuthill Wlk. *SE5* —4F **67**
Cutlers Gdns. E1 —5A **40**
(off Cutlers St.)
Cutlers Sq. *E14* —5C **56**
Cutler St. *E1* —5A **40**
Cut, The. *SE1* —3D **53**
Cyclops M. *E14* —5C **56**
Cygnet Clo. *NW10* —2A **18**
Cygnet St. *E1* —3B **40**
Cygnus Bus. Cen. *NW10*
—3B **18**
Cynthia St. *N1* —1B **38**
Cyntra Pl. *E8* —4D **27**
Cypress Ho. *SE4* —3A **84**
Cypress Ho. *SE14* —4F **69**
Cypress Pl. *W1* —3E **37**
Cyprus Clo. *N4* —1D **11**
Cyprus Pl. *E2* —1E **41**
(in two parts)
Cyrena Rd. *SE22* —4B **82**
Cyril Mans. *SW11* —4B **64**
Cyrus St. *EC1* —3D **39**
Czar St. *SE8* —2C **70**

Dabbs La. *EC1* —3C **38**
(off Farringdon Rd.)
Dabin Cres. *SE10* —4E **71**
Dacca St. *SE8* —2B **70**
Dace Rd. *E3* —5C **28**
Dacre Gdns. *SE13* —2A **86**

Dacre Ho. SW3 —2F **63**
(off Beaufort St.)
Dacre Pk. *SE13* —1A **86**
Dacre Pl. *SE13* —1A **86**
Dacre Rd. *E11* —3B **16**
Dacre Rd. *E13* —5D **31**
Dacres Ho. *SW4* —2D **65**
Dacres Rd. *SE23* —2F **97**
Dacre St. *SW1* —4F **51**
Daffodil St. *W12* —1B **46**
Dafforne Rd. *SW17* —3C **92**
Dagenham Rd. *E10* —3B **14**
Dagmar Ct. *E14* —4E **57**
Dagmar Gdns. *NW10* —1F **33**
Dagmar Pas. N1 —5D **25**
(off Cross St.)
Dagmar Rd. *N4* —2C **10**
Dagmar Rd. *SE5* —4A **68**
Dagmar Ter. *N1* —5D **25**
Dagnall St. *SW11* —5B **64**
Dagnan Rd. *SW12* —5D **79**
Dagonet Gdns. *Brom* —3C **100**
Dagonet Rd. *Brom* —3C **100**
Dahomey Rd. *SW16* —5E **93**
Dain Ct. W8 —5C **48**
(off Lexham Gdns.)
Dainford Clo. *Brom* —5F **99**
Daintry Way. *E9* —3B **28**
Dairy M. *SW9* —1A **80**
Dairy Wlk. *SW19* —4A **90**
Daisy Dobbins Wlk. N19
—2A **10**
(off Jessie Blythe La.)
Daisy La. *SW6* —1C **76**
Daisy Rd. *E16* —3A **44**
Dakota Gdns. *E6* —4F **45**
Dalberg Rd. *SW2* —2C **80**
Dalby Rd. *SW18* —2E **77**
Dalby St. *NW5* —3D **23**
Dalebury Rd. *SW17* —2B **92**
Dale Clo. *SE3* —1C **86**
Daleham Gdns. *NW3* —2F **21**
Daleham M. *NW3* —3F **21**
Dale Ho. *SE4* —2A **84**
Dale Lodge. *N6* —1E **9**
Dalemain M. *E16* —2C **58**
Dale Rd. *NW5* —2C **22**
Dale Rd. *SE17* —2D **67**
Dale Row. *W11* —5A **34**
Daleside Rd. *SW16* —5D **93**
Dale St. *W4* —1A **60**
Daleview Rd. *N15* —1A **12**
Daley Ho. *W12* —5D **33**
Daley St. *E9* —3F **27**
Daley Thompson Way. *SW8*
—1D **79**
Dalgarno Gdns. *W10* —4E **33**
Dalgarno Way. *W10* —3B **33**
Dalgleish St. *E14* —5A **42**
Daling Way. *E3* —1A **42**
Dalkeith Rd. *SE21* —1E **95**
Dallas Rd. *NW4* —2C **4**
Dallas Rd. *SE26* —3D **97**
Dallinger Rd. *SE12* —4B **86**
Dalling Rd. *W6* —5D **47**
Dallington St. *EC1* —3D **39**
Dalmain Rd. *SE23* —1F **97**
Dalmeny Av. *N7* —1F **23**

Dalmeny Rd. *N7* —5F **9**
Dalmeyer Rd. *NW10* —3B **18**
Dalmore Rd. *SE21* —2E **95**
Dalrymple Rd. *SE4* —2A **84**
Dalston Cross Shop. Cen. *E8*
—3B **26**
Dalston La. *E8* —3B **26**
Dalton St. *SE27* —2D **95**
Dalwood St. *SE5* —4A **68**
Daly Ct. *E15* —2D **29**
Dalyell Rd. *SW9* —1B **80**
Damascene Wlk. *SE21* —1C **88**
Damask Cres. *E16* —3A **44**
Damer Ter. *SW10* —3E **63**
Dames Rd. *E7* —5C **16**
Dame St. *N1* —1E **39**
Damien St. *E1* —5D **41**
Danbury St. *N1* —1D **39**
Danby St. *SE15* —1B **82**
Dancer Rd. *SW6* —4B **62**
Dando Cres. *SE3* —1D **87**
Dandridge Clo. *SE10* —1B **72**
Danebury Av. *SW15* —4A **74**
(in two parts)
Daneby Rd. *SE6* —3D **99**
Danecroft Rd. *SE24* —3E **81**
Danehurst St. *SW6* —4A **62**
Danemere St. *SW15* —1E **75**
Dane Pl. *E3* —1B **42**
Danescombe. *SE12* —1C **100**
Danescroft. *NW4* —1F **5**
Danescroft Av. *NW4* —1F **5**
Danescroft Gdns. *NW4* —1F **5**
Danesdale Rd. *E9* —3A **28**
Danesfield. SE17 —2A **68**
(off Albany Rd.)
Dane St. *WC1* —4B **38**
Daneswood Av. *SE6* —3E **99**
Daneville Rd. *SE5* —4F **67**
Dangan Rd. *E11* —1C **16**
Daniel Bolt Clo. *E14* —4D **43**
Daniel Clo. *SW17* —5A **92**
Daniel Gdns. *SE15* —3B **68**
Daniel Ho. N1 —1F **39**
(off Cranston Est.)
Daniel Pl. *NW4* —2D **5**
Daniels Rd. *SE15* —1E **83**
Dan Leno Wlk. *SW6* —3D **63**
Dansey Pl. W1 —1F **51**
(off Wardour St.)
Danson Rd. *SE17* —1D **67**
Dante Pl. SE11 —5D **53**
(off Dante Rd.)
Dante Rd. *SE11* —5D **53**
Danube St. *SW3* —1A **64**
Danvers Ho. E1 —5C **40**
(off Christian St.)
Danvers St. *SW3* —2F **63**
Da Palma Ct. SW6 —2C **62**
(off Anselm Rd.)
Daphne St. *SW18* —4E **77**
Daplyn St. *E1* —4C **40**
D'Arblay St. *W1* —5E **37**
Dare Ct. *E10* —2E **15**
Darent Ho. *Brom* —5F **99**
Darenth Rd. *N16* —2B **12**
Darfield Rd. *SE4* —3B **84**
Darfield Way. *W10* —5F **33**

Darfur St. *SW15* —1F **75**
Darien Rd. *SW11* —1F **77**
Dark Ho. Wlk. *EC3* —1F **53**
Darlan Rd. *SW6* —3B **62**
Darley Ho. *SE11* —1B **66**
  (off Laud St.)
Darley Rd. *SW11* —4B **78**
Darling Rd. *SE4* —1C **84**
Darling Row. *E1* —3D **41**
Darlington Rd. *SE27* —5D **95**
Darnay Ho. *SE16* —4C **54**
Darnley Rd. *E9* —3E **27**
Darnley Ter. *W11* —2F **47**
Darrell Rd. *SE22* —3C **82**
Darren Clo. *N4* —2B **10**
Darsley Dri. *SW8* —4F **65**
Dartford Ho. *SE1* —5B **54**
  (off Longfield Est.)
Dartford St. *SE17* —2E **67**
Dartington Ho. *SW8* —5F **65**
  (off Union Gro.)
Dartle Ct. *SE16* —3C **54**
  (off Dickens Est.)
Dartmoor Wlk. *E14* —5C **56**
  (off Charnwood Gdns.)
Dartmouth Clo. *W11* —5C **34**
Dartmouth Gro. *SE10* —4F **71**
Dartmouth Gro. *SE10* —4E **71**
Dartmouth Hill. *SE10* —4E **71**
Dartmouth Pk. Av. *NW5*
  —5D **9**
Dartmouth Pk. Hill. *N19 & NW5*
  —3D **9**
Dartmouth Pk. Rd. *NW5*
  —1D **23**
Dartmouth Pl. *SE23* —2E **97**
Dartmouth Rd. *W4* —2A **60**
Dartmouth Rd. *NW2* —3F **19**
Dartmouth Rd. *NW4* —1C **4**
Dartmouth Rd. *SE26 & SE23*
  —3D **97**
Dartmouth Row. *SE10* —4E **71**
Dartmouth St. *SW1* —3F **51**
Dartmouth Ter. *SE10* —4F **71**
Dartrey Tower. *SW10* —3E **63**
  (off Worlds End Est.)
Dartrey Wlk. *SW10* —3F **63**
Dart St. *W10* —2A **34**
Darville Rd. *N16* —5B **12**
Darwin St. *SE17* —5F **53**
  (in two parts)
Daryngton Ho. *SW8* —3A **66**
  (off Hartington Rd.)
Dashwood Rd. *N8* —1B **10**
Dassett Rd. *SE27* —5D **95**
Data Point Bus. Cen. *E16*
  —3F **43**
Datchelor Pl. *SE5* —4F **67**
Datchet Rd. *SE6* —2B **98**
Date St. *SE17* —1F **67**
Daubeney Rd. *E5* —1A **28**
Daubeney Tower. *SE8* —1B **70**
  (off Bowditch)
Dault Rd. *SW18* —4E **77**
Dauncey Ho. *SE1* —3D **53**
  (off Webber Row)
Davenant Rd. *N19* —4F **9**
Davenant St. *E1* —4C **40**

Davenport Ho. *SE11* —5C **52**
  (off Walnut Tree Wlk.)
Davenport Rd. *SE6* —4D **85**
Daventry Av. *E17* —1C **14**
Daventry St. *NW1* —4A **36**
Daver Ct. *SW3* —1A **64**
Davern Clo. *SE10* —5B **58**
Davey Clo. *N7* —3B **24**
Davey Rd. *E9* —4C **28**
Davey's Ct. *WC2* —1A **66**
  (off Bedfordbury)
Davey St. *SE15* —2B **68**
Davidge Ho. *SE1* —3C **52**
  (off Coral St.)
Davidge St. *SE1* —3D **53**
David Ho. *SW8* —3A **66**
  (off Wyvil Rd.)
David Lee Point. *E15* —5A **30**
  (off Leather Gdns.)
David M. *W1* —4A **36**
Davidson Gdns. *SW8* —3A **66**
Davidson Ter. *E7* —2D **31**
  (off Claremont Rd.)
Davidson Ter. *E7* —2D **31**
  (off Windsor Rd.)
Davidson Tower. *Brom*
  —5D **101**
David's Rd. *SE23* —1F **97**
David St. *E15* —3F **29**
Davies La. *E11* —4A **16**
Davies M. *W1* —1D **51**
Davies St. *W1* —5D **37**
Davis Rd. *W3* —2B **46**
Davis St. *E13* —1D **45**
Davisville Rd. *W12* —3C **46**
Dawes Rd. *SW6* —3A **62**
Dawes St. *SE17* —1F **67**
Dawlish Av. *SW18* —2D **91**
Dawlish Rd. *E10* —3E **15**
Dawlish Rd. *NW2* —3F **19**
Dawnay Gdns. *SW18* —2F **91**
Dawnay Rd. *SW18* —2E **91**
Dawn Cres. *E15* —5F **29**
Dawpool Rd. *NW2* —4B **4**
Dawson Pl. *W2* —1C **48**
Dawson Rd. *NW2* —2E **19**
Dawson St. *E2* —1B **40**
Daylesford Av. *SW15* —2C **74**
Daysbrook Rd. *SW2* —1B **94**
Dayton Gro. *SE15* —4E **69**
Deacon M. *N1* —4F **25**
Deacon Rd. *NW2* —2C **18**
Deacon Way. *SE17* —5E **53**
Deal Porters Way. *SE16*
  —4E **55**
Deal Rd. *SW17* —5C **92**
Deal's Gateway. *SE10* —4C **70**
Deal St. *E1* —4C **40**
Dealtry Rd. *SW15* —2E **75**
Deal Wlk. *SW9* —3C **66**
Dean Bradley St. *SW1* —4A **52**
Dean Clo. *E9* —2E **27**
Dean Clo. *SE16* —2E **55**
Dean Ct. *SW8* —3A **66**
  (off Thorncroft St.)
Deancross St. *E1* —5E **41**
Deanery M. *W1* —2C **50**
  (off Deanery St.)

Deanery Rd. *E15* —4A **30**
Deanery St. *W1* —2C **50**
Dean Farrar St. *SW1* —4F **51**
Dean Rd. *NW2* —3E **19**
Dean Ryle St. *SW1* —5A **52**
Dean's Bldgs. *SE17* —5F **53**
Dean's Ct. *EC4* —5D **39**
Deans Ga. Clo. *SE23* —3F **97**
Dean's M. *W1* —5D **37**
Dean's Pl. *SW1* —1F **65**
Dean Stanley St. *SW1* —4A **52**
Deanston Wharf. *E16* —3D **59**
Dean St. *E7* —2C **30**
Dean St. *W1* —5F **37**
Dean's Yd. *SW1* —4F **51**
  (off Sanctuary, The)
Dean Trench St. *SW1* —4A **52**
Deason St. *E15* —5E **29**
Deauville Ct. *SW4* —4E **79**
De Barowe M. *N5* —1D **25**
De Beauvoir Cres. *N1* —5A **26**
De Beauvoir Est. *N1* —5A **26**
De Beauvoir Pl. *N1* —3A **26**
De Beauvoir Rd. *N1* —5A **26**
De Beauvoir Sq. *N1* —4A **26**
Debnams Rd. *SE16* —5E **55**
De Bruin Ct. *E14* —1E **71**
Decima St. *SE1* —4A **54**
Deck Clo. *SE16* —2F **55**
De Crespigny Pk. *SE5* —5F **67**
Deeley Rd. *SW8* —4F **65**
Deepdale. *SW19* —4B **89**
Deepdene Gdns. *SW2* —5B **80**
Deepdene Point. *SE23* —3F **97**
Deepdene Rd. *SE5* —2F **81**
Deerbrook Rd. *SE24* —1D **95**
Deerdale Rd. *SE24* —2E **81**
Deerfield Cotts. *NW9* —1B **4**
Deerhurst Rd. *NW2* —3F **19**
Deerhurst Rd. *SW16* —5B **94**
Deeside Rd. *SW17* —3F **91**
Dee St. *E14* —5E **43**
Defoe Clo. *SE16* —3B **56**
Defoe Clo. *SW17* —5A **92**
Defoe Ho. *EC2* —4E **39**
  (off Barbican)
Defoe Pl. *EC2* —4E **39**
  (off Beech St.)
Defoe Rd. *N16* —5A **12**
De Frene Rd. *SE26* —4F **97**
Dehar Cres. *NW9* —2B **4**
Dekker Rd. *SE21* —4A **82**
Delacourt Rd. *SE3* —3D **73**
Delafield Ho. *E1* —5C **40**
  (off Christian St.)
Delafield Rd. *SE7* —1D **73**
Delaford Rd. *SE16* —1D **69**
Delaford St. *SW6* —3A **62**
Delamere St. *W2* —4E **35**
Delamere Ter. *W2* —4D **35**
Delancey Pas. *NW1* —5D **23**
  (off Delancey St.)
Delancey St. *NW1* —5D **23**
De Laune St. *SE17* —1D **67**
Delaware Mans. *W9* —3D **35**
  (off Delaware Rd.)
Delaware Rd. *W9* —3D **35**
Delawyk Cres. *SE24* —4E **81**

Delft Way. *SE22* —3A **82**
Delhi St. *N1* —5A **24**
Delia St. *SW18* —5D **77**
Delius Clo. *E15* —1E **43**
Della Path. *E5* —5C **12**
Dell Clo. *E15* —5F **29**
Dellow St. *E1* —1D **55**
Dell's M. SW1 —5E 51
(off Churton Pl.)
Delmare Clo. *SW9* —2B **80**
Delme Cres. *SE3* —5D **73**
Deloraine Ho. *SE8* —4C **70**
Delorme St. *W6* —2F **61**
Delta Bus. Pk. SW18 —2D 77
(off Smugglers Way)
Delta Ct. *NW2* —4C **4**
Delta Est. *E2* —2C **40**
Delta St. *E2* —2C **40**
Delverton Rd. *SE17* —1D **67**
Delvino Rd. *SW6* —4C **62**
Demead Way. *SE15* —3B **68**
(off Pentridge St.)
De Montfort Pde. *SW16*
—3A **94**
De Montfort Rd. *SW16*
—2A **94**
De Morgan Rd. *SW6* —1D **77**
Dempster Rd. *SW18* —3E **77**
Denbigh Clo. *NW10* —4A **18**
Denbigh Clo. *W11* —1B **48**
Denbigh Ct. *E6* —2F **45**
Denbigh M. SW1 —5E 51
(off Denbigh St.)
Denbigh Pl. *SW1* —1E **65**
Denbigh Rd. *E6* —2F **45**
Denbigh Rd. *W11* —1B **48**
Denbigh St. *SW1* —5E **51**
(in two parts)
Denbigh Ter. *W11* —1B **48**
Denby Ct. SE11 —5B 52
(off Lambeth Wlk.)
Denchworth Ho. *SW9* —5C **66**
Dene Clo. *SE4* —1A **84**
Denehurst Gdns. *NW4* —1E **5**
Denesmead. *SE24* —3E **81**
Denewood. *N6* —1B **8**
Denford St. *SE10* —1B **72**
Dengie Wlk. N1 —5E 25
(off Basire St.)
Denham Ct. *SE26* —3D **97**
(off Kirkdale)
Denham Ho. *W12* —1D **47**
(off White City Est.)
Denham St. *SE10* —1C **72**
Denholme Rd. *W9* —2B **34**
Denison Rd. *SW19* —5F **91**
Denis Way. *SW4* —1F **79**
Denman Dri. *NW11* —1C **6**
Denman Pl. *W1* —2F **51**
(off Denman St.)
Denman Rd. *SE15* —4B **68**
Denman St. *W1* —1F **51**
Denmark Gro. *N1* —1C **38**
Denmark Hill. *SE5* —4F **67**
Denmark Hill Est. *SE5*
—2F **81**
Denmark Mans. *SE5* —5E **67**
Denmark Rd. *WC2* —5F **37**

Denmark Rd. *NW6* —1B **34**
(in two parts)
Denmark Rd. *SE5* —4E **67**
Denmark St. *E11* —5A **16**
Denmark St. *E13* —4D **45**
Denmark St. *WC2* —5F **37**
Denmark Wlk. *SE27* —4E **95**
Denmead Ho. SW15 —4B 74
(off Highcliffe Dri.)
Denne Ter. *E8* —5B **26**
Dennetts Gro. *SE14* —4E **69**
Dennett's Rd. *SE14* —4E **69**
Denning Clo. *NW8* —2E **35**
Denning Rd. *NW3* —1F **21**
Dennington Clo. *E5* —4E **13**
Dennington Pk. Rd. *NW6*
—3C **20**
Dennison Gro. *SW14* —1A **74**
Dennison Point. *E15* —4E **29**
Denny Clo. *E6* —4F **45**
Denny Cres. *SE11* —1C **66**
Denny St. *SE11* —1C **66**
Densham Rd. *E15* —5A **30**
Denton. *NW1* —3C **22**
Denton St. *N8* —1B **10**
Denton St. *SW18* —4D **77**
Denton Way. *E5* —5F **13**
Dents Rd. *SW11* —4B **78**
Denver Rd. *N16* —2A **12**
Denwood. *SE23* —3F **97**
Denyer St. *SW3* —5A **50**
Denzil Rd. *NW10* —2B **18**
Deodar Rd. *SW15* —2A **76**
Depot App. *NW2* —1F **19**
Depot Rd. *W12* —1E **47**
Depot St. *SE5* —2F **67**
Deptford Bri. *SE8* —4C **70**
Deptford B'way. *SE8* —4C **70**
Deptford Chu. St. *SE8* —2C **70**
Deptford Ferry Rd. *E14*
—5C **56**
Deptford Grn. *SE8* —2C **70**
Deptford High St. *SE8* —2C **70**
Deptford Pk. Bus. Cen. SE8
—1A **70**
Deptford Strand. *SE8* —5B **56**
Deptford Wharf. *SE8* —5B **56**
De Quincey M. *E16* —2C **58**
Derando Clo. *W12* —1D **47**
Derby Ga. *SW1* —3A **52**
Derby Hill. *SE23* —2E **97**
Derby Hill Cres. *SE23* —2E **97**
Derby Ho. SE11 —5C 52
(off Walnut Tree Wlk.)
Derby Rd. *E7* —4F **31**
Derby Rd. *E9* —5E **27**
Derbyshire St. *E2* —2C **40**
Derby St. *W1* —2C **50**
Dereham Ho. SE4 —2F 83
(off Frendsbury Rd.)
Dereham Pl. *EC2* —2A **40**
Derek Walcott Clo. *SE24*
—3D **81**
Dericote St. *E8* —5D **27**
Dering St. *W1* —5D **37**
Dering Yd. *W1* —5D **37**
Derinton Rd. *SW17* —4B **92**
Dermody Gdns. *SE13* —3F **85**

Dermody Rd. *SE13* —3F **85**
Deronda Est. *SW2* —1D **95**
Deronda Rd. *SE24* —1D **95**
Derrick Gdns. *SE7* —5E **59**
Derry St. *W8* —3D **49**
Dersingham Rd. *NW2* —5A **6**
Derwent Av. *NW9* —1A **4**
Derwent Av. *SW15* —4A **88**
Derwent Gro. *SE22* —2B **82**
Derwent Rise. *NW9* —1A **4**
Derwent St. *SE10* —1A **72**
Desborough Clo. W2 —4D 35
(off Bourne Ter.)
Desborough Ho. W14 —2B 62
(off N. End Rd.)
Desenfans Rd. *SE21* —4A **82**
Desford Rd. *E16* —3A **44**
Desmond St. *SE14* —3A **70**
Despard Rd. *N19* —3E **9**
Detling Rd. *Brom* —5C **100**
Detmold Rd. *E5* —4E **13**
Devas St. *E3* —3D **43**
Devenay Rd. *E15* —4B **30**
Deventer Cres. *SE22* —3A **82**
De Vere Gdns. *W8* —3E **49**
Deverell St. *SE1* —4F **53**
De Vere M. W8 —4E 49
(off De Vere Gdns.)
Devereux Ct. WC2 —5C 38
(off Essex St.)
Devereux La. *SW13* —3D **61**
Devereux Rd. *SW11* —4B **78**
Devon Gdns. *N4* —1D **11**
Devonia Rd. *N1* —1D **39**
Devonport. *W2* —5A **36**
Devonport M. *W12* —3D **47**
Devonport Rd. *W12* —2D **47**
Devonport St. *E1* —5F **41**
Devons Est. *E3* —2D **43**
Devonshire Clo. *E15* —1A **30**
Devonshire Clo. *W1* —4D **37**
Devonshire Dri. *SE10* —3D **71**
Devonshire Gro. *SE15* —2D **69**
Devonshire M. *W4* —1A **60**
Devonshire M. N. *W1* —4D **37**
Devonshire M. S. *W1* —4D **37**
Devonshire M. W. *W1* —3C **36**
Devonshire Pas. *W4* —1A **60**
Devonshire Pl. *NW2* —5C **6**
Devonshire Pl. *W1* —3C **36**
Devonshire Pl. *W4* —1A **60**
Devonshire Pl. *W8* —4D **49**
Devonshire Pl. M. *W1* —4C **36**
Devonshire Rd. *E15* —1A **30**
Devonshire Rd. *E16* —5D **45**
Devonshire Rd. *E17* —1C **14**
Devonshire Rd. *SE9* —2F **101**
Devonshire Rd. *SE23* —1E **97**
Devonshire Rd. *W4* —1A **60**
Devonshire Row. *EC2* —4A **40**
Devonshire Row M. W1
(off Devonshire St.) —3D 37
Devonshire Sq. *E1* —5A **40**
Devonshire Sq. *EC2* —5A **40**
Devonshire St. *W1* —4C **36**
Devonshire St. *W4* —1A **60**
Devonshire Ter. *W2* —5E **35**
Devons Rd. *E3* —4C **42**

Drysdale St. *N1* —2A **40**
Dublin Av. *E8* —5C **26**
Ducal St. *E2* —2B **40**
Du Cane Clo. *W12* —5E **33**
Du Cane Ct. *SW12* —1C **92**
Du Cane Rd. *W12* —5B **32**
Ducavel Ho. *SW2* —1B **94**
Duchess M. *W1* —4D **37**
Duchess of Bedford's Wlk. *W8*
 —3C **48**
Duchess St. *W1* —4D **37**
Duchy St. *SE1* —2C **52**
Ducie St. *SW4* —2B **80**
Duckett Rd. *N4* —1C **10**
Duckett St. *E1* —3F **41**
Duck La. W1 —5F **37**
 (off Broadwick St.)
Du Cros Rd. *W3* —2A **46**
Dudden Hill La. *NW10* —1B **18**
Dudden Hill Pde. *NW10*
 —1B **18**
Dudley Ct. NW2 —5A **38**
 (off Endell St.)
Dudley Rd. *NW6* —1A **34**
Dudley Rd. *SW19* —5C **90**
Dudley St. *W2* —4F **35**
Dudlington Rd. *E5* —4E **13**
Dudmaston M. SW3 —1F **63**
 (off Fulham Rd.)
Duffell Ho. *SE11* —1B **66**
 (off Loughborough St.)
Dufferin Av. EC1 —3F **39**
 (off Loughborough St.)
Dufferin St. *EC1* —3E **39**
Duff St. *E14* —5D **43**
Dufour's Pl. *W1* —5E **37**
Dugard Way. *SE11* —5D **53**
Duke Humphrey Rd. *SE3*
 (in two parts) —4A **72**
Duke of Wellington Pl. *SW1*
 —3C **50**
Duke of York St. *SW1* —2E **51**
Duke Rd. *W4* —1A **60**
Duke's Av. *W4* —1A **60**
Dukes Ct. *SE13* —5E **71**
Duke's Head Yd. *N6* —3D **9**
Duke Shore Pl. *E14* —1B **56**
Duke's La. *W8* —3D **49**
Duke's M. W1 —5C **36**
 (off Duke St.)
Duke's Pl. *EC3* —5A **40**
Duke's Rd. *WC1* —2F **37**
Dukesthorpe Rd. *SE26*
 —4F **97**
Duke St. *SW1* —2E **51**
Duke St. *W1* —5C **36**
Duke St. Hill. *SE1* —2F **53**
Duke's Yd. *W1* —1C **50**
Dulas St. *N4* —3C **10**
Dulford St. *W11* —1A **48**
Dulka Rd. *SW11* —3B **78**
Dulverton Mans. WC1 —3B **38**
 (off Grays Inn Rd.)
Dulwich Comn. *SE21 & SE22*
 —1A **96**
Dulwich Lawn Clo. *SE22*
 —3B **82**

Dulwich Oaks Pl. *SE21* —3B **96**
Dulwich Rise Gdns. *SE22*
 —3B **82**
Dulwich Rd. *SE24* —3C **80**
Dulwich Village. *SE21* —4A **82**
Dulwich Wood Av. *SE19*
 —4A **96**
Dulwich Wood Pk. *SE19*
 —4A **96**
Dumbarton Ct. *SW2* —5A **80**
Dumbarton Rd. *SW2* —4A **80**
Dumont Rd. *N16* —5A **12**
Dumpton Pl. *NW1* —4C **22**
Dunbar Rd. *E7* —3C **30**
Dunbar St. *SE27* —3E **95**
Dunbar Wharf. E14 —1B **56**
 (off Narrow St.)
Dunboyne Rd. *NW3* —2B **22**
Dunbridge Ho. SW15 —4B **74**
 (off Highcliffe Dri.)
Dunbridge St. *E2* —3C **40**
Duncan Gro. *W3* —5A **32**
Duncannon St. *WC2* —1A **52**
Duncan Rd. *E8* —5D **27**
Duncan St. *N1* —1D **39**
Duncan Ter. *N1* —1D **39**
Duncombe Hill. *SE23* —5A **84**
Duncombe Rd. *N19* —3F **9**
Duncrievie Rd. *SE13* —4F **85**
Dundalk Rd. *SE4* —1A **84**
Dundas Rd. *SE15* —5E **69**
Dundee Rd. *E13* —1D **45**
Dundee St. *E1* —2D **55**
Dundee Wharf. E14 —1B **56**
Dundonald Rd. *NW10* —5F **19**
Dundry Ho. *SE26* —3C **96**
Dunedin Rd. *E10* —5D **15**
Dunelm Gro. *SE27* —3E **95**
Dunelm St. *E1* —5F **41**
Dunfield Gdns. SE6 —5D **99**
Dunfield Rd. *SE6* —5D **99**
 (in two parts)
Dunford Rd. *N7* —1B **24**
Dungarvan Av. *SW15* —2C **74**
Dunkery Rd. *SE9* —4F **101**
Dunkirk St. *SE27* —4E **95**
Dunlace Rd. *E5* —1E **27**
Dunloe Ct. E2 —1B **40**
Dunloe St. *E2* —1B **40**
Dunlop Pl. *SE16* —4B **54**
Dunmore Rd. *NW6* —5A **20**
Dunmow Ct. SE11 —5D **53**
 (off Opal St.)
Dunmow Ho. SE11 —1B **66**
 (off Newburn St.)
Dunmow Rd. *E15* —1F **29**
Dunmow Wlk. N1 —5E **25**
 (off Popham St.)
Dunnage Cres. *SE16* —5A **56**
Dunn's Pas. WC1 —5A **38**
 (off High Holborn)
Dunn St. *E8* —2B **26**
Dunollie Pl. *NW5* —2E **23**
Dunollie Rd. *NW5* —2E **23**
Dunoon Gdns. *SE23* —5F **83**
Dunoon Ho. N1 —5B **24**
 (off Bemerton Est.)
Dunoon Rd. *SE23* —5E **83**

Dunraven Rd. *W12* —2C **46**
Dunraven St. *W1* —1B **50**
Dunsany Rd. *W14* —4F **47**
Dunsdale Rd. *SE3* —2B **72**
Dunsford Way. *SW15* —4D **75**
Dunsmure Rd. *N16* —3A **12**
Dunstable M. *W1* —4C **36**
Dunstan Houses. E1 —4E **41**
 (off Stepney Grn.)
Dunstan Rd. *E8* —5B **26**
Dunstan Rd. *NW11* —3B **6**
Dunstan's Gro. *SE22* —4D **83**
Dunstan's Rd. *SE22* —5C **82**
Dunster Ct. *EC3* —1A **54**
Dunster Gdns. *NW6* —4B **20**
Dunster Ho. *SE6* —3E **99**
Dunsterville Way. *SE1* —3F **53**
Dunston Rd. *E8* —5B **26**
Dunston Rd. *SW11* —5C **64**
Dunston St. *E8* —5B **26**
Dunton Ct. *SE23* —2D **97**
Dunton Rd. *E10* —2D **15**
Dunton Rd. *SE1* —1B **68**
Duntshill Rd. *SW18* —1D **91**
Dunworth M. *W11* —5B **34**
Duplex Ride. *SW1* —3B **50**
Dupont St. *E14* —5A **42**
Dupree Rd. *SE7* —1D **73**
Durand Gdns. *SW9* —4B **66**
Durands Wlk. *SE16* —3B **56**
Durant St. *E2* —1C **40**
Durban Ct. *E7* —4F **31**
Durban Rd. *E15* —2A **44**
Durban Rd. *SE27* —4E **95**
Durfey Ho. SE5 —3F **67**
 (off Edmund St.)
Durford Cres. *SW15* —1D **89**
Durham Hill. *Brom* —4B **100**
Durham Ho. St. WC2 —1A **52**
 (off John Adam St.)
Durham Pl. *SW3* —1B **64**
Durham Rd. *E12* —1F **31**
Durham Rd. *E16* —3A **44**
Durham Rd. *N7* —4B **10**
Durham Row. *E1* —4F **41**
Durham St. *SE11* —1B **66**
Durham Ter. *W2* —5D **35**
Durham Yd. *E2* —2D **41**
Durley Rd. *N16* —2A **12**
Durlston Rd. *E5* —4C **12**
Durnford Ho. *SE6* —3E **99**
Durnford St. *N15* —1A **12**
Durnford St. *SE10* —2E **71**
Durning Rd. *SE19* —5F **95**
Durnsford Av. *SW19* —2C **90**
Durnsford Rd. *SW19* —2C **90**
Durrell Rd. *SW6* —5B **62**
Durrington Rd. *E5* —1A **28**
Durrington Tower. *SW8*
 —5E **65**
Durrisdeer Ho. NW2 —1B **20**
 (off Lyndale)
Dursley Clo. *SE3* —5E **73**
Dursley Ct. SE15 —2A **68**
 (off Lydney Clo.)
Dursley Gdns. *SE3* —4F **73**
Dursley Rd. *SE3* —5E **73**
Durward St. *E1* —4D **41**

Eckington Ho.—Elgin Est.

Eckington Ho. N15 —1F **11**
(off Fladbury Rd.)
Eckstein Rd. SW11 —2A **78**
Eclipse Rd. E13 —4D **45**
Ector Rd. SE6 —2A **100**
Edans Ct. W12 —3B **46**
Edbrooke Rd. W9 —3C **34**
Eddington St. N4 —3C **10**
Eddisbury Ho. SE26 —3C **96**
Eddiscombe Rd. SW6 —5B **62**
Eddystone Rd. SE4 —3A **84**
Eddystone Tower. SE8
—1A **70**
Edenbridge Clo. SE16 —1D **69**
(off Masters Dri.)
Edenbridge Rd. E9 —4F **27**
Eden Clo. W8 —4C **48**
Edencourt Rd. SW16 —5D **93**
Eden Gro. N7 —2B **24**
Edenham Way. W10 —3B **34**
Edenhurst Av. SW6 —1B **76**
Eden M. SW17 —3E **91**
Eden Rd. SE27 —4D **95**
Edensor Gdns. W4 —3A **60**
Edensor Rd. W4 —3A **60**
Edenvale St. SW6 —5D **63**
Edgar Ho. E9 —2A **28**
(off Homerton Rd.)
Edgar Rd. E11 —2C **16**
Edgar Ho. SW8 —3A **66**
(off Wyvil Rd.)
Edgar Kail Way. SE22 —2A **82**
Edgarley Ter. SW6 —4A **62**
Edgar Rd. E3 —2D **43**
Edge Bus. Cen., The. NW2
—4D **5**
Edgecombe Ho. SE5 —5A **68**
Edgecot Gro. N15 —1A **12**
Edgefoot Gro. N15 —1A **12**
Edgehill Ho. SW9 —5D **67**
Edgeley La. SW4 —1F **79**
Edgeley Rd. SW4 —1F **79**
Edgel St. SW18 —2D **77**
Edgepoint Clo. SE27 —5D **95**
Edge St. W8 —2C **48**
Edgeworth Ho. SE9 —2E **87**
Edgware Rd. NW2 —3D **5**
Edgware Rd. W2 —3F **35**
Edinburgh Clo. E2 —1E **41**
Edinburgh Ga. SW1 —3B **50**
Edinburgh Ho. W9 —5D **21**
(off Maida Vale)
Edinburgh Rd. E13 —1D **45**
Edison Rd. N8 —1F **9**
Edis St. NW1 —5C **22**
Edith Cavell Clo. N19 —2A **10**
Edith Gro. SW10 —2E **63**
Edith Ho. W6 —1E **61**
(off Queen Caroline St.)
Edithna St. SW9 —1A **80**
Edith Rd. E6 —4F **31**
Edith Rd. E15 —2F **29**
Edith Rd. SW19 —5D **91**
Edith Rd. W14 —5A **48**
Edith Row. NW6 —4D **63**
Edith St. E2 —1C **40**
Edith Summerskill Ho. SW6
(off Clem Attlee Est.) —3B **62**

148 Mini London

Edith Ter. SW10 —3E **63**
Edith Vs. W14 —5B **48**
Edith Yd. SW10 —3E **63**
Edmeston Clo. E9 —3A **28**
Edmond Ct. SE14 —4E **69**
Edmund Ho. SE17 —1D **67**
Edmundsbury Ct. Est. SW9
—2B **80**
Edmund St. SE5 —3F **67**
Edna St. SW11 —4A **64**
Edred Ho. E9 —1A **28**
(off Homerton Rd.)
Edrich Ho. SW4 —4A **66**
Edric Rd. SE14 —3F **69**
Edward Clo. E16 —4C **44**
Edward Dodd Ct. N1 —2F **39**
(off Chart St.)
Edward Edward's Ho. SE1
(off Nicholson St.) —2D **53**
Edwardes Pl. W8 —4B **48**
Edwardes Sq. W8 —4B **48**
Edward Ho. SE11 —1B **66**
(off Newburn St.)
Edward M. NW1 —2D **37**
Edward Pl. SE8 —2B **70**
Edward Rd. E17 —1F **13**
Edwards Cotts. N1 —3D **25**
Edwards La. N16 —4A **12**
Edwards M. N1 —4C **24**
Edwards M. W1 —5C **36**
Edward Sq. N1 —5B **24**
Edward Sq. SE16 —2A **56**
Edward St. E16 —3C **44**
Edward St. SE8 —2B **70**
Edward St. SE14 —3A **70**
Edward Temme Av. E15
—4B **30**
Edward Tyler Rd. SE12
—2D **101**
Edwina Gdns. Ilf —1F **17**
Edwin's Mead. E9 —1A **28**
Edwin St. E1 —3E **41**
Edwin St. E16 —4C **44**
Edwis Ho. SE15 —3C **68**
Effie Pl. SW6 —3C **62**
Effie Rd. SW6 —3C **62**
Effingham Rd. SE12 —3A **86**
Effort St. SW17 —5A **92**
Effra Ct. SW2 —3B **80**
(off Brixton Hill)
Effra Pde. SW2 —3C **80**
Effra Rd. SW2 —2C **80**
Effra Rd. SW19 —5D **91**
Egbert St. NW1 —5C **22**
Egbury Ho. SW15 —4B **74**
(off Tangley Gro.)
Egerton Ct. E11 —2F **15**
Egerton Cres. SW3 —5A **50**
Egerton Dri. SE10 —4D **71**
Egerton Gdns. NW10 —5E **19**
Egerton Gdns. SW3 —4A **50**
Egerton Gdns. M. SW3
—4A **50**
Egerton Pl. SW3 —4A **50**
Egerton Rd. N16 —2B **12**
Egerton Ter. SW3 —4A **50**
Egham Clo. SW19 —2A **90**
Egham Rd. E13 —4D **45**

Eglantine Rd. SW18 —3E **77**
Eglington Ct. SE17 —2E **67**
Egliston M. SW15 —1E **75**
Egliston Rd. SW15 —1E **75**
Eglon M. NW1 —4B **22**
Egmont St. SE14 —3E **69**
Egremont Rd. SE27 —3C **94**
Eider Clo. E7 —2B **30**
Elaine Gro. NW5 —2C **22**
Elam Clo. SE5 —5D **67**
Elam St. SE5 —5D **67**
Elan Ct. E1 —4D **41**
Eland Rd. SW11 —1B **78**
Elba Pl. SE17 —5E **53**
Elbe St. SW6 —5E **63**
Elborough St. SW18 —1C **90**
Elbourne Ct. SE16 —5F **55**
(off Worgan St.)
Elbury Dri. E16 —5C **44**
Elcho St. SW11 —3A **64**
Elcot Av. SE15 —3D **69**
Elder Av. N8 —1A **10**
Elderberry Gro. SE27 —4E **95**
Elderfield Rd. E5 —1E **27**
Elderflower Way. E15 —4A **30**
Elder Gdns. SE27 —4E **95**
Elder Rd. SE27 —4E **95**
Elder St. E1 —3B **40**
Elderton Rd. SE26 —4A **98**
Elder Wlk. N1 —5D **25**
(off Popham St.)
Elderwood Pl. SE27 —5E **95**
Eldon Gro. NW3 —2F **21**
Eldon Rd. W8 —4D **49**
Eldon St. EC2 —4F **39**
Eldridge Ct. SE16 —4C **54**
Eleanor Clo. SE16 —3F **55**
Eleanor Gro. SW13 —1A **74**
Eleanor Rd. E8 —3D **27**
Eleanor Rd. E15 —3B **30**
Eleanor St. E3 —2C **42**
Electric Av. SW9 —2C **80**
Electric La. SW9 & SW2
(in two parts) —2C **80**
Elephant & Castle. SE1
—5D **53**
Elephant & Castle. (Junct.)
—4D **53**
Elephant La. SE16 —3E **55**
Elephant Rd. SE17 —5E **53**
Elfindale Rd. SE24 —3E **81**
Elford Clo. SE3 —2D **87**
Elford M. SW4 —3E **79**
Elfort Rd. N5 —1C **24**
Elfrida Cres. SE6 —4C **98**
Elf Row. E1 —1E **55**
Elgar Av. NW10 —3A **18**
(in two parts)
Elgar Clo. E13 —1E **45**
Elgar Clo. SE8 —3C **70**
Elgar Ct. W14 —4A **48**
(off Blythe Rd.)
Elgar St. SE16 —4A **56**
Elgin Av. W9 —3B **34**
Elgin Ct. W9 —3D **35**
Elgin Cres. W11 —1A **48**
Elgin Est. W9 —3C **34**
(off Elgin Av.)

Ferguson Ho.—Fitzwarren Gdns.

Fitzwilliam Heights—Fortrose Gdns.

Fitzwilliam Heights. *SE23*
—2E **97**
Fitzwilliam M. *E16* —2C **58**
Fitzwilliam Rd. *SW4* —1E **79**
Fives Ct. *SE11* —4D **53**
Fiveways Rd. *SW9* —5C **66**
Flack Ct. *E10* —2D **15**
Fladbury Rd. *N15* —1F **11**
Fladgate Rd. *E11* —1A **16**
Flamborough Ho. *SE15* —4C **68**
(off Oliver Goldsmith Est.)
Flamborough St. *E14* —5A **43**
Flamingo Ct. *SE8* —3C **70**
(off Hamilton St.)
Flamsteed Rd. *SE7* —1F **73**
Flanchford Rd. *W12* —4B **46**
Flanders Ct. *E17* —1A **14**
Flanders Mans. *W4* —5B **46**
Flanders Rd. *W4* —5A **46**
Flanders Way. *E9* —3F **27**
Flank St. *E1* —1C **54**
Flask Wlk. *NW3* —1E **21**
Flatford Ho. *SE6* —4E **99**
Flavell M. *SE10* —1A **72**
Flaxman Ct. *W1* —5F **37**
(off Wardour St.)
Flaxman Ho. *W4* —1A **60**
(off Devonshire St.)
Flaxman Rd. *SE5* —1D **81**
Flaxman Ter. *WC1* —2F **37**
Fleece Wlk. *N7* —3A **24**
Fleet Bldgs. *EC4* —5D **39**
(off Shoe Pl.)
Fleet Pl. *EC4* —5D **39**
(off Old Fleet La.)
Fleet Rd. *NW3* —2A **22**
Fleet Sq. *WC1* —2B **38**
Fleet St. *EC4* —5C **38**
Fleet St. Hill. *E1* —3C **40**
Fleetway Bus. Cen. *NW2* —3A **5**
Fleetwood Clo. *E16* —4F **45**
Fleetwood Rd. *NW10* —2C **18**
Fleetwood St. *N16* —4A **12**
Fleming Ct. *W2* —4F **35**
(off St Marys Sq.)
Fleming Ho. *N4* —3E **11**
Fleming Ho. *SE16* —3C **54**
(off George Row)
Fleming Rd. *SE17* —2D **67**
Flempton Rd. *E10* —3A **14**
Fletcher La. *E10* —2E **15**
Fletcher Path. *SE8* —3C **70**
Fletcher St. *E1* —1C **54**
Fletching Rd. *E5* —5E **13**
Fletching Rd. *SE7* —2F **73**
Fleur-de-Lis Ct. *EC4* —5C **38**
(off Fetter La.)
Fleur-de-Lis St. *E1* —3B **40**
Fleur Gates. *SW19* —5F **75**
Flimwell Clo. *Brom* —5A **100**
Flintmill Cres. *SE3* —5D **73**
Flinton St. *SE17* —1A **68**
Flint St. *SE17* —5F **53**
Flitcroft St. *WC2* —5F **37**
Flock Mill Pl. *SW18* —1D **91**
Flockton St. *SE16* —3C **54**
Flodden Rd. *SE5* —4E **67**
Flood St. *SW3* —1A **64**

Flood Wlk. *SW3* —2A **64**
Flora Clo. *E14* —5D **43**
Flora Gdns. *W6* —5D **47**
(off Albion Gdns.)
Floral Pl. *N1* —2F **25**
Floral St. *WC2* —1A **52**
Florence Ct. *E5* —5C **12**
Florence Ct. *N1* —4D **25**
Florence Ct. *SW19* —5A **90**
Florence Ct. *W9* —2E **35**
(off Maida Vale)
Florence Mans. *NW4* —1D **5**
(off Vivian Av.)
Florence Rd. *E6* —5E **31**
Florence Rd. *E13* —1B **44**
Florence Rd. *N4* —2B **10**
(in two parts)
Florence Rd. *SE14* —4B **70**
Florence Rd. *SW19* —5D **91**
Florence St. *E16* —3B **44**
Florence St. *N1* —4D **25**
Florence Ter. *SE14* —4B **70**
Florence Ter. *SW15* —3A **88**
Florence Way. *SW12* —1B **92**
Florfield Pas. *E8* —3D **27**
(off Florfield Rd.)
Florfield Rd. *E8* —3D **27**
Florian. *SE5* —4A **68**
Florian Rd. *SW15* —2A **76**
Florida St. *E2* —2C **40**
Floss St. *SW15* —5E **61**
Flower & Dean Wlk. *E1*
—4B **40**
Flowersmead. *SW17* —2C **92**
Flowers M. *N19* —4E **9**
Flower Wlk., The. *SW7* —3E **49**
Floyd Rd. *SE7* —1E **73**
Fludyer St. *SE13* —2A **86**
Foley St. *W1* —4E **37**
Folgate St. *E1* —4A **40**
Foliot St. *W12* —5B **32**
Follett St. *E14* —5E **43**
Follingham Ct. *N1* —2A **40**
(off Drysdale Pl.)
Folly M. *W11* —5B **34**
Folly Wall. *E14* —3E **57**
Fontarabia Rd. *SW11* —2C **78**
Fontenelle. *SE5* —4A **68**
Fontenoy Ho. *SE11* —5D **53**
(off Kennington La.)
Fontenoy Pas. *SE11* —5D **53**
(off Cottington Clo.)
Fontenoy Rd. *SW12* —2D **93**
Fonthill M. *N4* —4C **10**
Fonthill Rd. *N4* —3B **10**
Fontley Way. *SW15* —5C **74**
Footpath, The. *SW15* —3C **74**
Forbes Clo. *NW2* —4C **4**
Forbes St. *E1* —5C **40**
Forburg Rd. *N16* —3C **12**
Ford Clo. *E3* —1A **42**
Fordel Rd. *SE6* —1F **99**
Fordham St. *E1* —5C **40**
Fordingley Rd. *W9* —2B **34**
Fordington Ho. *SE26* —3C **96**
Fordmill Rd. *SE6* —2C **98**
Ford Rd. *E3* —1B **42**
Fords Pk. Rd. *E16* —5C **44**

Ford Sq. *E1* —4D **41**
Ford St. *E3* —5A **28**
Ford St. *E16* —5B **44**
Fordwych Rd. *NW2* —1A **20**
Fordyce Rd. *SE13* —4E **85**
Foreign St. *SE5* —5D **67**
Foreland Ho. *W11* —1A **48**
(off Walmer Rd.)
Foreman Ct. *W6* —5E **47**
Foreshore. *SE8* —5B **56**
Forest Bus. Pk. *E17* —2A **14**
Forest Clo. *E11* —1C **16**
Forest Croft. *SE23* —2D **97**
Forest Dri. *E12* —5F **17**
Forest Dri. E. *E11* —2F **15**
Forest Dri. W. *E11* —2E **15**
Forester Rd. *SE15* —1D **83**
Forest Glade. *E11* —1A **16**
Forest Gro. *E8* —3B **26**
Forest Hill Bus. Cen. *SE23*
—2E **97**
Forest Hill Ind. Est. *SE23*
—2E **97**
Forest Hill Rd. *SE22 & SE23*
—3D **83**
Forestholme Clo. *SE23* —2E **97**
Forest La. *E15 & E7* —3A **30**
Forest Lodge. *SE23* —3E **97**
(off Dartmouth Rd.)
Forest Point. *E7* —2D **31**
(off Windsor Rd.)
Fore St. *EC2* —4E **39**
Fore St. Av. *EC2* —4F **39**
Forest Rd. *E7* —1C **30**
Forest Rd. *E8* —3B **26**
Forest Rd. *E11* —2F **15**
Forest Side. *E7* —1D **31**
Forest St. *E7* —2C **30**
Forest View. *E11* —2B **16**
Forest View Av. *E10* —1F **15**
Forest View Rd. *E12* —1F **31**
Forest Way. *E11* —2B **16**
Forest Way. *N19* —4E **9**
Forfar Rd. *SW11* —4C **64**
Forge Pl. *NW1* —3C **22**
Forman Pl. *N16* —1B **26**
Formby Ct. *N7* —2C **24**
(off Morgan Rd.)
Formosa St. *W9* —3D **35**
Fornunt Clo. *E16* —5B **44**
Forres Gdns. *NW11* —1C **6**
Forrester Path. *SE26* —4E **97**
Forset St. *W1* —5A **36**
Forster Ho. *Brom* —3F **99**
Forster Rd. *E17* —1A **14**
Forster Rd. *SW2* —5A **80**
Forston St. *N1* —1E **39**
Forsyth Gdns. *SE17* —2D **67**
Fortescue Av. *E8* —4D **27**
Fortess Gro. *NW5* —2E **23**
Fortess Rd. *NW5* —2D **23**
Fortess Wlk. *NW5* —2D **23**
Fortess Yd. *NW5* —2D **23**
Forthbridge Rd. *SW11* —2C **78**
Fortis Clo. *E16* —5E **45**
Fortnam Rd. *N19* —4F **9**
Fort Rd. *SE1* —5B **54**
Fortrose Gdns. *SW2* —1A **94**

Goswell Pl. EC1 —2D **39**
(off Goswell Rd.)
Goswell Rd. EC1 —1D **39**
Gottfried M. NW5 —1E **23**
Goudhurst Rd. Brom —5A **100**
Gough Rd. E15 —1B **30**
Gough Sq. EC4 —5C **38**
Gough St. WC1 —3B **38**
Gough Wlk. E14 —5C **42**
Gould Ter. E8 —2D **27**
Goulston St. E1 —5B **40**
Goulton Rd. E5 —1D **27**
Gourley Pl. N15 —1A **12**
Gourley St. N15 —1A **12**
Govan St. E2 —5C **26**
Gover Ct. SW4 —5A **66**
Govier Clo. E15 —4A **30**
Gowan Av. SW6 —4A **62**
Gowan Rd. NW10 —3D **19**
Gower Clo. SW4 —4E **79**
Gower Ct. WC1 —3F **37**
Gower M. WC1 —4F **37**
Gower Pl. WC1 —3E **37**
Gower Rd. E7 —3C **30**
Gower St. WC1 —3F **37**
Gower's Wlk. E1 —5C **40**
Gowlett Rd. SE15 —1C **82**
Gowrie Rd. SW11 —1C **78**
Goy Mnr. Rd. SW19 —5F **89**
Gracechurch St. EC3 —1F **53**
(off Gracechurch St.)
Gracechurch St. EC3 —1F **53**
Gracedale Rd. SW16 —5D **93**
Gracefield Gdns. SW16
—3A **94**
Grace Ho. SE11 —2B **66**
(off Vauxhall Rd.)
Grace Jones Clo. E8 —3C **26**
Grace Path. SE26 —4E **97**
Grace Pl. E3 —2D **43**
Grace's All. E1 —1C **54**
Graces M. NW8 —1E **35**
Grace's M. SE5 —5A **68**
Grace's Rd. SE5 —5A **68**
Grace St. E3 —2D **43**
Gradient, The. SE26 —4C **96**
Grafton Cres. NW1 —3D **23**
Grafton Gdns. N4 —1E **11**
Grafton Ho. SE8 —1B **70**
Grafton M. N1 —1E **39**
(off Frome St.)
Grafton M. W1 —3E **37**
Grafton Pl. NW1 —2F **37**
Grafton Rd. NW5 —2C **22**
Grafton Sq. SW4 —1E **79**
Graftons, The. NW2 —5C **6**
Grafton St. W1 —1D **51**
Grafton Ter. NW5 —2B **22**
Grafton Way. W1 & WC1
—3E **37**
Grafton Yd. NW5 —3D **23**
Graham Lodge. NW4 —1D **5**
Graham Rd. E8 —3C **26**
Graham Rd. E13 —3C **44**
Graham Rd. NW4 —1D **5**
Graham St. N1 —1D **39**
Graham Ter. SW1 —5C **50**

Grainger Ct. SE5 —3E **67**
Gramer Clo. E11 —4F **15**
Grampian Gdns. NW2 —3A **6**
Grampians, The. W6 —3F **47**
(off Shepherd's Bush Rd.)
Granada St. SW17 —5A **92**
Granard Av. SW15 —3D **75**
Granard Ho. E9 —3F **27**
Granard Rd. SW12 —5B **78**
Granary Rd. E1 —3D **41**
Granary St. NW1 —5F **23**
Granby Bldgs. SE11 —5B **52**
(off Black Prince Rd.)
Granby Pl. SE1 —3C **52**
(off Lwr. Marsh)
Granby St. E2 —3B **40**
Granby Ter. NW1 —1E **37**
Grand Av. EC1 —4D **39**
Grandfield Ct. W4 —2A **60**
Grandison Rd. SW11 —3B **78**
Grand Junct. Wharf. N1
—1E **39**
Grand Pde. N4 —1D **11**
Grand Pde. M. SW15 —3A **76**
Grand Union Cen. W10 —3F **33**
(off West Row)
Grand Union Cres. E8 —4C **26**
Grand Union Wlk. NW1
—4D **23**
(off Kentish Town Rd.)
Grand Wlk. E1 —3A **42**
Granfield St. SW11 —4F **63**
Grange Ct. E8 —4B **26**
Grange Ct. WC2 —5B **38**
Grangecourt Rd. N16 —3A **12**
Grange Gdns. NW3 —5D **7**
Grange Gro. N1 —3E **25**
Grange Ho. SE1 —4B **54**
Grange La. SE21 —2B **96**
Grange Lodge. SW19 —5F **89**
Grangemill Rd. SE6 —3C **98**
Grangemill Way. SE6 —2C **98**
Grange Pk. E10 —4D **15**
Grange Pk. Rd. E10 —3D **15**
Grange Pl. NW6 —4C **20**
Granger Gro. SE1 —3F **53**
Grange Rd. E10 —3C **14**
Grange Rd. E13 —2B **44**
Grange Rd. E17 —1A **14**
Grange Rd. N6 —1C **8**
Grange Rd. NW10 —2C **18**
Grange Rd. SE1 —4A **54**
Grange Rd. SW13 —4C **60**
Grange St. N1 —5F **25**
Grange, The. E17 —1B **14**
(off Lynmouth Rd.)
Grange, The. SE1 —4B **54**
Grange, The. SW1 —4A **54**
Grange Wlk. SE1 —4A **54**
Grange Wlk. M. SE1 —4A **54**
(off Grange Wlk.)
Grange Way. NW6 —4C **20**
Grangewood St. E6 —5F **31**
Grange Yd. SE1 —4B **54**
Granleigh Rd. E11 —4A **16**
Gransden Av. E8 —4D **27**
Gransden Ho. SE8 —1B **70**
Gransden Rd. W12 —3B **46**

Grantbridge St. N1 —1D **39**
Grantham Pl. W1 —2D **51**
Grantham Rd. SW9 —5A **66**
Grantham Rd. W4 —3A **60**
Grantley St. E1 —2F **41**
Grant Rd. SW11 —2F **77**
Grants Quay Wharf. EC3
—1F **53**
Granville Gro. SE13 —1E **85**
Granville Pk. SE13 —1E **85**
Granville Pl. SW6 —3D **63**
Granville Pl. W1 —5C **36**
Granville Point. NW2 —4B **6**
Granville Rd. E17 —1D **15**
Granville Rd. N4 —1B **10**
Granville Rd. NW2 —4B **6**
Granville Rd. NW6 —1C **34**
(in two parts)
Granville Rd. SW18 —5B **76**
Granville Sq. SE15 —3A **68**
Granville Sq. WC1 —2B **38**
Granville St. WC1 —2B **38**
Grape St. WC2 —5A **38**
Graphite Sq. SE11 —1B **66**
Grasmere Av. SW15 —4A **88**
Grasmere Ct. SE26 —5C **96**
Grasmere Ct. SW13 —2C **60**
Grasmere Point. SE15 —3E **69**
(off Old Kent Rd.)
Grasmere Rd. E13 —1C **44**
Grasmere Rd. SW16 —5B **94**
Grassmount. SE23 —2D **97**
Grately Way. SE15 —3B **68**
Gratton Rd. W14 —4A **48**
Gratton Ter. NW2 —5F **5**
Gravel La. E1 —5B **40**
Gravenel Gdns. SW17 —5A **92**
(off Nutwell St.)
Graveney Rd. SW17 —4A **92**
Gravesend Rd. W12 —1C **46**
Grayling Clo. E16 —3A **44**
Grayling Rd. N16 —4F **11**
Grayling Sq. E2 —2C **40**
(off Nelson Gdns.)
Grayshott Rd. SW11 —5C **64**
Gray's Inn Pl. WC1 —4B **38**
Gray's Inn Rd. WC1 —2A **38**
Gray's Inn Sq. WC1 —4B **38**
Grayson Ho. EC1 —2E **39**
(off Pleydell Est.)
Gray St. SE1 —3C **52**
Gray's Yd. W1 —5C **36**
(off James St.)
Grazebrook Rd. N16 —4F **11**
Grazeley Ct. SE19 —5A **96**
Gt. Acre Ct. SW4 —2F **79**
Gt. Arthur Ho. EC1 —3E **39**
(off Golden La. Est.)
Gt. Bell All. EC2 —5F **39**
Gt. Brownings. SE21 —4B **96**
Gt. Castle St. W1 —5D **37**

Gt. Central St. *NW1* —4B **36**

Gt. Central Way. *Wemb*
—1A **18**
Gt. Chapel St. *W1* —5F **37**
Gt. Chertsey Rd. *W4* —4A **60**
Gt. Church La. *W6* —5F **47**
Gt. College St. *SW1* —4A **52**
Gt. Cross Av. *SE10* —3A **72**
Gt. Cumberland M. *W1*
—5B **36**
Gt. Cumberland Pl. *W1*
—5B **36**
Gt. Dover St. *SE1* —3E **53**
Gt. Eastern Bldgs. E1 —4C 40
(off Fieldgate St.)
Gt. Eastern Enterprise Cen. *E14*
—3D **57**
Gt. Eastern Rd. *E15* —4F **29**
Gt. Eastern St. *EC2* —2A **40**
Gt. Eastern Wlk. *EC2* —4A **40**
Greatfield Clo. *N19* —1E **23**
Greatfield St. *SE13* —2C **84**
Gt. George St. *SW1* —3F **51**
Gt. Guildford St. *SE1* —2E **53**
Greatham Wlk. *SW15* —1C **88**
Gt. James St. *WC1* —4B **38**
Gt. Marlborough St. *W1*
—5E **37**
Gt. Maze Pond. *SE1* —3F **53**
(in two parts)
Gt. Newport St. *WC2* —1A **52**
Gt. New St. *EC4* —5C **38**
Gt. North Rd. *N2* —1B **8**
Greatorex Ho. E1 —4C 40
(off Greatorex St.)
Greatorex St. *E1* —4C **40**
Gt. Ormond St. *WC1* —4A **38**
Gt. Percy St. *WC1* —1B **38**
Gt. Peter St. *SW1* —4F **51**
Gt. Portland St. *W1* —3D **37**
Gt. Pulteney St. *W1* —1E **51**
Gt. Queen St. *WC2* —5A **38**
Gt. Russell St. *WC1* —5F **37**
Gt. St Helen's. *EC3* —5A **40**
Gt. St Thomas Apostle. *EC4*
—1E **53**
Gt. Scotland Yd. *SW1* —2A **52**
Gt. Smith St. *SW1* —4F **51**
Gt. Spilmans. *SE22* —3A **82**
Gt. Suffolk St. *SE1* —2D **53**
Gt. Sutton St. *EC1* —3D **39**
Gt. Swan All. *EC2* —2F **39**
Gt. Titchfield St. *W1* —4D **37**
Gt. Tower St. *EC3* —1A **54**
Gt. Trinity La. *EC4* —1E **53**
Gt. Turnstile. *WC1* —4B **38**
Gt. Western Rd. *W9, W11 &*
W2 —4B **34**
Gt. West Rd. *W4 & W6*
—1B **60**
Gt. Winchester St. *EC2* —5F **39**
Gt. Windmill St. *W1* —1F **51**
Great Yd. SE1 —3A 54
(off Crucifix La.)
Greaves Pl. *SW17* —4A **92**
Greaves Tower. SW10 —3E 63
(off Worlds End Est.)
Grebe Clo. *E7* —2B **30**

Grebe Ct. SE8 —2B 70
(off Dorking Clo.)
Grecian Cres. *SE19* —5D **95**
Greek Ct. *W1* —5F **37**
Greek St. *W1* —5F **37**
Greenacre Sq. *SE16* —3F **55**
Green Arbour Ct. EC1 —5D 39
(off Old Bailey)
Greenaway Gdns. *NW3*
—1D **21**
Green Bank. *E1* —2D **55**
Greenbay Rd. *SE7* —3F **73**
Greenberry St. *NW8* —1A **36**
Green Clo. *NW11* —2E **7**
Greencoat Pl. *SW1* —5E **51**
Greencoat Row. *SW1* —5E **51**
Greencrest Pl. *NW2* —5C **4**
Greencroft Clo. *E6* —4F **45**
Greencroft Gdns. *NW6*
—4D **21**
Green Dale. *SE5* —2F **81**
Green Dale. *SE22* —3A **82**
Green Dale Clo. *SE22* —3A **82**
Green Dragon Ct. SE1 —2F 53
(off Bedale St.)
Green Dragon Yd. *E1* —4C **40**
Greenend Rd. *W4* —3A **46**
Greener Ho. *SW4* —1F **79**
Greenfell Ho. SE5 —3E 67
(off Comber Gro.)
Greenfell St. *SE10* —4A **58**
Greenfield Gdns. *NW2* —4A **6**
Greenfield Rd. *E1* —4C **40**
Greenfield Rd. *N15* —1A **12**
Greengate Lodge. E13 —1D 45
(off Hollybush St.)
Greengate St. *E13* —1D **45**
Greenham Clo. *SE1* —3C **52**
Greenhill. *NW3* —1F **21**
Greenhill Gro. *E12* —1F **31**
Greenhill Pk. *NW10* —5A **18**
Greenhill Rd. *NW10* —5A **18**
Greenhill's Rents. *EC1* —4D **39**
Greenhills Ter. *N1* —3F **25**
Green Hundred Rd. *SE5*
—2C **68**
Greenhurst Rd. *SE27* —5C **94**
Greenland M. *SE8* —1F **69**
Greenland Pl. *NW1* —5D **23**
Greenland Quay. *SE16* —5A **56**
Greenland Rd. *NW1* —5D **23**
Greenland St. *NW1* —5D **23**
Green La. *NW4* —1F **5**
Green Lanes. *N8 & N4*
—1D **11**
Greenleaf Clo. *SW2* —5C **80**
Greenleaf Rd. *E6* —5E **31**
Green Man Roundabout.
(Junct.) —2B **16**
Greenman St. *N1* —4E **25**
Greenoak Way. *SW19* —4F **89**
Green Point. *E15* —3A **30**
Green's Ct. W1 —1F 51
(off Brewer St.)
Greenshields Ind. Est. *E16*
—3C **58**
Greenside Clo. *SE6* —2F **99**
Greenside Rd. *W12* —4C **46**

Greenstead Gdns. *SW15*
—3D **75**
Greenstone M. *E11* —1C **16**
Green St. *E7 & E13* —3D **31**
Green St. *W1* —1C **50**
Green Ter. *EC1* —2C **38**
Green, The. *E11* —1D **17**
Green, The. *E15* —3B **30**
Green, The. *SW19* —5F **89**
Green, The. *W3* —5A **32**
Green, The. *Brom* —3C **100**
(in two parts)
Green Wlk. *SE1* —4A **54**
Green Way. *SE9* —3F **87**
Greenway Clo. *N4* —4E **11**
Greenwell St. *W1* —3D **37**
Greenwich Chu. St. *SE10*
—2E **71**
Greenwich Cres. *E6* —4F **45**
Greenwich High Rd. *SE10*
—4D **71**
Greenwich Mkt. *SE10* —2E **71**
Greenwich Pk. St. *SE10*
—2F **71**
Greenwich S. St. *SE10*
—4D **71**
Greenwich View Pl. *E14*
—4D **57**
Greenwood Ct. SW1 —1E 65
(off Cambridge St.)
Greenwood Ho. *SE4* —2F **83**
Greenwood Pl. *NW5* —2D **23**
Greenwood Rd. *E8* —3C **26**
Greenwood Rd. *E13* —1C **44**
Greenwood Ter. *NW10* —5A **18**
Green Yd., The. EC3 —5A 40
(off Leadenhall St.)
Greet Ho. SE1 —3C 52
(off Frazier St.)
Greet St. *SE1* —2C **52**
Greg Clo. *E10* —1E **15**
Gregor M. *SE3* —3C **72**
Gregory Cres. *SE9* —5F **87**
Gregory Pl. *W8* —3D **49**
Greig Ter. *SE17* —2D **67**
Grenada Rd. *SE7* —3E **73**
Grenade St. *E14* —1B **56**
Grendon St. *NW8* —3A **36**
Grenfell Ho. *SE5* —3E **67**
Grenfell Rd. *W11* —1F **47**
Grenfell Tower. *W11* —1F **47**
Grenfell Wlk. *W11* —1F **47**
Grenville M. SW7 —5E 49
(off Harrington Gdns.)
Grenville Pl. *SW7* —4E **49**
Grenville Rd. *N19* —3A **10**
Grenville St. *WC1* —3A **38**
Gresham Gdns. *NW11* —3A **6**
Gresham Lodge. *E17* —1D **15**
Gresham Rd. *E16* —5D **45**
Gresham Rd. *NW10* —2A **18**
Gresham Rd. *SW9* —1C **80**
Gresham St. *EC2* —5E **39**
Gresham Way. *SW19* —3D **91**
Gresley Clo. *E17* —1A **14**
Gresley Rd. *N19* —3E **9**
Gressenhall Rd. *SW18* —4B **76**
Gresse St. *W1* —5F **37**

Greswell St. *SW6* —4F **61**
Greville Lodge. *E13* —5D **31**
Greville M. NW6 —5D 21
(off Greville Rd.)
Greville Pl. *NW6* —1D **35**
Greville Rd. *NW6* —1D **35**
Greville St. *EC1* —4C **38**
(in two parts)
Grey Clo. *NW11* —1E **7**
Greycoat Gdns. SW1 —4F 51
(off Greycoat St.)
Greycoat Pl. *SW1* —4F **51**
Greycoat St. *SW1* —4F **51**
Greycot Rd. Beck —5C **83**
Grey Eagle St. *E1* —3B **40**
Greyfriars. SE26 —3C 96
(off Wells Pk. Rd.)
Greyfriars Pas. *EC1* —5D **39**
Greyhound La. *SW16* —5A **94**
Greyhound Mans. W6 —2A 62
(off Greyhound Rd.)
Greyhound Rd. *NW10* —2D **33**
Greyhound Rd. *W6 & W14*
—2F **61**
Grey Ho. W12 —1D 47
(off White City Est.)
Greyladies Gdns. *SE10*
—5E **71**
Greystead Rd. *SE23* —5E **83**
Greystoke Rd. *EC4* —5C **38**
Greystone Path. E11 —2B 16
(off Mornington Rd.)
Greyswood St. *SW16* —5D **93**
Grey Turner Ho. *W12* —5C **32**
Grierson Rd. *SE23* —5F **83**
Griffin Clo. *NW10* —2D **19**
Griffin Ct. *W4* —1B **60**
Grigg's Pl. SE1 —4A 54
(off Grange Rd.)
Griggs Rd. *E10* —1E **15**
Grimsby St. *E2* —3B **40**
Grimsel Path. *SE5* —3D **67**
Grimshaw Clo. *N6* —2C **8**
Grimston Rd. *SW6* —5B **62**
Grimthorpe Ho. EC1 —3C 38
(off Agdon St.)
Grimwade Clo. *SE15* —1E **83**
Grindal St. *SE1* —3C **52**
Grinling Pl. *SE8* —2C **70**
Grinstead Rd. *SE8* —1A **70**
Grittleton Rd. *W9* —3C **34**
Grizedale Ter. *SE23* —2D **97**
Grocer's Hall Ct. *EC2* —5F **39**
Grocer's Hall Gdns. *EC2*
—5F **39**
Groombridge Rd. *E9* —4F **27**
Groom Cres. *SW18* —5F **77**
Groome Ho. *SE11* —5B **52**
Groomfield Clo. *SW17* —4C **92**
Groom Pl. *SW1* —4C **50**
Grosse Way. *SW15* —4D **75**
Grosvenor Av. *N5* —2E **25**
Grosvenor Av. *SW14* —1A **74**
Grosvenor Cotts. *SW1* —5C **50**
Grosvenor Ct. *E10* —3D **15**
Grosvenor Ct. *NW6* —5F **19**
Grosvenor Cres. *SW1* —3C **50**

Grosvenor Cres. M. *SW1*
—3C **50**
Grosvenor Est. *SW1* —5F **51**
Grosvenor Gdns. *E6* —2F **45**
Grosvenor Gdns. *NW2* —2E **19**
Grosvenor Gdns. *NW11* —1B **6**
Grosvenor Gdns. *SW1* —4D **51**
Grosvenor Gdns. *SW14*
—1A **74**
Grosvenor Gdns. M. E. SW1
(off Beeston Pl.) —4D **51**
Grosvenor Gdns. M. N. SW1
(off Ebury St.) —4D **51**
Grosvenor Gdns. M. S. SW1
(off Ebury St.) —4D **51**
Grosvenor Ga. *W1* —1C **50**
Grosvenor Hill. *SW19* —5A **90**
Grosvenor Hill. *W1* —1D **51**
Grosvenor Pk. *SE5* —3E **67**
Grosvenor Pk. Rd. *E17*
—1C **18**
Grosvenor Pl. *SW1* —3C **50**
Grosvenor Rise E. *E17* —1D **18**
Grosvenor Rd. *E6* —5F **31**
Grosvenor Rd. *E7* —3D **31**
Grosvenor Rd. *E10* —3E **15**
Grosvenor Rd. *E11* —1D **17**
Grosvenor Rd. *SW1* —2D **65**
Grosvenor Sq. *W1* —1C **50**
Grosvenor St. *W1* —1D **51**
Grosvenor Ter. *SE5* —3E **67**
Grosvenor Way. *E5* —4E **13**
Grosvenor Wharf Rd. *E14*
—5F **57**
Grotes Bldgs. *SE3* —5A **72**
Grote's Pl. SE3 —5A 72
Groton Rd. *SW18* —2D **91**
Grotto Ct. *SE1* —3E **53**
Grotto Pas. *W1* —4C **36**
Grove Clo. *SE23* —1A **98**
Grove Cotts. *W4* —2A **60**
Grove Ct. NW8 —2F 35
(off Grove End Rd.)
Grove Cres. *SE5* —5A **68**
Grove Cres. Rd. *E15* —3F **29**
Grovedale Rd. *N19* —4F **9**
Grove Dwellings. *E1* —4E **41**
Grove End. *NW3* —1D **23**
Grove End Gdns. *NW8* —3F **35**
Grove End Rd. *NW8* —1F **35**
Grove Gdns. *E15* —3A **30**
Grove Gdns. *NW8* —2A **36**
Grove Grn. Rd. *E11* —5E **15**
Grove Hall Ct. *NW8* —2E **35**
Grovehill Ct. *Brom* —5B **100**
Grove Hill Rd. *SE5* —1A **82**
Groveland Ct. *EC4* —5E **39**
(off Bow La.)
Grovelands Clo. *SE5* —5A **68**
Grovelands Rd. *N15* —1C **12**
Grove La. *SE5* —4F **67**
Grove La.Ter. *SE5* —5F **67**
Grove M. *W6* —4E **47**
Grove M. *W11* —5B **34**
Grove Pk. *E11* —1D **17**
Grove Pk. *SE5* —5A **68**
Grove Pk. Rd. *SE9* —3E **101**
Grove Pas. *E2* —1D **41**

Grove Pl. *NW3* —5F **7**
Grover Ct. *SE13* —5D **71**
Grover Ho. *SE11* —1B **66**
Grove Rd. *E3* —5F **27**
Grove Rd. *E11* —2B **16**
Grove Rd. *E17* —1D **15**
Grove Rd. *N15* —1A **12**
Grove Rd. *NW2* —3E **19**
Grove Rd. *SW13* —5B **60**
Grove St. *SE8* —5B **56**
Grove Ter. *NW5* —5C **8**
Grove Ter. M. *NW5* —5D **9**
Grove, The. *E15* —3A **30**
Grove, The. *N4* —2B **10**
Grove, The. *N6* —3C **8**
Grove, The. *N8* —1F **9**
Grove, The. *NW11* —2A **6**
Grove, The. (Junct.) —1C **96**
Grove Vale. *SE22* —2B **82**
Grove Vs. *E14* —1D **57**
Groveway. *SW9* —4B **66**
Grummant Rd. *SE15* —4B **68**
Grundy St. *E14* —5D **43**
Guardian Ct. *SE12* —3A **86**
Gubyon Av. *SE24* —3D **81**
Guerin Sq. *E3* —2B **42**
Guernsey Gro. *SE24* —5E **81**
Guernsey Ho. *N1* —3E **25**
Guernsey Rd. *E11* —3F **15**
Guernsey Rd. *N1* —3E **25**
Guest St. EC1 —3E 39
(off Chequer St.)
Guibal Rd. *SE12* —5D **87**
Guildford Gro. *SE10* —4D **71**
Guildford Rd. *SW8* —4A **66**
Guildhall Bldgs. EC2 —5F 39
(off Basinghall St.)
Guildhall Yd. *EC2* —5E **39**
Guildhouse St. *SW1* —5E **51**
Guild Rd. *SE7* —1F **73**
Guilford Pl. *WC1* —3D **38**
Guilford St. *WC1* —3A **38**
Guillemot Ct. *SE8* —2B **70**
Guilsborough Clo. *NW10*
—4A **18**
Guinness Clo. *E9* —4A **28**
Guinness Ct. E1 —5B 40
(off Mansell St.)
Guinness Ct. EC1 —2E 39
(off Lever St.)
Guinness Ct. *NW8* —5A **22**
Guinness Ct. SE1 —3A 54
(off Snowsfields)
Guinness Ct. *SW3* —5B **50**
Guinness Ct. *SW10* —3E **63**
Guinness Sq. *SE1* —5A **54**
Guinness Trust Bldgs. *SE17*
—1D **67**
Guinness Trust Bldgs. W6
(off Fulham Pal. Rd.) —1F **61**
Guinness Trust Est. *N16*
—3A **12**
Guion Rd. *SW6* —5B **62**
Gulland Wlk. N1 —3E 25
(off Oronsay Wlk.)
Gulliver's Ho. EC1 —3E 39
(off Goswell Rd.)
Gulliver St. *SE16* —4A **56**

Hammersmith Bri.—Hargood Rd.

Hammersmith Bri. *SW13 & W6*
—2D **61**
Hammersmith Bri. Rd. *W6*
(in two parts) —1D **61**
Hammersmith B'way. *W6*
—5E **47**
Hammersmith Broadway.
(Junct.) —5E 47
(off Hammersmith B'way.)
Hammersmith Flyover. *W6*
—1E **61**
Hammersmith Flyover. (Junct.)
—1E **61**
Hammersmith Gro. *W6*
—3E **47**
Hammersmith Ind. Est. *W6*
—2E **61**
Hammersmith Rd. *W6 & W14*
—5F **47**
Hammersmith Ter. *W6*
—1C **60**
Hammett St. *EC3* —1B **54**
Hammond Ct. *E10* —4D **15**
Hammond Ho. *SE14* —3E **69**
(off Lubbock St.)
Hammond St. *NW5* —3E **23**
Hamond Sq. *N1* —1A **40**
Ham Pk. Rd. *E15 & E7* —4B **30**
Hampden Clo. *NW1* —1F **37**
Hampden Gurney St. *W1*
—5B **36**
Hampden Ho. *SW9* —5C **66**
Hampden Rd. *N19* —4F **9**
Hampshire Hog La. *W6*
—5D **47**
Hampshire St. *NW5* —3F **23**
Hampson Way. *SW8* —4B **66**
Hampstead Gdns. *NW11*
—1C **6**
Hampstead Grn. *NW3* —2A **22**
Hampstead Gro. *NW3* —5E **7**
Hampstead High St. *NW3*
—1F **21**
Hampstead Hill Gdns. *NW3*
—1F **21**
Hampstead La. *N3 & N6*
—3F **7**
Hampstead Rd. *NW1* —1E **37**
Hampstead Sq. *NW3* —5E **7**
Hampstead Wlk. *E3* —5B **28**
Hampstead Way. *NW11* —1B **6**
Hampstead W. NW6 —3C 20
(off Iverson St.)
Hampton Clo. *NW6* —2C **34**
Hampton Ct. *N1* —3D **25**
Hampton Rd. *E7* —2D **31**
Hampton Rd. *E11* —3F **15**
Hampton St. *SE17 & SE1*
—5D **53**
Hamsworth M. *SE11* —4D **53**
Ham Yd. *W1* —1F **51**
Hanameel St. *E16* —2C **58**
Hanbury Ho. *E1* —4C **40**
(off Hanbury St.)
Hanbury M. *N1* —5E **25**
Hanbury St. *E1* —4B **40**
Hancock Rd. *E3* —2E **43**

Hancock Rd. *SE19* —5F **95**
Handa Wlk. *N1* —3F **25**
Hand Ct. *WC1* —4B **38**
Handel Mans. *SW13* —3E **61**
Handel Pl. *NW10* —3A **18**
Handel St. *WC1* —3A **38**
Handen Rd. *SE12* —3A **86**
Handforth Rd. *SW9* —3C **66**
Handley Rd. *E9* —5E **27**
Hands Wlk. *E16* —5C **44**
Hanford Clo. *SW18* —1C **90**
Hanford Row. *SW19* —5E **89**
Hanging Sword All. *EC4*
(off Hood Ct.) —5C **38**
Hankey Pl. *SE1* —3F **53**
Hanley Gdns. *N4* —3B **10**
Hanley Rd. *N4* —3A **10**
Hanmer Wlk. *N7* —4B **10**
Hannah Barlow Ho. *SW8*
—4A **66**
Hannah Mary Way. *SE1*
—5C **54**
Hannay La. *N8* —2F **9**
Hannay Wlk. *SW16* —2F **93**
Hannell Rd. *SW6* —3A **62**
Hannen Rd. *SE27* —3D **95**
Hannibal Rd. *E1* —4E **41**
Hannington Point. *E9 —3B 28*
(off Eastway)
Hannington Rd. *SW4* —1D **79**
Hanover Av. *E16* —2C **58**
Hanover Ct. *SW15* —2B **74**
Hanover Ct. *W12* —2C **46**
(off Uxbridge Rd.)
Hanover Flats. *W1* —1C **50**
(off Binney St.)
Hanover Gdns. *SE11* —2C **66**
Hanover Ga. *NW1* —2A **36**
Hanover Ho. NW8 —1A 36
(off St John's Wood High St.)
Hanover Ho. *SW9* —1C **80**
Hanover Mead. *NW11* —1A **6**
Hanover Pk. *SE15* —4C **68**
Hanover Pl. *WC2* —5A **38**
Hanover Rd. *NW10* —4E **19**
Hanover Sq. *W1* —5D **37**
Hanover Steps. W2 —5A 36
(off St George's Fields)
Hanover St. *W1* —5D **37**
Hanover Ter. *NW1* —2A **36**
Hanover Ter. M. *NW1* —2A **36**
Hanover Trad. Est. *N7* —2A **24**
Hanover Yd. N1 —1E 39
(off Noel Rd.)
Hansard M. *W14* —3F **47**
Hans Cres. *SW1* —4B **50**
Hansler Rd. *SE22* —3B **82**
Hanson Clo. *SW12* —5D **79**
Hanson Ct. *E17* —1D **15**
Hanson St. *W1* —4E **37**
Hans Pl. *SW1* —4B **50**
Hans Rd. *SW3* —4B **50**
Hans St. *SW1* —4B **50**
Hanway Pl. *W1* —5F **37**
Hanway St. *W1* —5F **37**
Hanworth Ho. *SE5* —3D **67**
Harad's Pl. *E1* —1C **54**
Harben Rd. *NW6* —4E **21**

Harberson Rd. *E15* —5B **30**
Harberson Rd. *SW12* —1D **93**
Harberton Rd. *N19* —3E **9**
Harbet Rd. *W2* —4F **35**
Harbinger Rd. *E14* —5D **57**
Harbledown Rd. *SW6* —4C **62**
Harbord Clo. *SE5* —5F **67**
Harbord St. *SW6* —4F **61**
Harborough Rd. *SW16*
—4B **94**
Harbour Av. *SW10* —4E **63**
Harbour Exchange Sq. *E14*
—3D **57**
Harbour Quay. *E14* —2E **57**
Harbour Rd. *SE5* —1E **81**
Harbour Yd. *SW10* —4E **63**
Harbridge Av. *SW15* —5B **74**
Harbut Rd. *SW11* —2F **77**
Harcombe Rd. *N16* —5A **12**
Harcourt Bldgs. *EC4* —1C **52**
(off Temple)
Harcourt Rd. *E15* —1B **44**
Harcourt Rd. *E18* —1B **84**
Harcourt St. *W1* —4A **36**
Harcourt Ter. *SW10* —1D **63**
Hardel Rise. *SW2* —1D **95**
Hardel Wlk. *SW2* —5C **80**
Harden Ho. *SE5* —5A **68**
Harden's Mnr. Way. *SE7*
—4F **59**
Harders Rd. *SE15* —5D **69**
Hardess St. *SE24* —1E **81**
Harding Clo. *SE17* —2E **67**
Hardinge La. *E1* —5E **41**
Hardinge Rd. *NW10* —5D **19**
Hardinge St. *E1* —5E **41**
Hardman Rd. *SE7* —1D **73**
Hardwicke M. WC1 —2B 38
(off Lloyd Baker M.)
Hardwick St. *EC1* —2C **38**
Hardwicks Way. *SW18* —3C **76**
Hardwidge St. *SE1* —3A **54**
Hardy Av. *E16* —2C **58**
Hardy Clo. *SE16* —3F **55**
Hardy Cotts. *SE10* —2F **71**
Hardy Ho. *SW4* —5E **79**
Hardy Rd. *SE3* —2B **72**
Hare & Billet Rd. *SE3* —4F **71**
Hare Ct. *EC4* —5C **38**
Harecourt Rd. *N1* —3E **25**
Haredale Rd. *SE24* —2E **81**
Haredon Ter. *SE23* —5F **83**
Harefield M. *SE4* —1B **84**
Harefield Rd. *SE4* —1B **84**
Hare Marsh. *E2* —3C **40**
Hare Pl. EC4 —5C 38
(off Pleydell St.)
Hare Row. *E2* —1D **41**
Hare Wlk. *N1* —1A **40**
Harewood Av. *NW1* —3A **36**
Harewood Pl. *W1* —5D **37**
Harewood Row. *NW1* —4A **36**
Harfield Gdns. *SE5* —1A **82**
Harfleur Ct. SE11 —5D 53
(off Opal St.)
Harford Ho. *W11* —4B **34**
Harford St. *E1* —3A **42**
Hargood Rd. *SE3* —4E **73**

Hargrave Mans. *N19* —4F **9**
Hargrave Pk. *N19* —4E **9**
Hargrave Pl. *N7* —2F **23**
Hargrave Rd. *N19* —4E **9**
Hargraves Ho. *W12* —1D **47**
   (off White City Est.)
Hargwyne St. *SW9* —1B **80**
Haringey Pk. *N8* —1A **10**
Harkness Ho. *E1* —5C **40**
   (off Christian St.)
Harland Rd. *SE12* —1C **100**
Harlequin Ct. *NW10* —3A **18**
   (off Mitchellbrook Way)
Harlescott Rd. *SE15* —2F **83**
Harlesden Gdns. *NW10*
              —5B **18**
Harlesden La. *NW10* —5C **18**
Harlesden Plaza. *NW10*
              —1B **32**
Harlesden Rd. *NW10* —5C **18**
Harleston Clo. *E5* —4E **13**
Harley Ct. *E11* —2C **16**
Harleyford Ct. *SW8* —2B **66**
   (off Harleyford Rd.)
Harleyford Rd. *SE11* —2B **66**
Harleyford St. *SE11* —2C **66**
Harley Gdns. *SW10* —1E **63**
Harley Gro. *E3* —2B **42**
Harley Ho. *E11* —2F **15**
Harley Ho. *NW1* —3C **36**
   (off Marylebone Rd.)
Harley Pl. *W1* —4D **37**
Harley Rd. *NW3* —4F **21**
Harley Rd. *NW10* —1A **32**
Harley St. *W1* —3D **37**
Harlinger St. *SE18* —4F **59**
Harlowe Clo. *E8* —5C **26**
Harman Clo. *NW2* —5A **6**
Harman Clo. *SE1* —1C **68**
Harman Dri. *NW2* —5A **6**
Harmon Ho. *SE8* —5B **56**
Harmony Clo. *NW11* —1A **6**
Harmood Gro. *NW1* —4D **23**
Harmood Pl. *NW1* —4D **23**
Harmood St. *NW1* —3D **23**
Harmsworth M. *SE11* —4D **53**
Harmsworth St. *SE17* —2D **67**
Harold Est. *SE1* —4A **54**
Harold Pl. *SE11* —1C **66**
Harold Rd. *E11* —3A **16**
Harold Rd. *E13* —5D **31**
Haroldstone Rd. *E17* —1F **13**
Harold Wilson Ho. *SW6*
   (off Clem Attlee Ct.) —2B **62**
Harp All. *EC4* —5D **39**
Harp Bus. Cen. *NW2* —4C **4**
   (off Apsley Way)
Harpenden Rd. *E12* —4E **17**
Harpenden Rd. *SE27* —3D **95**
Harpenmead Point. *NW2*
             —4B **6**
Harper Ho. *SW9* —1D **81**
Harper Rd. *SE1* —4E **53**
Harp Island Clo. *NW10* —4A **4**
Harp La. *EC3* —1A **54**
Harpley Sq. *E1* —3F **41**
Harpsden St. *SW11* —4C **64**
Harpur M. *WC1* —4B **38**

Harpur St. *WC1* —4B **38**
Harraden Rd. *SE3* —4E **73**
Harriet Clo. *E8* —5C **26**
Harriet St. *SW1* —3B **50**
Harriet Tubman Clo. *SW2*
             —5B **80**
Harriet Wlk. *SW1* —3B **50**
Harrington Gdns. *SW7* —5D **49**
Harrington Hill. *E5* —3D **13**
Harrington Rd. *E11* —3A **16**
Harrington Rd. *SW7* —5F **49**
Harrington Sq. *NW1* —1E **37**
Harrington St. *NW1* —1E **37**
Harrington Way. *SE18* —4F **59**
Harriott Clo. *SE10* —5B **58**
Harris Bldgs. *E1* —5C **40**
   (off Burslem St.)
Harris Ho. *SW9* —1C **80**
   (off St James's Cres.)
Harrison Ho. *SW12* —5F **79**
Harrison St. *WC1* —2A **38**
Harris St. *E17* —2B **14**
Harris St. *SE5* —3F **67**
Harrogate Ct. *SE12* —5C **86**
Harrogate Ct. *SE26* —3C **96**
   (off Droitwich Clo.)
Harroway Rd. *SW11* —5F **63**
Harrowby St. *W1* —5A **36**
Harrowgate Ho. *E9* —3F **27**
Harrowgate Rd. *E9* —3A **28**
Harrow Grn. *E11* —5A **16**
Harrow La. *E14* —1E **57**
Harrow Pl. *E1* —5A **40**
Harrow Rd. *E6* —5F **31**
Harrow Rd. *E11* —5A **16**
Harrow Rd. *NW10* —2C **32**
Harrow Rd. *W2* —4D **35**
Harrow Rd. *W10 & W9*
             —3F **33**
Harrow Rd. Bri. *W2* —4E **35**
Harry Lambourn Ho. *SE15*
   (off Gervase St.) —3D **69**
Hartfield Ter. *E3* —1C **42**
Hartham Clo. *N7* —2A **24**
Hartham Rd. *N7* —2A **24**
Harting Rd. *SE9* —3F **101**
Hartington Ct. *SW8* —4A **66**
Hartington Rd. *E16* —5D **45**
Hartington Rd. *E17* —1A **14**
Hartington Rd. *SW8* —4A **66**
Hartismere Rd. *SW6* —3B **62**
Hartlake Rd. *E9* —3F **27**
Hartland Rd. *E15* —4B **30**
Hartland Rd. *NW1* —4D **23**
Hartland Rd. *NW6* —1B **34**
Hartley Av. *E6* —5F **31**
Hartley Ho. *SE1* —5B **54**
   (off Longfield Est.)
Hartley Rd. *E11* —3B **16**
Hartley St. *E2* —2E **41**
   (in two parts)
Hartman Rd. *E16* —2F **59**
Hartnoll St. *N7* —2B **24**
Harton St. *SE8* —4C **70**
Hartop Point. *SW6* —3A **62**
   (off Pellant Rd.)
Hartshorn All. *EC3* —5A **40**
   (off Leadenhall St.)

Hart's La. *SE14* —4A **70**
Hart St. *EC3* —1A **54**
Hartswood Gdns. *W12* —4B **46**
Hartswood Rd. *W12* —3B **46**
Hartsworth Clo. *E13* —1B **44**
Hartwell St. *E8* —3B **26**
Harvard Ct. *NW6* —2D **21**
Harvard Rd. *SE13* —3E **85**
Harvey Ct. *E17* —1C **14**
Harvey Gdns. *E11* —3B **16**
Harvey Gdns. *SE7* —5F **59**
Harvey Ho. *N1* —5F **25**
   (off Colville Est.)
Harvey Point. *E16* —4C **44**
   (off Fife Rd.)
Harvey Rd. *E11* —3A **16**
Harvey Rd. *SE5* —4F **67**
   (in two parts)
Harvey's Bldgs. *WC2* —1A **52**
Harvey St. *N1* —5F **25**
Harvington Wlk. *E8* —4C **26**
Harvist Est. *N7* —1C **24**
Harvist Rd. *NW6* —1F **33**
Harwich La. *EC2* —4A **40**
Harwood Ct. *N1* —5F **25**
   (off Colville Est.)
Harwood Rd. *SW6* —3C **62**
Harwood Ter. *SW6* —4D **63**
Haseley End. *SE23* —5E **83**
Haselrigge Rd. *SW4* —2F **79**
Haseltine Rd. *SE26* —4B **98**
Hasker St. *SW3* —5A **50**
Haslam Clo. *N1* —4C **24**
Haslam St. *SE15* —4B **68**
Haslemere Av. *NW4* —1F **5**
Haslemere Av. *SW18* —2D **91**
Haslemere Rd. *N8* —2F **9**
Hassard St. *E2* —1B **40**
Hassendean Rd. *SE3* —2D **73**
Hassett Rd. *E9* —3F **27**
Hassocks Clo. *SE26* —3D **97**
Hassop Rd. *NW2* —1F **19**
Hassop Wlk. *SE9* —4F **101**
Hasted Rd. *SE7* —1F **73**
Hastings Clo. *SE15* —3C **68**
Hastings Ho. *W12* —1D **47**
   (off White City Est.)
Hastings St. *WC1* —2A **38**
Hastlemere Ind. Est. *SW18*
             —2D **91**
Hatcham Pk. M. *SE14* —4F **69**
Hatcham Pk. Rd. *SE14*
             —4F **69**
Hatcham Rd. *SE15* —2E **69**
Hatchard Rd. *N19* —4F **9**
Hatchcliffe St. *SE10* —1B **72**
Hatchfield Ho. *N15* —1A **12**
   (off Albert Rd.)
Hatcliffe Clo. *SE3* —1B **86**
Hatfield Clo. *SE14* —3F **69**
Hatfield Ho. *EC1* —3E **39**
   (off Golden La. Est.)
Hatfield Rd. *E15* —2A **30**
Hatfield Rd. *W4* —3A **46**
Hatfields. *SE1* —2C **52**
Hathaway Ho. *N1* —1A **40**
Hatherley Gdns. *E6* —2F **45**
Hatherley Gdns. *N8* —1A **10**

Hatherley Gro.—Heathpool Ct.

Hatherley Gro. *W2* —5D **35**
Hatherley St. *SW1* —5E **51**
Hathersage Rd. *N1* —2F **25**
Hathorne Clo. *SE15* —5D **69**
Hathway St. *SE15* —5F **69**
Hathway Ter. *SE14* —5F **69**
(off Hathway St.)
Hatley Rd. *N4* —4B **10**
Hat & Mitre Ct. *EC1* —3D **39**
(off St John St.)
Hatteraick St. *SE16* —3E **55**
Hatton Garden. *EC1* —4C **38**
Hatton Pl. *EC1* —4C **38**
Hatton Row *NW8* —3F **35**
(off Hatton St.)
Hatton St. *NW8* —3F **35**
Hatton Wall. *EC1* —4C **38**
Haunch of Venison Yd. *W1*
—5D **37**
Havana Rd. *SW19* —2C **90**
Havannah St. *E14* —3C **56**
Havant Way. *SE15* —3B **68**
Havelock Ho. *SE23* —1E **97**
Havelock Rd. *SW19* —5E **91**
Havelock St. *N1* —5A **24**
Havelock Ter. *SW8* —3D **65**
Havelock Wlk. *SE23* —1E **97**
Haven Clo. *SW19* —3F **89**
Haven M. *E3* —4B **42**
Haven St. *NW1* —4D **23**
Haverfield Rd. *E3* —2A **42**
Haverhill Rd. *SW12* —1E **93**
Havering St. *E1* —5F **41**
Haversham Pl. *N6* —4B **8**
Haverstock Hill. *NW3* —2A **22**
Haverstock Rd. *NW5* —2C **22**
Haverstock St. *N1* —1D **39**
Havil St. *SE5* —3A **68**
Havisham Ho. *SE16* —3C **54**
Hawarden Gro. *SE24* —5E **81**
Hawarden Hill. *NW2* —5C **4**
Hawbridge Rd. *E11* —3F **15**
Hawes St. *N1* —4D **25**
Hawgood St. *E3* —4C **42**
Hawke Pl. *SE16* —3F **55**
Hawke Rd. *SE19* —5F **95**
Hawkesbury Rd. *SW15*
—3D **75**
Hawkesfield Rd. *SE23* —2A **98**
Hawke Tower. *SE14* —2A **70**
Hawkins Ho. *SE8* —2C **70**
(off New King St.)
Hawkins Way. *SE6* —5C **98**
Hawkley Gdns. *SE27* —2D **95**
Hawkshaw Clo. *SW2* —1A **94**
Hawkshead Rd. *NW10* —4B **18**
Hawkshead Rd. *W4* —3A **46**
Hawkslade Rd. *SE15* —3F **83**
Hawksley Rd. *N16* —5A **12**
Hawks M. *SE10* —3E **71**
Hawksmoor Clo. *E6* —5F **45**
Hawksmoor M. *E1* —1D **55**
Hawksmoor St. *W6* —2F **61**
Hawkstone Rd. *SE16* —5E **55**
Hawkwell Wlk. *N1* —5E **25**
(off Basire St.)

Hawkwood Mt. *E5* —3D **13**
Hawley Cres. *NW1* —4D **23**
Hawley M. *NW1* —4D **23**
Hawley Rd. *NW1* —4D **23**
(in three parts)
Hawley St. *NW1* —4D **23**
Hawstead Rd. *SE6* —4D **85**
Hawthorn Cres. *SW17* —5C **92**
Hawthorne Clo. *N1* —3A **26**
Hawthorn Rd. *NW10* —4C **18**
Hawthorn Wlk. *W10* —3A **34**
Hawtrey Rd. *NW3* —4A **22**
Hay Clo. *E15* —4A **30**
Haycroft Gdns. *NW10* —5C **18**
Haycroft Rd. *SW2* —3A **80**
Hay Currie St. *E14* —5D **43**
Hayday Rd. *E16* —4C **44**
Hayden's Pl. *W11* —5B **34**
Haydon Pk. Rd. *SW19* —5C **90**
Haydons Rd. *SW19* —5D **91**
Haydon St. *EC3* —5B **40**
Haydon Wlk. *E1* —5B **40**
Haydon Way. *SW11* —2F **77**
Hayes Ct. *SW2* —1A **94**
Hayes Cres. *NW11* —1B **6**
Hayes Pl. *NW1* —3A **36**
Hayfield Pas. *E1* —3E **41**
Hayfield Yd. *E1* —3F **41**
Haygarth Pl. *SW19* —5F **89**
Hay Hill. *W1* —1D **51**
Hayles St. *SE11* —5D **53**
Hayling Clo. *N16* —2A **26**
Haymans Point. *SE11* —1B **66**
(off Tyers St.)
Hayman St. *N1* —4D **25**
Haymarket. *SW1* —1F **51**
Haymarket Arc. *SW1* —1F **51**
(off Haymarket)
Haymerle Rd. *SE15* —2C **68**
Hayne Ho. *W11* —2A **48**
(off Penzance Pl.)
Haynes Clo. *SE3* —1A **86**
Hayne St. *EC1* —4D **39**
Hay's Galleria. *SE1* —2A **54**
Hay's La. *SE1* —2A **54**
Hay's M. *W1* —2D **51**
Hay St. *E2* —5C **26**
Hayter Ct. *E11* —4D **17**
Hayter Rd. *SW2* —3A **80**
Hayton Clo. *E8* —3B **26**
Hayward Ct. *SW9* —5A **66**
(off Clapham Rd.)
Hayward Gdns. *SW15* —4E **75**
Hayward's Pl. *EC1* —3D **39**
Haywards Yd. *SE4* —3B **84**
(off Lindal Rd.)
Hazelbank Rd. *SE6* —2F **99**
Hazelbourne Rd. *SW12*
—4D **79**
Hazel Clo. *N19* —4E **9**
Hazel Clo. *SE15* —5C **68**
Hazeldean Rd. *NW10* —4A **18**
Hazeldon Rd. *SE4* —3A **84**
Hazel Gro. *SE26* —4F **97**
Hazelhurst Clo. *SE6* —5E **99**
(off Beckenham Hill Rd.)
Hazelhurst Rd. *SW17* —4E **91**
Hazellville Rd. *N19* —2F **9**

Hazelmere Ct. *SW2* —1B **94**
Hazelmere Rd. *NW6* —5B **20**
Hazel Rd. *E15* —2A **30**
Hazel Rd. *NW10* —2D **33**
(in two parts)
Hazel Way. *SE1* —5B **54**
Hazelwood Ct. *NW10* —5A **4**
Hazelwood Ho. *SE8* —5A **56**
Hazelwood Rd. *E17* —1A **14**
Hazlebury Rd. *SW6* —5D **63**
Hazlewell Rd. *SW15* —3E **75**
Hazlewood Clo. *E5* —5A **14**
Hazlewood Cres. *W10* —3A **34**
Hazlewood Tower. *W10*
(off Golborne Gdns.) —3B **34**
Hazlitt M. *W14* —4A **48**
Hazlitt Rd. *W14* —4A **48**
Headbourne Ho. *SE1* —4F **53**
Headcorn Rd. *Brom* —5B **100**
Headfort Pl. *SW1* —3C **50**
Headington Rd. *SW18* —2E **91**
Headlam Rd. *SW4* —4F **79**
Headlam St. *E1* —3D **41**
Headley Ct. *SE26* —5E **97**
Head's M. *W11* —5C **34**
Head St. *E1* —5F **41**
(in two parts)
Heald St. *SE14* —4C **70**
Healey Ho. *SW9* —3C **66**
Healey St. *NW1* —3D **23**
Hearn's Bldgs. *SE17* —5F **53**
Hearn St. *EC2* —3A **40**
Hearnville Rd. *SW12* —1C **92**
Heath Brow. *NW3* —5E **7**
Heath Clo. *NW11* —2D **7**
Heathcote St. *WC1* —3B **38**
Heathcroft. *NW11* —3D **7**
Heath Dri. *NW3* —1D **21**
Heathedge. *SE26* —2D **97**
Heather Clo. *SE13* —5F **85**
Heather Clo. *SW8* —1D **79**
Heather Gdns. *NW11* —1A **6**
Heatherley Ct. *N16* —5C **12**
Heather Rd. *NW2* —4B **4**
Heather Rd. *SE12* —1C **100**
Heather Wlk. *W10* —3A **34**
Heatherwood Clo. *E12* —4E **17**
Heathfield Av. *SW18* —5F **77**
Heathfield Clo. *E16* —4F **45**
Heathfield Gdns. *NW11* —1F **5**
Heathfield Gdns. *SW18*
—4F **77**
Heathfield Ho. *SE3* —5A **72**
Heathfield Pk. *NW2* —3E **19**
Heathfield Rd. *SW18* —4E **77**
Heathfield Sq. *SW18* —5F **77**
Heathfield St. *W11* —1A **48**
(off Portland Rd.)
Heathgate. *NW11* —1D **7**
Heathgate Pl. *NW3* —2B **22**
Heath Hurst Rd. *NW3* —1A **22**
Heathland Rd. *N16* —3A **12**
Heath La. *SE3* —5F **71**
Heathlee Rd. *SE3* —2B **86**
Heathmans Rd. *SW6* —4B **62**
Heath Mead. *SW19* —3F **89**
Heath Pas. *NW3* —3E **7**
Heathpool Ct. *E1* —3D **41**

166 Mini London

Herne Hill Ho.—Hillcrest Gdns.

Holloway Ho. *NW2* —5E **5**
Holloway Rd. *E11* —5F **15**
Holloway Rd. *N7* —1B **24**
Holloway Rd. *N19 & N7* —4F **9**
Hollyberry La. *NW3* —1E **21**
Hollybush Clo. *E11* —1C **16**
Hollybush Gdns. *E2* —2D **41**
Hollybush Hill. *E11* —1B **16**
Hollybush Hill. *NW3* —1E **21**
Hollybush Ho. *E2* —2D **41**
Hollybush Pl. *E2* —2D **41**
Hollybush Steps. *NW3* —1E **21**
 (off Holly Mt.)
Hollybush St. *E13* —1D **45**
Holly Bush Vale. *NW3* —1E **21**
Holly Bush Wlk. *SW9* —2D **81**
Holly Clo. *NW10* —4A **18**
Hollycroft Av. *NW3* —5C **6**
Hollydale Rd. *SE15* —4E **69**
Holly Dene. *SE15* —4D **69**
Hollydown Way. *E11* —5F **15**
Holly Gro. *SE15* —5B **68**
Holly Hedge Ter. *SE13* —3F **85**
Holly Hill. *NW3* —1E **21**
Holly Lodge Gdns. *N6* —4C **8**
Holly Lodge Mans. *N6* —4C **8**
Holly M. *SW10* —1E **63**
 (off Drayton Gdns.)
Holly Mt. *NW3* —1E **21**
Hollymount Clo. *SE10* —4E **71**
Holly Pk. *N4* —2A **10**
 (in two parts)
Holly Pk. Est. *N4* —2B **10**
 Holly Pl. NW3 —1E **21**
 (off Holly Berry La.)
Holly Rd. *E11* —2B **16**
Holly Rd. *W4* —5A **46**
Holly St. *E8* —4B **26**
Holly St. Est. *E8* —4B **26**
Holly Ter. *N6* —3C **8**
Holly Tree Clo. *SW19* —1F **89**
 Holly Tree Ho. SE4 —1B **84**
 (off Brockley Rd.)
Holly View Clo. *NW4* —1C **4**
Holly Village. *N6* —4B **9**
Holly Wlk. *NW3* —1E **21**
Hollywood M. *SW10* —2E **63**
Hollywood Rd. *SW10* —2E **63**
Holman Hunt Ho. *W6* —1A **62**
 (off Field Rd.)
Holman Rd. *SW11* —5F **63**
Holmbrook Dri. *NW4* —1F **5**
Holmbury Ct. *SW17* —3B **92**
Holmbury Ho. *SE24* —3D **81**
Holmbury View. *E5* —3D **13**
Holmbush Rd. *SW15* —4A **76**
Holmcote Gdns. *N5* —2E **25**
Holm Ct. *SE12* —3D **101**
Holmdale Gdns. *NW4* —1F **5**
Holmdale Rd. *NW6* —2C **20**
Holmdale Ter. *N15* —2A **12**
Holmdene Av. *SE24* —3E **81**
Holmead Rd. *SW6* —3D **63**
Holme Lacey Rd. *SE12*
 —4B **86**
Holmesdale Rd. *N6* —2D **9**
Holmesley Rd. *SE23* —4A **84**
Holmes Pl. *SW10* —2E **63**

Holmes Rd. *NW5* —2D **23**
 Holmes Ter. SE1 —3C **52**
 (off Waterloo Rd.)
Holmewood Gdns. *SW2*
 —5B **80**
Holmewood Rd. *SW2* —5B **80**
Holmfield Av. *NW4* —1F **5**
Holmfield Ct. *NW3* —3A **22**
Holmleigh Rd. *N16* —3A **12**
Holmleigh Rd. Est. *N16*
 —3A **12**
Holmoak Clo. *SW15* —4B **76**
Holm Oak M. *SW4* —3A **80**
Holmshaw Clo. *SE26* —4A **98**
Holmside Rd. *SW12* —4C **78**
 Holmsley M. SW15 —5B **74**
 (off Tangley Gro.)
Holm Wlk. *SE3* —5C **72**
Holmwood Vs. *SE7* —1C **72**
Holne Chase. *N2* —1E **7**
Holness Rd. *E15* —3B **30**
Holroyd Rd. *SW15* —2E **75**
Holst Mans. *SW13* —3E **61**
 Holsworthy Sq. WC1 —3B **38**
 (off Elm St.)
Holt Ct. *SE15* —2E **29**
Holt Ho. *SW2* —4C **80**
Holton St. *E1* —3F **41**
Holwood Pl. *SW4* —2F **79**
Holybourne Av. *SW15* —5C **74**
Holyhead Clo. *E3* —2C **42**
Holy Oake Ct. *SE16* —3B **56**
Holyoak Rd. *SE11* —5D **53**
Holyport Rd. *SW6* —3F **61**
 Holyrood M. E16 —2C **58**
 (off Badminton M.)
Holyrood St. *SE1* —2A **54**
Holywell Clo. *SE3* —2C **72**
Holywell Clo. *SE16* —1D **71**
Holywell La. *EC2* —3A **40**
Holywell Row. *EC2* —3A **40**
Homecroft Rd. *SE26* —5E **97**
Homefield Ct. *SW16* —3A **94**
Homefield Ho. *SE23* —3F **97**
Homefield Rd. *SW19* —5A **90**
Homefield Rd. *W4* —5B **46**
Homefield St. *N1* —1A **40**
Homeleigh Rd. *SE15* —3F **83**
Home Pk. Rd. *SW19* —4B **90**
Homer Dri. *E14* —5C **56**
Home Rd. *SW11* —5A **64**
Homer Rd. *E9* —3A **28**
Homer Row. *W1* —4A **36**
Homer St. *W1* —4A **36**
Homerton Gro. *E9* —2F **27**
Homerton High St. *E9* —2F **27**
Homerton Rd. *E9* —2A **28**
Homerton Row. *E9* —2E **27**
Homerton Ter. *E9* —3E **27**
Homesdale Clo. *E11* —1C **16**
Homestall Rd. *SE22* —3B **83**
Homestead Pk. *NW2* —5B **4**
Homestead Rd. *SW6* —3B **62**
Homewoods. *SW12* —5E **79**
Homildon Ho. *SE26* —3C **96**
Honduras St. *EC1* —3E **39**
Honeybourne Rd. *NW6*
 —2D **21**

Honeybrook Rd. *SW12*
 —5E **79**
Honey La. *EC2* —5E **39**
 (off Trump St.)
Honeyman Clo. *NW6* —4F **19**
Honeywell Rd. *SW11* —4B **78**
Honeywood Rd. *NW10*
 —1B **32**
Honiton Gdns. *SE15* —5E **69**
 (off Gibbon Rd.)
Honiton Rd. *NW6* —1B **34**
Honley Rd. *SE6* —5D **85**
Honor Oak Rd. *SE23* —4E **83**
Honor Oak Rise. *SE23* —4E **83**
Honor Oak Rd. *SE23* —1E **97**
 Hood Ct. EC4 —5C **38**
 (off Fleet St.)
Hooks Clo. *SE15* —4D **69**
Hooks Way. *SE22* —1C **96**
Hooper Rd. *E16* —5C **44**
Hooper St. *E1* —5C **40**
Hoop La. *NW11* —2B **6**
Hope Clo. *N1* —3E **25**
Hope Clo. *SE12* —3D **101**
Hopedale Rd. *SE7* —2D **73**
Hopefield Av. *NW6* —1A **34**
Hope St. *SW11* —1F **77**
Hopetown St. *E1* —4B **40**
Hopewell St. *SE5* —3F **67**
Hop Gdns. *WC2* —1A **52**
Hopgood St. *W12* —3E **47**
Hopkins M. *E15* —5B **30**
Hopkinsons Pl. *NW1* —5C **22**
Hopkins St. *W1* —5E **37**
Hopping La. *N1* —3D **25**
Hopton Rd. *SW16* —5B **94**
 Hopton's Gdns. SE1 —2D **53**
 (off Hopton St.)
Hopton St. *SE1* —2D **53**
Hopwood Clo. *SW17* —3E **91**
Hopwood Rd. *SE17* —2F **67**
Hopwood Wlk. *E8* —4C **26**
Horace Rd. *E7* —1D **31**
 Horatio Pl. E14 —2E **57**
 (off Preston's Rd.)
Horatio St. *E2* —1C **40**
Horbury Cres. *W11* —1C **48**
Horbury M. *W11* —1B **48**
Horder Rd. *SW6* —4A **62**
Hordle Promenade E. *SE15*
 —3B **68**
Hordle Promenade N. *SE15*
 —3A **68**
Hordle Promenade S. *SE15*
 —3B **68**
Hordle Promenade W. *SE15*
 —3A **68**
Horizon Way. *SE7* —5D **59**
Horle Wlk. *SE5* —5D **67**
Horley Rd. *SE9* —4F **101**
Hormead Rd. *W9* —3B **34**
Hornbeam Clo. *SE11* —5C **52**
Hornblower Clo. *SE16* —4A **56**
Hornby Clo. *NW3* —4F **21**
 Hornby Ho. SE11 —2C **66**
 (off Clayton St.)
Horncastle Clo. *SE12* —5C **86**

Hurlingham Retail Pk. *SW6*
  —1D 77
Hurlingham Rd. *SW6* —5B 62
Hurlingham Sq. *SW6* —1C 76
Hurlock St. *N5* —5D 11
Huron Rd. *SW17* —2C 92
Hurren Clo. *SE3* —1A 86
Hurry Clo. *E15* —4A 30
Hurst Av. *N6* —1E 9
Hurstbourne Ho. SW15
  (off Tangley Gro.) —4B 74
Hurstbourne Rd. *SE23* —1A 98
Hurst Clo. *NW11* —1D 7
Hurstdene Gdns. *N15* —2A 12
Hurst St. *SE24* —4D 81
Hurstway Wlk. *W11* —1F 47
Huson Clo. *NW3* —4A 22
Hutchings St. *E14* —3C 56
Hutchins Clo. *E15* —4E 29
Hutchinson Ho. *SE14* —3E 69
Hutton Cl. N4 —3B 10
  (off Victoria Rd.)
Hutton St. *EC4* —5D 39
Huxbear St. *SE4* —3B 84
Huxley Rd. *E10* —4E 15
Huxley St. *W10* —2A 34
Hyacinth Rd. *SW15* —1C 88
Hyde Clo. *E13* —1C 44
Hyde Cres. *NW9* —1A 4
Hyde Est. Rd. *NW9* —1B 4
Hyde Ind. Est. *NW9* —1B 4
Hyde La. *SW11* —4A 64
Hyde Pk. Corner. *W1* —3C 50
Hyde Park Corner. (Junct.)
  —3C 50
Hyde Pk. Cres. *W2* —5A 36
Hyde Pk. Gdns. *W2* —1F 49
Hyde Pk. Gdns. M. *W2* —1F 49
Hyde Pk. Ga. *SW7* —3E 49
  (in two parts)
Hyde Pk. Ga. M. *SW7* —3E 49
Hyde Pk. Mans. NW1 —4A 36
  (off Cabbell St.)
Hyde Pk. Pl. *W2* —1A 50
Hyde Pk. Sq. *W2* —5A 36
Hyde Pk. Sq. M. W2 —5A 36
  (off Southwick Pl.)
Hyde Pk. St. *W2* —5A 36
Hyde Pk. Towers. *W2* —1E 49
Hyderbad Way. *E15* —4A 30
Hyde Rd. *N1* —5F 25
Hydes Pl. *N1* —4D 25
Hyde St. *SE8* —2C 70
Hyde, The. *NW9* —1B 4
Hydethorpe Rd. *SW12* —1E 93
Hyde Vale. *SE10* —3E 71
Hyndewood. *SE23* —3F 97
Hyndman St. *SE15* —2D 69
Hyperion Ho. *SW2* —4B 80
Hyson Rd. *SE16* —1D 69
Hythe Rd. *NW10* —2B 32
Hythe Rd. Ind. Est. *NW10*
  —2C 32

*I*an Bowater Ct. *N1* —2F 39
  (off East Rd.)
Ian Ct. *SE23* —2E 97

Ibberton Ho. SW8 —3B 66
  (off Meadow Rd.)
Ibbotson Av. *E16* —5B 44
Ibbott St. *E1* —3E 41
Iberia Ho. *N19* —2F 9
Ibsley Gdns. *SW15* —1C 88
Iceland Rd. *E3* —5C 28
Ickburgh Est. *E5* —5D 13
Ickburgh Rd. *E5* —5D 13
Ida St. *E14* —5E 43
  (in two parts)
Idlecombe Rd. *SW17* —5C 92
Idmiston Rd. *E15* —1B 30
Idmiston Rd. *SE27* —3E 95
Idol La. *EC3* —1A 54
Idonia St. *SE8* —3C 70
Iffley Rd. *W6* —4D 47
Ifield Rd. *SW10* —2D 63
Ifor Evans Pl. *E1* —3F 41
Ilbert St. *W10* —2F 33
Ilchester Gdns. *W2* —1D 48
Ilchester Pl. *W14* —4B 48
Ildersly Gro. *SE21* —2F 95
Ilderton Rd. *SE16 & SE15*
  —1E 69
Ilex Rd. *NW10* —3B 18
Ilex Way. *SW16* —5C 94
Ilford Ho. N1 —3F 25
  (off Dove Rd.)
Ilfracombe Rd. *Brom* —3B 100
Iliffe St. *SE17* —1D 67
Iliffe Yd. SE17 —1D 67
  (off Crampton St.)
Ilkeston Ct. E5 —1F 27
  (off Overbury St.)
Ilkley Rd. *E16* —4E 45
Ilminster Gdns. *SW11* —2A 78
Imani Mans. *SW11* —5F 63
Imber St. *N1* —5F 25
Imperial Av. *N16* —1A 26
Imperial College Rd. *SW7*
  —4F 49
Imperial Ct. *N6* —1E 9
Imperial Ct. NW8 —1A 36
  (off Prince Albert Rd.)
Imperial M. *E6* —1F 45
Imperial Pde. EC4 —5D 39
  (off New Bri. St.)
Imperial Rd. *SW6* —4D 63
Imperial Sq. *SW6* —4D 63
Imperial St. *E3* —2E 43
Inchmery Rd. *SE6* —2D 99
Independent Pl. *E8* —2B 26
Independents Rd. *SE3* —1B 86
Inderwick Rd. *N8* —1B 10
Indescon Ct. *E14* —3C 56
India Pl. WC2 —1B 52
  (off Montreal Pl.)
India St. *EC3* —5B 40
India Way. *W12* —1D 47
Indus Rd. *SE7* —3E 73
Industry Ter. *SW9* —1C 80
Infirmary Ct. SW3 —2B 64
  (off West Rd.)
Ingal Rd. *E13* —3C 44
Ingate Pl. *SW8* —4D 65
Ingatestone Rd. *E12* —3E 17
Ingelow Rd. *SW8* —5D 65

Ingersoll Rd. *W12* —2D 47
Ingestre Pl. *W1* —5E 37
Ingestre Rd. *E7* —1C 30
Ingestre Rd. *NW5* —1D 23
Ingham Rd. *NW6* —1C 20
Inglebert St. *EC1* —2C 38
Ingleborough St. *SW9* —5C 66
Ingleby Rd. *N7* —5A 10
Inglemere Rd. *SE23* —3F 97
Inglesham Wlk. *E9* —3B 28
Ingleside Gro. *SE3* —2B 72
Inglethorpe St. *SW6* —4F 61
Ingleton St. *SW9* —5C 66
Inglewood Clo. *E14* —5C 56
Inglewood Rd. *NW6* —2C 20
Inglis St. *SE5* —4D 67
Ingoldisthorpe Gro. *SE15*
  —2B 68
Ingram Av. *NW11* —2E 7
Ingram Clo. *SE11* —5B 52
Ingrave St. *SW11* —1F 77
Ingrebourne Ho. Brom —5F 99
  (off Brangbourne Rd.)
Ingress St. *W4* —1A 60
Inigo Jones Rd. *SE7* —3F 73
Inigo Pl. WC2 —1A 52
  (off Bedford St.)
Inkerman Rd. *NW5* —3D 23
Inkerman Ter. W8 —4C 48
  (off Allen St.)
Inman Rd. *NW10* —5A 18
Inman Rd. *SW18* —5E 77
Inner Circ. *NW1* —2C 36
Inner Pk. Rd. *SW19* —1F 89
Inner Temple La. *EC4* —5C 38
Innes Gdns. *SW15* —4D 75
Innis Ho. SE17 —1A 68
  (off East St.)
Inniskilling Rd. *E13* —1E 45
Inskip Clo. *E10* —4D 15
Institute Pl. *E8* —2D 27
Integer Gdns. *E11* —2F 15
Inver Clo. *E5* —4E 13
Inver Ct. *W2* —5D 35
Inverforth Clo. *NW3* —4E 7
Inverine Rd. *SE7* —1D 73
Inverness Gdns. *W8* —2D 49
Inverness M. *W2* —1D 49
Inverness Pl. *W2* —1D 49
Inverness St. *NW1* —5D 23
Inverness Ter. *W2* —5D 35
Inverton Rd. *SE15* —2F 83
Invicta Plaza. *SE1* —2D 53
Invicta Rd. *SE3* —3C 72
Inville Rd. *SE17* —1F 67
Inville Wlk. *SE17* —1F 67
Inwen Ct. *SE8* —1A 70
Inworth St. *SW11* —5A 64
Inworth Wlk. *N1* —5E 25
  (off Popham St.)
Iona Clo. *SE6* —5C 84
Ion Ct. *E2* —1C 40
Ion Sq. *E2* —1C 40
Ipsden Bldgs. SE1 —3C 52
  (off Windmill Wlk.)
Ipswich Ho. *SE4* —3F 83
Ireland Yd. *EC4* —5D 39
Irene Rd. *SW6* —4C 62

Ireton Ho. *SW9* —5C **66**
Ireton St. *E3* —3C **42**
Iron Bri. Clo. *NW10* —2A **18**
Iron Mill Pl. *SW18* —4D **77**
Iron Mill Rd. *SW18* —4D **77**
Ironmonger La. *EC2* —5E **39**
Ironmonger Row. *EC1* —2E **39**
Ironmongers Pl. *E14* —5C **56**
Ironside Clo. *SE16* —3F **55**
Ironside Ho. *E9* —1A **28**
Irvine Ho. *N7* —3B **24**
  (off Caledonian Rd.)
Irving Gro. *SW9* —5B **66**
Irving Ho. *SE17* —1D **67**
  (off Doddington Gro.)
Irving Mans. *W14* —2A **62**
  (off Queen's Club Gdns.)
Irving M. *N1* —3E **25**
Irving Rd. *W14* —4F **47**
Irving St. *WC2* —1F **51**
Irving Way. *NW9* —1B **4**
Irwell Est. *SE16* —4E **55**
Irwin Gdns. *NW10* —5D **19**
Isabella Ho. *SE11* —1D **67**
  (off Othello Clo.)
Isabella Rd. *E9* —2E **27**
Isabella St. *SE1* —2D **53**
Isabel St. *SW9* —4B **66**
Isambard M. *E14* —4E **57**
Isambard Pl. *SE16* —2E **55**
Isel Way. *SE22* —3A **82**
Isis Clo. *SW15* —2E **75**
Isis St. *SW18* —2E **91**
Island Row. *E14* —5B **42**
Islay Wlk. *N1* —3E **25**
Isledon Rd. *N7* —4D **11**
Isley Ct. *SW8* —5E **65**
Islington Grn. *N1* —5D **25**
Islington High St. *N1* —1C **38**
Islington Pk. M. *N1* —4D **25**
Islington Pk. St. *N1* —4C **24**
Islip St. *NW5* —2E **23**
Ismailia Rd. *E7* —4D **31**
Isom Clo. *E13* —2D **45**
Ivanhoe Rd. *SE5* —1B **82**
Ivatt Pl. *W14* —1B **62**
Iveagh Gro. *SE9* —5F **27**
Iveagh Ct. *E1* —5B **40**
  (off Haydon Wlk.)
Iveagh Ho. *SW9* —5D **67**
Ive Farm Clo. *E10* —4C **14**
Ive Farm La. *E10* —4C **14**
Iveley Rd. *SW4* —5E **65**
Iverna Ct. *W8* —4C **48**
Iverna Gdns. *W8* —4C **48**
Iverson Rd. *NW6* —3B **20**
Ives Rd. *E16* —4A **44**
Ives St. *SW3* —5A **50**
Ivestor Ter. *SE23* —5E **83**
Ivimey St. *E2* —2C **40**
Ivinghoe Ho. *N7* —2F **23**
Ivor Ct. *N8* —1A **10**
Ivor Pl. *NW1* —3B **36**
Ivor St. *NW1* —4E **23**
Ivorydown. *Brom* —4C **100**
Ivory Ho. *E1* —2B **54**
Ivory Sq. *SW11* —1E **79**
Ivybridge La. *WC2* —1A **52**

Ivychurch La. *SE17* —1B **68**
Ivy Cotts. *E14* —1D **57**
Ivydale Rd. *SE15* —1F **83**
Ivyday Gro. *SW16* —3B **94**
Ivy Gdns. *N8* —1A **10**
Ivymount Rd. *SE27* —3C **94**
Ivy Rd. *E16* —5C **44**
Ivy Rd. *E17* —1C **14**
Ivy Rd. *NW2* —1E **19**
Ivy Rd. *SE4* —2B **84**
Ivy Rd. *SW17* —5A **92**
Ivy St. *N1* —1A **40**
Ixworth Pl. *SW3* —1A **64**

Jack Clow Rd. *E15* —1A **44**
Jack Dash Way. *E6* —3F **45**
Jackman M. *NW10* —5A **4**
Jackman St. *E8* —5D **27**
Jackson Ct. *E3* —2D **31**
Jackson Rd. *N7* —1B **24**
Jacksons La. *N6* —2C **8**
Jack Walker Ct. *N5* —1D **25**
Jacobin Lodge. *N7* —2A **24**
Jacobs Ho. *E13* —2E **45**
  (off New City Rd.)
Jacob St. *SE1* —3C **54**
Jacob's Well M. *W1* —5C **36**
Jade Clo. *E16* —5F **45**
Jade Clo. *NW2* —2E **5**
Jaffray Pl. *SE27* —4D **95**
Jaggard Way. *SW12* —5B **78**
Jago Wlk. *SE5* —3F **67**
Jamaica Rd. *SE1 & SE16*
  —3B **54**
Jamaica St. *E1* —5E **41**
James Anderson Ct. *E2*
  (off Kingsland Rd.) —1A **40**
James Av. *NW2* —2E **19**
James Boswell Clo. *SW16*
  —4B **94**
James Clo. *E13* —1C **44**
James Clo. *NW11* —1A **6**
James Collins Clo. *W9* —3B **34**
James Joyce Wlk. *SE24*
  —2D **81**
James La. *E10 & E11* —2E **15**
Jameson Ho. *SE11* —1B **66**
  (off Glasshouse Wlk.)
Jameson Lodge. *N6* —1E **9**
Jameson St. *W8* —2C **48**
James Stewart Ho. *NW6*
  —4B **20**
James St. *W1* —5C **36**
James St. *WC2* —1A **52**
Jamestown Rd. *NW1* —5D **23**
Jane St. *E1* —5D **41**
Janet St. *E14* —4C **56**
Janeway Pl. *SE16* —3D **55**
Janeway St. *SE16* —3C **54**
Jansen Wlk. *SW11* —1F **77**
Janson Clo. *E15* —2A **30**
Janson Clo. *NW10* —5A **4**
Janson Rd. *E15* —2A **30**
Japan Cres. *N4* —2B **10**
Jardine Rd. *E1* —1F **55**
Jarrett Clo. *SW2* —1D **95**
Jarrow Rd. *SE16* —5E **55**

Jarrow Way. *E9* —1B **28**
Jarvis Rd. *SE22* —2A **82**
Jasmin Ct. *SE12* —4C **86**
Jasmine Clo. *SW19* —5C **90**
Jasmin Lodge. *SE16* —1D **69**
  (off Sherwood Gdns.)
Jason Ct. *W1* —5C **36**
  (off Wigmore St.)
Jasper Pas. *SE19* —5B **96**
Jasper Rd. *E16* —5F **45**
Jasper Rd. *SE19* —5B **96**
Jasper Wlk. *N1* —2F **39**
Java Wharf. *SE1* —3B **54**
  (off Shad Thames)
Jay M. *SW7* —3E **49**
Jebb Av. *SW2* —4A **80**
Jebb St. *E3* —1C **42**
Jedburgh Rd. *E13* —2E **45**
Jedburgh St. *SW11* —2C **78**
Jeddo M. *W12* —3B **46**
Jeddo Rd. *W12* —3B **46**
Jeffrey Row. *SE12* —3D **87**
Jeffrey's Pl. *NW1* —4E **23**
Jeffreys Rd. *SW4* —5A **66**
Jeffrey's St. *NW1* —4D **23**
Jeffreys Wlk. *SW4* —5A **66**
Jeger Av. *E2* —5B **26**
Jegrove Ct. *EC1* —4C **38**
  (off Hatton Garden)
Jeken Rd. *SE9* —2E **87**
Jelf Rd. *SW2* —3C **80**
Jellicoe Rd. *E13* —3C **44**
Jenkins Rd. *E13* —3D **45**
Jenner Av. *W3* —4A **32**
Jenner Clo. *W3* —4A **32**
Jenner Pl. *SW13* —2D **61**
Jenner Rd. *N16* —5B **12**
Jennifer Ho. *SE11* —5C **52**
  (off Reedworth St.)
Jennifer Rd. *Brom* —3B **100**
Jennings Rd. *SE22* —4B **82**
Jenny Hammond Clo. *E11*
  —5B **16**
Jephson Ct. *SW4* —5A **66**
Jephson Ho. *SE17* —2D **67**
  (off Doddington Gro.)
Jephson Rd. *E7* —4E **31**
Jephson St. *SE5* —4F **67**
Jephtha Rd. *SW18* —4C **76**
Jepson Ho. *SW6* —4D **63**
  (off Pearscroft Rd.)
Jerdan Pl. *SW6* —3C **62**
Jeremiah St. *E14* —5D **43**
Jermyn St. *SW1* —2E **51**
  (in two parts)
Jerningham Ct. *SE14* —4A **70**
Jerningham Rd. *SE14* —5A **70**
Jerome Cres. *NW8* —3A **36**
Jerome St. *E1* —4B **40**
  (off Commercial St.)
Jerrard St. *SE13* —1D **85**
Jerrold St. *N1* —1A **40**
Jersey Ho. *N1* —3E **25**
Jersey Rd. *E11* —3F **15**
Jersey Rd. *E16* —5E **45**
Jersey Rd. *N1* —3E **25**
Jersey St. *E2* —2D **41**
Jerusalem Pas. *EC1* —3D **39**

Keats Clo. *SW19* —5F **91**
Keat's Gro. *NW3* —1A **22**
Keats Ho. SE5 —3E 67
(off Elmington Est.)
Keats Pl. EC2 —2F 39
(off Moorgate)
Kebbell Ter. *E7* —2D **31**
(off Claremont Rd.)
Keble St. *SW17* —4E **91**
Kedleston Wlk. *E2* —2D **41**
Keedonwood Rd. *Brom*
—5A **100**
Keel Clo. *SE16* —2F **55**
Keeley St. *WC2* —5B **38**
Keeling Rd. *SE9* —3F **87**
Keens Clo. *SW16* —5F **93**
Keen's Yd. *N1* —3D **25**
Keep, The. *SE3* —5C **72**
Keeton's Rd. *SE16* —4D **55**
(in two parts)
Keevil Dri. *SW19* —5F **75**
Keighley Clo. *N7* —2A **24**
Keildon Rd. *SW11* —2B **78**
Keir Hardie Est. *E5* —3D **13**
Keir Hardie Ho. *N19* —2F **9**
Keir, The. *SW19* —5E **89**
Keith Connor Clo. *SW8*
—1D **79**
Keith Gro. *W12* —3C **46**
Kelbrook Rd. *SE3* —5F **73**
Kelceda Clo. *NW2* —4C **4**
Kelfield Ct. *W10* —5F **33**
Kelfield Gdns. *W10* —5E **33**
Kelfield M. *W10* —5F **33**
(in two parts)
Kelland Clo. *N8* —1F **9**
Kelland Rd. *E13* —3C **44**
Kellaway Rd. *SE3* —5F **73**
Keller Cres. *W12* —1F **31**
Kellerton Rd. *SE13* —3A **86**
Kellett Ho. *N1* —5A **26**
(off Colville Est.)
Kellett Rd. *SW2* —2C **80**
Kelling Rd. *SE9* —3F **87**
Kellino St. *SW17* —4B **92**
Kell St. *SE1* —4D **53**
Kelly Clo. *NW10* —5A **4**
Kelly St. *NW1* —3D **23**
Kelman Clo. *SW4* —5F **65**
Kelmore Gro. *SE22* —2C **82**
Kelmscott Gdns. *W12* —4C **46**
Kelmscott Rd. *SW11* —3A **78**
Kelross Pas. *N5* —1E **25**
Kelross Rd. *N5* —1E **25**
Kelsall Clo. *SE3* —5D **73**
Kelsey St. *E2* —3C **40**
Kelson Ho. *E14* —4F **57**
Kelso Pl. *W8* —4D **49**
Kelvedon Ho. *SW8* —4A **66**
Kelvedon Rd. *SW6* —3B **62**
Kelvin Gro. *SE26* —3D **97**
Kelvington Rd. *SE15* —3F **83**
Kelvin Rd. *N5* —1E **25**
Kember St. *N1* —4B **24**
Kemble Ct. *SE15* —3A **68**
(off Lydney Clo.)
Kemble Ho. *SW9* —1D **81**
(off Barrington Rd.)

Kemble Rd. *SE23* —1F **97**
Kemble St. *WC2* —5B **38**
Kemerton Rd. *SE5* —1E **81**
Kemeys St. *E9* —2A **28**
Kemp Ct. *SW8* —3A **66**
(off Hartington Rd.)
Kempe Rd. *NW6* —1F **33**
Kempis Way. *SE22* —3A **82**
Kemplay Rd. *NW3* —1F **21**
Kemps Dri. *E14* —1C **56**
Kempsford Gdns. *SW5* —1C **62**
Kempsford Rd. *SE11* —5C **52**
(in two parts)
Kemps Gdns. *SE13* —3E **85**
Kempson Rd. *SW6* —4C **62**
Kempthorne Rd. *SE8* —5B **56**
Kempton Ct. *E1* —4D **41**
Kemsing Rd. *SE10* —1C **72**
Kenbury Gdns. *SE5* —5E **67**
Kenbury Mans. *SE5* —5E **67**
Kenbury St. *SE5* —5E **67**
Kenchester Clo. *SW8* —3A **66**
Kendal Clo. *SW9* —3D **67**
Kendale Rd. *Brom* —5A **100**
Kendall Pl. *W1* —4C **36**
Kendal Pl. *SW15* —3B **76**
Kendal Rd. *NW10* —1C **18**
Kendal Steps. W2 —5A 36
(off St George's Fields)
Kendal St. *W2* —5A **36**
Kender St. *SE14* —3E **69**
Kendoa Rd. *SW4* —2F **79**
Kendon Clo. *E11* —1D **17**
Kendrick M. *SW7* —5F **49**
Kendrick Pl. *SW7* —5F **49**
Keniford Rd. *SW12* —5D **79**
Kenilworth Av. *SW19* —5C **90**
Kenilworth Rd. *E3* —1A **42**
Kenilworth Rd. *NW6* —5B **20**
Kenley Wlk. *W11* —1A **48**
Kenlor Rd. *SW17* —5F **91**
Kenmont Gdns. *NW10* —2D **33**
Kenmure Rd. *E8* —2D **27**
Kenmure Yd. *E8* —2D **27**
Kennacraig Clo. *E16* —2D **59**
Kennard Rd. *E15* —4F **29**
Kennard St. *SW11* —4C **64**
Kennedy Clo. *E13* —1C **44**
Kennedy Ho. SE11 —1B 66
(off Vauxhall Wlk.)
Kennedy Wlk. SE17 —5F 53
(off Tisdall Pl.)
Kennet Clo. *SW11* —2F **77**
Kenneth Ct. *SE11* —5C **52**
Kenneth Cres. *NW2* —2C **19**
Kenneth Younger Ho. SW6
(off Clem Attlee Ct.) —2B 62
Kennet Rd. *W9* —3B **34**
Kennet St. *E1* —2C **54**
Kenninghall Rd. *E5* —5C **12**
Kenning St. *SE16* —3E **55**
Kennings Way. *SE11* —1C **66**
Kenning Ter. *N1* —5A **26**
Kennington Grn. *SE11* —1C **66**
Kennington Gro. *SE11* —2B **66**
Kennington La. *SE11* —1B **66**
Kennington Oval. *SE11*
—2B **66**

Kennington Oval. (Junct.)
—2C **66**
Kennington Pal. Ct. SE11
(off Sancroft St.) —1C 66
Kennington Pk. Gdns. *SE11*
—2D **67**
Kennington Pk. Ho. SE11
—1C **66**
(off Kennington Pk. Pl.)
Kennington Pk. Pl. *SE11*
—2C **66**
Kennington Pk. Rd. *SE11*
—2C **66**
Kennington Rd. *SE1 & SE11*
—4C **52**
Kennistoun Ho. *NW5* —2E **23**
Kennyland Ct. NW4 —1D 5
(off Hendon Way)
Kenrick Pl. *W1* —4C **36**
Kensal Rd. *W10* —3A **34**
Kensington Cen. *W14* —5A **48**
(in two parts)
Kensington Chu. Ct. *W8*
—3D **49**
Kensington Chu. St. *W8*
—2C **48**
Kensington Chu. Wlk. *W8*
—3D **49**
Kensington Ct. *W8* —3D **49**
Kensington Ct. Gdns. W8
—4D **49**
(off Kensington Ct. Pl.)
Kensington Ct. M. W8 —4D 49
(off Kensington Ct. Pl.)
Kensington Ct. Pl. *W8* —4D **49**
Kensington Gdns. Sq. *W2*
—5D **35**
Kensington Ga. *W8* —4E **49**
Kensington Gore. *SW7* —3E **49**
Kensington Hall Gdns. *W14*
—1B **62**
Kensington Heights. *W8*
—2C **48**
Kensington High St. *W14 & W8*
—4B **48**
Kensington Mall. *W8* —2C **48**
Kensington Mans. SW5
(off Trebovir Rd.) —1C 62
Kensington Pal. Gdns. *W8*
—2D **49**
Kensington Pk. Gdns. *W11*
—1B **48**
Kensington Pk. M. *W11*
—5B **34**
Kensington Pk. Rd. *W11*
—5B **34**
Kensington Pl. *W8* —2C **48**
Kensington Rd. *W8 & SW7*
—3E **49**
Kensington Sq. *W8* —4D **49**
Kensington W. *W14* —5A **48**
Kenswick Ct. *SE13* —3D **85**
Kensworth Ho. EC1 —2F 39
(off Cranwood St.)
Kent Ct. *E2* —1B **40**
Kent Ho. *SE1* —1B **68**
Kent Ho. *W4* —1A **60**
(off Devonshire St.)

Kent Ho. La. *Beck* —5A **98**
Kent Ho. Rd. *SE26 & Beck*
    —5A **98**
Kentish Bldgs. SE1 —2F **53**
   (off Borough High St.)
Kentish Town Ind. Est. *NW5*
    —2D **23**
Kentish Town Rd. *NW1 & NW5*
    —4D **23**
Kenton Ct. SE26 —4A **98**
   (off Adamsrill Rd.)
Kenton Ct. *W14* —4B **48**
Kenton Rd. *E9* —3F **27**
Kenton St. *WC1* —3A **38**
Kent Pas. *NW1* —3B **36**
Kent St. *E2* —1B **40**
Kent St. *E13* —2E **45**
Kent Ter. *NW1* —2A **36**
Kent Wlk. *SW9* —2D **81**
Kent Way. *SE15* —4B **68**
Kentwell Clo. *SE4* —2A **84**
Kentwode Grn. *SW13* —3C **60**
Kent Yd. *SW7* —3A **50**
Kenward Rd. *SE9* —3E **87**
Kenway Rd. *SW5* —5D **49**
Kenwood Av. *SE14* —4F **69**
Kenwood Clo. *NW3* —3F **7**
Kenwood Ho. *SW9* —2D **81**
Kenwood Rd. *N6* —1B **8**
Kenworthy Rd. *E9* —2A **28**
Kenwick Ho. N1 —5B **24**
   (off Barnsbury Est.)
Kenwyn Dri. *NW2* —4A **4**
Kenwyn Rd. *SW4* —2F **79**
Kenya Rd. *SE7* —3F **73**
Kenyon Mans. W14 —2A **62**
   (off Queen's Club Gdns.)
Kenyon St. *SW6* —4F **61**
Keogh Rd. *E15* —3A **30**
Kepler Rd. *SW4* —2A **80**
Keppel Ho. *SE8* —1B **70**
Keppel Row. *SE1* —2E **53**
Keppel St. *WC1* —4F **37**
Kerbela St. *E2* —3C **40**
Kerbey St. *E14* —5D **43**
Kerfield Cres. *SE5* —4F **67**
Kerfield Pl. *SE5* —4F **67**
Kerridge Ct. N1 —3A **26**
   (off Balls Pond Rd.)
Kerrin Point. *SE11* —1C **66**
   (off Hotspur St.)
Kerrison Rd. *E15* —5F **29**
Kerrison Rd. *SW11* —1A **78**
Kerry. *N7* —3A **24**
Kerry Clo. *E16* —5D **45**
Kerry Path. *SE14* —2B **70**
Kersey Gdns. *SE9* —4F **101**
Kersfield Rd. *SW15* —4F **75**
Kershaw Clo. *SW18* —4F **77**
Kersley M. *SW11* —4B **64**
Kersley Rd. *N16* —4A **12**
Kersley St. *SW11* —5B **64**
Kerswell Clo. *N15* —1A **12**
Kerwick Clo. *N7* —4A **24**
Keslake Mans. NW10 —1F **33**
   (off Station Ter.)
Keslake Rd. *NW6* —1F **33**
Keston Rd. *SE15* —1C **82**

Kestrel Av. *E6* —4F **45**
Kestrel Av. *SE24* —3D **81**
Kestrel Clo. *NW10* —2A **18**
Kestrel Ct. SE8 —2B **70**
   (off Abinger Gro.)
Keswick Ga. *SW15* —5A **88**
Keswick Ho. *SE5* —5E **67**
Keswick Rd. *SW15* —3A **76**
Ketley Ho. *SE15* —3C **68**
   (off Sumner Est.)
Kett Gdns. *SW2* —3B **80**
Kettlebaston Rd. *E10* —3B **14**
Kettleby Ho. SW9 —1D **81**
   (off Barrington Rd.)
Kevan Ho. *SE5* —3E **67**
Key Clo. *E1* —3E **41**
Keyes Rd. *NW2* —2F **19**
Key Ho. *SE11* —2C **66**
Keymer Rd. *SW2* —2B **94**
Keynsham Gdns. *SE9* —3B **87**
Keynsham Rd. *SE9* —3F **87**
Keyse Rd. *SE1* —4B **54**
Keystone Cres. *N1* —1A **38**
Keyworth Clo. *E5* —1A **28**
Keyworth Pl. SE1 —4D **53**
   (off Keyworth St.)
Keyworth St. *SE1* —4D **53**
Kezia St. *SE8* —1A **70**
Khama Rd. *SW17* —4A **92**
Khartoum Rd. *E13* —2D **45**
Khartoum Rd. *SW17* —4F **91**
Khyber Rd. *SW11* —5A **64**
Kibworth St. *SW8* —3B **66**
Kidbrooke Est. *SE3* —1E **87**
Kidbrooke Gdns. *SE3* —5C **72**
Kidbrooke Gro. *SE3* —4C **72**
Kidbrooke La. *SE9* —2F **87**
Kidbrooke Pk. Clo. *SE3*
    —4D **73**
Kidbrooke Pk. Rd. *SE3* —1E **87**
Kidbrooke Way. *SE3* —5D **73**
Kidderpore Av. *NW3* —1C **20**
Kidderpore Gdns. *NW3*
    —1C **20**
Kidd Pl. *SE7* —1F **73**
Kidron Way. *E9* —5E **27**
Kierbeck Bus. Complex. E16
    —3D **59**
Kier Hardie Ct. *NW10* —4B **18**
Kiffen St. *EC2* —3F **39**
Kilburn Bri. *NW6* —5C **20**
Kilburn Ga. *NW6* —1D **35**
Kilburn High Rd. *NW6* —4B **20**
Kilburn La. *W10 & W9* —2F **33**
Kilburn Pk. Rd. *NW6* —2C **34**
Kilburn Pl. *NW6* —5C **20**
Kilburn Priory. *NW6* —5D **21**
Kilburn Sq. *NW6* —5C **20**
Kilburn Vale. *NW6* —5D **21**
Kilburn Vale Est. NW6 —5D **21**
   (off Kilburn Vale)
Kildare Gdns. *W2* —5C **34**
Kildare Rd. *E16* —4C **44**
Kildare Ter. *W2* —5C **34**
Kildare Wlk. *E14* —5C **42**
Kildoran Rd. *SW2* —3A **80**
Kilgour Rd. *SE23* —4A **84**
Kilkie St. *SW6* —5E **63**

Killarney Rd. *SW18* —4E **77**
Killearn Rd. *SE6* —1F **99**
Killick St. *N1* —1B **38**
Killieser Av. *SW2* —2A **94**
Killip Clo. *E16* —5B **44**
Killowen Rd. *E9* —3F **27**
Killyon Rd. *SW8* —5E **65**
Killyon Ter. *SW8* —5E **65**
Kilmaine Rd. *SW6* —3A **62**
Kilmarsh Rd. *W6* —5E **47**
Kilmeston Way. *SE15* —3B **68**
Kilmington Rd. *SW13* —2C **60**
Kilmorie Rd. *SE23* —1A **98**
Kilner Ho. *SE11* —2C **66**
   (off Clayton St.)
Kilner St. *E14* —4C **42**
Kiln M. *SW17* —5F **91**
Kiln Pl. *NW5* —1C **22**
Kilravock St. *W10* —2A **34**
Kimbell Gdns. *SW6* —4A **62**
Kimberley Av. *E6* —1F **45**
Kimberley Av. *SE15* —5D **69**
Kimberley Gdns. *N4* —1D **10**
Kimberley Rd. *E11* —4F **15**
Kimberley Rd. *E16* —3B **44**
Kimberley Rd. *NW6* —5A **20**
Kimberley Rd. *SW9* —5A **66**
Kimber Rd. *SW18* —5C **76**
Kimble Rd. *SW19* —5F **91**
Kimbolton Clo. *SE12* —4B **86**
Kimmeridge Rd. *SE9* —4F **101**
Kimpton Rd. *SE5* —4F **67**
Kinburn St. *SE16* —3F **55**
Kincaid Rd. *SE15* —3D **69**
Kincardine Gdns. *W9* —3C **34**
Kinder Ho. N1 —1F **39**
   (off Cranston Est.)
Kindersley Ho. E1 —5C **40**
   (off Pinchin St.)
Kinder St. *E1* —5D **41**
Kinfauns Rd. *SW2* —2C **94**
King Alfred Av. *SE6* —4C **98**
   (in two parts)
King and Queen St. *SE17*
    —1E **67**
King Arthur Clo. *SE15* —3B **69**
King Charles Ho. SW6 —3D **63**
   (off Wandon Rd.)
King Charles St. *SW1* —3F **51**
King Charles Wlk. *SW19*
    —1A **90**
King Ct. *E10* —2D **15**
King David La. *E1* —1E **55**
Kingdon Rd. *NW6* —3C **20**
King Edward Mans. SW6
   (off Fulham Rd.) —3C **62**
King Edward M. *SW13*
    —4C **60**
King Edward Rd. *E10* —3E **15**
King Edward's Rd. *E9* —5D **27**
King Edward St. *EC1* —5E **39**
King Edward III M. *SE16*
    —2D **55**
King Edward Wlk. *SE1* —4C **52**
Kingfield St. *E14* —5E **57**
Kingfisher Ct. *SW19* —2F **89**
Kingfisher M. *SE13* —2D **85**

Lewis St.—Linom Rd.

Lewis St. *NW1* —4D **23**
(in two parts)
Lexham Gdns. *W8* —5C **48**
Lexham Gdns. M. *W8*
—4D **49**
Lexham M. *W8* —5C **48**
Lexham Wlk. *W8* —4D **49**
Lexington Apartments. *EC1*
—3F **39**
Lexington St. *W1* —1E **51**
Lexton Gdns. *SW12* —1F **93**
Leybourne Ho. *SE15* —2E **69**
Leybourne Rd. *E11* —3B **16**
Leybourne Rd. *NW1* —4D **23**
Leybourne Rd. *NW1* —4D **23**
Leybridge Ct. *SE12* —3C **86**
Leyden Mans. *N19* —2A **10**
Leyden St. *E1* —4B **40**
Leygon Clo. *SE16* —2F **55**
Leyes Rd. *E16* —5E **45**
Leyland Rd. *SE12* —3C **86**
Leylang Rd. *SE14* —3F **69**
Leys Ct. *SW9* —5C **66**
Leysfield Rd. *W12* —4C **46**
Leyspring Rd. *E11* —3B **16**
Leyton Bus. Cen. *E10* —4C **14**
Leyton Ct. *SE23* —1E **97**
Leyton Grange Est. *E10*
—4C **14**
Leyton Grn. Rd. *E10* —1E **15**
Leyton Ind. Village. *E10*
—2F **13**
Leyton Pk. Rd. *E10* —5E **15**
Leyton Rd. *E15* —2E **29**
Leytonstone Rd. *E15* —1A **30**
Leyton Way. *E11* —2A **16**
Leywick St. *E15* —1A **44**
Liardet St. *SE14* —2A **70**
Liberia Rd. *N5* —3D **25**
Liberty M. *SW12* —4D **79**
Liberty St. *SW9* —4B **66**
Libra Rd. *E3* —5B **28**
Libra Rd. *E13* —1C **44**
Library Pl. *E1* —1D **55**
Library St. *SE1* —3D **53**
Lichfield M. *E3* —2A **42**
Lichfield Rd. *E3* —2A **42**
Lichfield Rd. *E6* —2F **45**
Lichfield Rd. *NW2* —1A **20**
Lickey Ho. NW14 —2B **62**
(off N. End Rd.)
Lidcote Gdns. *SW9* —5C **66**
Liddell Gdns. *NW10* —1E **33**
Liddell Rd. *NW6* —3C **20**
Liddington Rd. *E15* —5B **30**
Liddon Rd. *E13* —2D **45**
Liden Clo. *E17* —2B **14**
Lidfield Rd. *N16* —1F **25**
Lidgate Rd. *SE15* —3A **68**
Lidiard Rd. *SW18* —2E **91**
Lidlington Pl. *NW1* —1E **37**
Lidyard Rd. *N19* —3E **9**
Liffords Pl. *SW13* —5B **60**
Lifford St. *SW15* —2F **75**
Lighter Clo. *SE16* —5A **56**
Lightermans Rd. *E14* —3C **56**
Lightermans Wlk. *SW18*
—2C **76**

Light Horse Ct. SW3 —1C **64**
(off Royal Hospital Rd.)
Ligonier St. *E2* —3B **40**
Lilac Clo. *E13* —5E **31**
Lilac Ho. *SE4* —1C **84**
Lilac Pl. *SE11* —5B **52**
Lilac St. *W12* —1C **46**
Lilburne Gdns. *SE9* —3F **87**
Lilburne Rd. *SE9* —3F **87**
Lilestone St. *NW8* —3A **36**
Lilford Ho. *SE5* —5E **67**
Lilford Rd. *SE5* —5D **67**
Lilian Barker Clo. *SE12*
—3C **86**
Lilian Clo. *N16* —5A **12**
Lilley Clo. *E1* —2C **54**
Lillian Rd. *SW13* —2C **60**
Lillie Mans. SW6 —2A **62**
(off Lillie Rd.)
Lillie Rd. *SW6* —2F **61**
Lillieshall Rd. *SW4* —1D **79**
Lillie Yd. *SW6* —2C **62**
Lillington Gdns. Est. SW1
—5E **51**
(off Vauxhall Bri. Rd.)
Lilliput Ct. *SE12* —3D **87**
Lily Clo. *W14* —5F **47**
(in two parts)
Lily Pl. *EC1* —4C **38**
Lily Rd. *E17* —1C **14**
Lilyville Rd. *SW6* —4B **62**
Limberg Ho. *SE8* —5B **56**
Limburg Rd. *SW11* —2A **78**
Limeburner La. *EC4* —5D **39**
Lime Clo. *E1* —2C **54**
Lime Ct. E11 —4A **16**
(off Trinity Clo.)
Lime Ct. *E17* —1E **15**
Lime Gro. *W12* —3E **47**
Limeharbour. *E14* —4D **57**
Limeharbour Ct. *E14* —4D **57**
Limehouse Causeway. *E14*
—1B **56**
Limehouse Fields Est. E14
—4A **42**
Limehouse Link. *E14* —1B **56**
Lime Kiln Dri. *SE7* —2D **73**
Limerick Clo. *SW12* —5E **79**
Limerston St. *SW10* —2E **63**
Limes Av. *NW11* —2A **6**
Limes Av. *SW13* —5B **60**
Limes Field Rd. *SW14* —1A **74**
Limesford Rd. *SE15* —2F **83**
Limes Gdns. *SW18* —4C **76**
Limes Gro. *SE13* —2E **85**
Limes, The. *SW18* —4C **76**
Limes, The. W2 —1C **48**
(off Linden Gdns.)
Lime St. *EC3* —1A **54**
Lime St. Pas. *EC3* —5A **40**
Limes Wlk. *SE15* —2E **83**
Limetree Clo. *SW2* —1B **94**
Lime Tree Ter. *SE6* —1B **98**
Limetree Wlk. *SW17* —5C **92**
Lime Wlk. *E15* —5A **30**
Limpsfield Av. *SW19* —2F **89**
Linacre Rd. *NW2* —3D **19**
Linberry Wlk. *SE8* —5B **56**

Linchmere Rd. *SE12* —5B **86**
Lincoln Av. *SW19* —3F **89**
Lincoln Ct. *N16* —2F **11**
Lincoln Ho. SW3 —3B **50**
(off Basil St.)
Lincoln Ho. *SW9 & SE5*
—3C **66**
Lincoln M. *NW6* —5B **20**
Lincoln M. *SE21* —2F **95**
Lincoln Rd. *E7* —3F **31**
Lincoln Rd. *E13* —3D **45**
Lincoln's Inn Fields. *WC2*
—5B **38**
Lincoln St. *E11* —4A **16**
Lincoln St. *SW3* —5B **50**
Lincombe Rd. *Brom* —3B **100**
Lindal Rd. *SE4* —3B **84**
Linden Av. *NW10* —1F **33**
Linden Ct. *W12* —2E **47**
Linden Gdns. *W2* —1C **48**
Linden Gdns. *W4* —1A **60**
Linden Gro. *SE15* —1D **83**
Linden Gro. *SE26* —5E **97**
Linden Ho. *SE15* —1D **83**
Linden Lea. *N2* —1E **7**
Linden M. *N1* —2F **25**
Linden M. *W2* —1C **48**
Linden Wlk. *N19* —4E **9**
Lindfield Gdns. *NW3* —2D **21**
Lindfield St. *E14* —5C **42**
Lindisfarne Way. *E9* —1A **28**
Lindley Est. *SE15* —3C **68**
Lindley Rd. *E10* —4E **15**
Lindley St. *E1* —4E **41**
Lindore Rd. *SW11* —2B **78**
Lindo St. *SE15* —5E **69**
Lindrop St. *SW6* —5E **63**
Lindsay Sq. *SW1* —1F **65**
Lindsell St. *SE10* —4E **71**
Lindsey M. *N1* —4E **25**
Lindsey St. *EC1* —4D **39**
Lind St. *SE8* —5C **70**
Lindway. *SE27* —5D **95**
Linford St. *SW8* —4E **65**
Lingards Rd. *SE13* —2E **85**
Lingfield Rd. *SW19* —5F **89**
Lingham St. *SW9* —5A **66**
Ling Rd. *E16* —4C **44**
Lings Coppice. *SE21* —2F **95**
Lingwell Rd. *SW17* —3A **92**
Lingwood Rd. *E5* —2C **12**
Linhope St. *NW1* —3B **36**
Linkenholt Mans. W6 —5B **46**
(off Stamford Brook Av.)
Link Rd. *E1* —1C **54**
Links Rd. *NW2* —4C **4**
Link St. *E9* —3E **27**
Linksview. N2 —1B **8**
(off Gt. North Rd.)
Links Yd. E1 —4C **40**
(off Spelman St.)
Linkway. *N4* —2E **11**
Linkwood Wlk. *NW1* —4F **23**
Linnell Clo. *NW11* —1D **7**
Linnell Dri. *NW11* —1D **7**
Linnell Rd. *SE5* —5A **68**
Linnet M. *SW12* —5C **78**
Linom Rd. *SW4* —2A **80**

Linscott Rd.—Lombard Wall

Linscott Rd. *E5* —1E **27**
Linsey Ct. *E10* —3C **14**
(off Grange Rd.)
Linsey St. *SE16* —5C **54**
(in two parts)
Linslade Ho. *E2* —5C **26**
Linstead St. *NW6* —4C **20**
Linstead Way. *SE18* —5A **76**
Lintaine Clo. *W6* —2A **62**
Linthorpe Rd. *N16* —2A **12**
Linton Gdns. *E6* —5F **45**
Linton Gro. *SE27* —5D **95**
Linton St. *N1* —5E **25**
Linver Rd. *SW6* —5C **62**
Linwood Clo. *SE5* —5B **68**
Linwood Way. *SE15* —3B **68**
Lion Clo. *SE4* —4C **84**
Lion Ct. *SE1* —2A **54**
(off Magdalen St.)
Lionel Gdns. *SE9* —3F **87**
Lionel M. *W10* —4A **34**
Lionel Rd. *SE9* —3F **87**
Lion Mills. *E2* —1C **40**
Lions Clo. *SE9* —3F **101**
Lion Yd. *SW4* —2E **79**
Liphook Cres. *SE23* —5E **83**
Lipton Rd. *E1* —5F **41**
Lisburne Rd. *NW3* —1B **22**
Lisford St. *SE15* —4B **68**
Lisgar Ter. *W14* —5B **48**
Liskeard Gdns. *SE3* —4C **72**
Liskeard Ho. *SE11* —1C **66**
(off Kennings Way)
Lisle Ct. *NW2* —5A **6**
Lisle St. *WC2* —1F **51**
Lismore. *SW19* —5B **90**
(off Woodside)
Lismore Cir. *NW5* —2C **22**
Lismore Ho. *SE15* —1D **83**
Lismore Wlk. *N1* —4E **25**
(off Clephane Rd.)
Lissenden Gdns. *NW5* —1C **22**
Lissenden Mans. *NW5* —1C **22**
Lisson Gro. *NW8 & NW1*
—3F **35**
Lisson St. *NW1* —4A **36**
Liss Way. *SE15* —3B **68**
Lister Clo. *W3* —4A **32**
Listergate Ct. *SW15* —2E **75**
Lister M. *N7* —1B **24**
Lister Rd. *E11* —3A **16**
Lister St. *E13* —2C **44**
Liston Rd. *SW4* —1E **79**
Listowel Clo. *SW9* —3C **66**
Listria Pk. *N16* —4A **12**
Litchfield Av. *E15* —3A **30**
Litchfield Ct. *E17* —1C **14**
Litchfield Gdns. *NW10* —3C **18**
Litchfield St. *WC2* —1F **51**
Litchfield Way. *NW11* —1E **7**
Lithos Rd. *NW3* —3D **21**
Lit. Albany St. *NW1* —2D **37**
(in two parts)
Lit. Argyll St. *W1* —5E **37**
Lit. Boltons, The. *SW5 & SW10*
—1D **63**
Lit. Bornes. *SE21* —4A **96**
Littlebourne. *SE13* —5A **86**

Lit. Britain. *EC1* —4D **39**
Lit. Brownings. *SE23* —2D **97**
Littlebury Rd. *SW4* —1F **79**
Lit. Chester St. *SW1* —4D **51**
Lit. Cloisters. *SW1* —4A **52**
(off Old Palace Yd.)
Lit. College La. *EC4* —1F **53**
(off College St.)
Lit. College St. *SW1* —4A **52**
Littlecombe. *SE7* —2D **73**
Littlecombe Clo. *SW15* —4F **75**
Littlecote Clo. *SW19* —5A **76**
Lit. Dean's Yd. *SW1* —4A **52**
(off Dean's Yd.)
Lit. Dimocks. *SW12* —2D **93**
Lit. Dorrit Ct. *SE1* —3E **53**
Lit. Edward St. *NW1* —2D **37**
Lit. Essex St. *WC2* —1C **52**
(off Essex St.)
Littlefield Clo. *N19* —1E **23**
Lit. George St. *SW1* —3A **52**
Lit. Green St. *NW5* —1D **23**
Lit. Heath. *SE7* —2F **73**
Lit. Holt. *E11* —1C **16**
Lit. Marlborough St. *W1*
—5E **37**
Lit. Newport St. *WC2* —1F **51**
Lit. New St. *EC4* —5C **38**
Lit. Portland St. *W1* —5E **37**
Lit. Russell St. *WC1* —4A **38**
Lit. St. James's St. *SW1*
—2E **51**
Lit. Sanctuary. *SW1* —3F **51**
Lit. Smith St. *SW1* —4F **51**
Lit. Somerset St. *E1* —5B **40**
Lit. Titchfield St. *W1* —4E **37**
Littleton St. *SW18* —2E **91**
Lit. Trinity La. *EC4* —1E **53**
Lit. Turnstile. *WC1* —4B **38**
Lit. Venice. *W2* —4E **35**
Littlewood. *SE13* —4E **85**
Livermere Rd. *E8* —5B **26**
Liverpool Gro. *SE17* —1E **67**
Liverpool Rd. *E10* —1E **15**
Liverpool Rd. *E16* —4A **44**
Liverpool Rd. *N7 & N1* —2C **24**
Liverpool St. *EC2* —4A **40**
Livesey Pl. *SE15* —2C **68**
Livingstone College Towers.
E10 —1E **15**
Livingstone Ct. *E10* —1E **15**
Livingstone Ho. *SE5* —3E **67**
(off Wyndam Rd.)
Livingstone Mans. *W14*
—2A **62**
(off Queen's Club Gdns.)
Livingstone Pl. *E14* —1E **71**
Livingstone Rd. *E15* —5E **29**
Livingstone Rd. *E17* —1D **15**
Livingstone Rd. *SW11* —1F **77**
Livonia St. *W1* —5E **37**
Lizard St. *EC1* —2E **39**
Lizban St. *SE3* —3D **73**
Llanelly Rd. *NW2* —4B **6**
Llanvanor Rd. *NW2* —4B **6**
Llewellyn St. *SE16* —3C **54**
Lloyd Baker M. *WC1* —2B **38**
(off Lloyd Baker St.)

Lloyd Baker St. *WC1* —2C **38**
Lloyd's Av. *EC3* —5A **40**
Lloyd's Pl. *SE3* —5A **72**
Lloyd Sq. *WC1* —2C **38**
Lloyd's Row. *EC1* —2C **38**
Lloyd St. *WC1* —2C **38**
Lloyds Wharf. *SE1* —3B **54**
(off Mill St.)
Loampit Hill. *SE13* —5C **70**
Loampit Vale. *SE13* —1E **85**
Loampit Vale. (Junct.) —1E **85**
Loanda Clo. *E8* —5B **26**
Loats Rd. *SW2* —4A **80**
Lobelia Clo. *E6* —4F **45**
Lochaber Rd. *SE13* —2A **86**
Lochaline St. *W6* —2E **61**
Lochinvar St. *SW12* —5D **79**
Lochnagar St. *E14* —4E **43**
Lock Chase. *SE3* —1A **86**
Lockesfield Pl. *E14* —1D **71**
Lockgate Clo. *E9* —2B **28**
Lockhart Clo. *N7* —3B **24**
Lockhart St. *E3* —3B **42**
Lockhurst St. *E5* —1F **27**
Lockington Rd. *SW8* —4D **65**
Lockmead Rd. *N15* —1C **12**
Lockmead Rd. *SE13* —1E **85**
Locksfields. *SE17* —5F **53**
(off Catesby St.)
Lockside. *E14* —1A **56**
(off Narrow St.)
Locksley Est. *E14* —5B **42**
Locksley St. *E14* —4B **42**
Lockwood Clo. *SE26* —4F **97**
Lockwood Ho. *SE11* —2C **66**
Lockwood Sq. *SE16* —4D **55**
Lockyer Est. *SE1* —3F **53**
(off Kipling Est.)
Lockyer St. *SE1* —3F **53**
Locton Grn. *E3* —5B **28**
Loddiges Rd. *E9* —4E **27**
Loder St. *SE15* —3E **69**
Lodge Av. *SW14* —1A **74**
Lodge Rd. *NW8* —2F **35**
Lodore Gdns. *NW9* —1A **4**
Lodore St. *E14* —5E **43**
Loftie St. *SE16* —3C **54**
Lofting Rd. *N1* —4B **24**
Loftus Rd. *W12* —2D **47**
Logan M. *W8* —5C **48**
Logan Pl. *W8* —5C **48**
Loggetts. *SE21* —3A **96**
Lohmann Ho. *SE11* —2C **66**
(off Kennington Oval)
Lolesworth Clo. *E1* —4B **40**
Lollard St. *SE11* —5B **52**
(in two parts)
Loman St. *SE1* —3D **53**
Lomas Clo. *E8* —4B **26**
Lomas St. *E1* —4C **40**
Lombard Bus. Cen., The. *SW11*
—5F **63**
Lombard Ct. *EC3* —1F **53**
Lombard La. *EC4* —5C **38**
Lombard Rd. *SW11* —5F **63**
Lombard St. *EC3* —5F **39**
Lombard Wall. *SE7* —4D **59**
(in two parts)

Mini London 183

Macarthur Clo.—Malvern Ct.

Macarthur Clo. *E7* —3C **30**
Macarthur Ter. *SE7* —2F **73**
Macaulay Ct. *SW4* —1D **79**
Macaulay Rd. *E6* —1F **45**
Macaulay Rd. *SW4* —1D **79**
Macaulay Sq. *SW4* —2D **79**
McAuley Clo. *SE1* —4C **52**
McAuley M. *SE13* —4E **71**
Macbeth Ho. *N1* —1A **40**
Macbeth St. *W6* —1D **61**
McCall Clo. *SW4* —5A **66**
McCall Cres. *SE7* —1F **73**
McCall Ho. *N7* —1A **24**
Macclesfield Rd. EC1 —3E **39**
(off Central St.)
Macclesfield Rd. *EC1* —2E **39**
Macclesfield St. *W1* —1F **51**
McCoid Way. *SE1* —3E **53**
McConnell M. *NW1* —2F **37**
McCrone M. *NW3* —3F **21**
McCullum Rd. *E3* —5B **28**
McDermott Clo. *SW11* —1A **78**
McDermott Rd. *SE15* —1C **82**
Macdonald Rd. *E7* —1C **30**
Macdonald Rd. *N19* —4E **9**
McDowall Clo. *E16* —4B **44**
McDowall Rd. *SE5* —4E **67**
Macduff Rd. *SW11* —4C **64**
Mace Clo. *E1* —2D **55**
Mace Gateway. *E16* —1C **58**
Mace St. *E2* —1F **41**
Mace St. *SE1* —3B **54**
McEwen Way. *E15* —5F **29**
Macfarlane Rd. *W12* —2E **47**
Macfarren Pl. *NW1* —3C **36**
McGarvey Clo. *NW8* —2E **35**
McGlashon Ho. E1 —3C **40**
(off Hunton St.)
McGrath Rd. *E15* —2B **30**
McGregor Ct. N1 —2A **40**
(off Hoxton St.)
MacGregor Rd. *E16* —4E **45**
McGregor Rd. *W11* —4B **34**
Machell Rd. *SE15* —1E **83**
Mackay Ho. W12 —1D **47**
(off White City Est.)
Mackay Rd. *SW4* —1D **79**
McKay Trad. Est. *W10* —3A **34**
Mackennal St. *NW8* —1A **36**
Mackenzie Clo. *W12* —1D **47**
Mackenzie Ho. *NW2* —5C **4**
Mackenzie Rd. *N7* —3B **24**
Mackenzie Wlk. *E14* —2C **56**
McKerrell Rd. *SE15* —4C **68**
Mackeson Rd. *NW3* —1B **22**
Mackie Rd. *SW2* —5C **80**
Mackintosh La. *E9* —2F **27**
Macklin St. *WC2* —5A **38**
Mackrow Wlk. *E14* —1E **57**
Mack's Rd. *SE16* —5C **54**
Mackworth Ho. *NW1* —2E **37**
Maclaren M. *SW15* —2E **75**
Maclean Rd. *SE23* —4A **84**
McLeod's M. *SW7* —5D **49**
Macleod St. *SE17* —1E **67**
Maclise Rd. *W14* —4A **48**
McMillan Ho. SE14 —1A **84**
(off Arica Rd.)

McMillan St. *SE8* —2C **70**
McNeil Rd. *SE5* —5A **68**
Maconochies Rd. *E14* —1D **71**
Macquarie Way. *E14* —5D **57**
Macready Pl. *N7* —1A **24**
Macroom Rd. *W9* —2B **34**
Maddams St. *E3* —3D **43**
Maddock Way. *SE17* —2D **67**
Maddox St. *W1* —1D **51**
Madeira Rd. *E11* —4F **15**
Madeira Rd. *SW16* —5A **94**
Madinah Rd. *E8* —3C **26**
Madras Pl. *N7* —3C **24**
Madrid Rd. *SW13* —4C **60**
Madrigal La. *SE5* —3D **67**
Madron St. *SE17* —1A **68**
Mafeking Av. *E6* —1F **45**
Mafeking Rd. *E16* —3B **44**
Magdala Av. *N19* —4E **9**
Magdalene Clo. *SE15* —5D **69**
Magdalen Pas. *E1* —1B **54**
Magdalen Rd. *SW18* —1E **91**
Magdalen St. *SE1* —2A **54**
Magee St. *SE11* —2C **66**
Magnin Clo. *E8* —5C **26**
Magnolia Clo. *E10* —4C **14**
Magnolia Gdns. E10 —4D **15**
(off Walnut Rd.)
Magnolia Ho. *SE8* —2B **70**
Magnolia Pl. *SW4* —3A **80**
Magpie All. *EC4* —5C **38**
Magpie Clo. *E7* —2C **30**
Magri Wlk. *E1* —4E **41**
Maguire St. *SE1* —3B **54**
Mahatma Gandhi Ind. Est. *SE24*
—2D **81**
Mahogany Clo. *SE16* —2A **56**
Maida Av. *W2* —4E **35**
Maida Vale. *W9* —1D **35**
Maiden La. *NW1* —4E **23**
Maiden La. *SE1* —2E **53**
Maiden La. *WC2* —1A **52**
Maiden Pl. *NW5* —5D **9**
Maiden Rd. *E15* —4A **30**
Maidenstone Hill. *SE10*
—4E **71**
Maidstone Bldgs. *SE1* —2E **53**
Mail Coach Yd. *E2* —2A **40**
Mais Ho. *SE26* —2D **97**
Maismore St. *SE15* —2C **68**
Maitland Clo. *SE10* —3E **71**
Maitland Rd. W2 —1F **49**
(off Lancaster Ter.)
Maitland Pk. Est. *NW3* —3B **22**
Maitland Pk. Rd. *NW3* —3B **22**
Maitland Pk. Vs. *NW3* —3B **22**
Maitland Pl. *E5* —1D **27**
Maitland Rd. *E15* —3B **30**
Maitland Rd. *SE26* —5F **97**
Major Rd. *E15* —2F **29**
Major Rd. *SE16* —4C **54**
Makepeace Av. *N6* —4C **8**
Makepeace Mans. *N6* —4C **8**
Makins St. *SW3* —5A **50**
Malabar St. W12 —1D **47**
(off India Way)
Malabar St. *E14* —3C **56**
Malam Ct. *SE11* —5C **52**

Malam Gdns. *E14* —1D **57**
Malbrook Rd. *SW15* —2D **75**
Malcolm Ct. *E7* —3B **30**
Malcolm Ho. *NW4* —1C **4**
Malcolm Cres. *NW4* —1C **4**
Malcolm Ho. N1 —1A **40**
(off Arden Est.)
Malcolm Pl. *E2* —3E **41**
Malcolm Rd. *E1* —3E **41**
Malden Ct. *N4* —1E **11**
Malden Cres. *NW1* —3C **22**
Malden La. *NW1* —4F **23**
Malden Pl. *NW5* —2C **22**
Malden Rd. *NW5* —2B **22**
Maldon Clo. *E15* —2A **30**
Maldon Clo. *N1* —5E **25**
Maldon Clo. *SE5* —1A **82**
Malet Pl. *WC1* —3F **37**
Malet St. *WC1* —3F **37**
Maley Av. *SE27* —2D **95**
Malfort Rd. *SE5* —1A **82**
Malham Rd. *SE23* —1F **97**
Malibu Ct. *SE26* —3D **97**
Mallams M. *SW9* —1D **81**
Mallard Clo. *E9* —3B **28**
Mallard Clo. *NW6* —5C **20**
Mallards. E11 —2C **16**
(off Blake Hall Rd.)
Mall Chambers. *W8* —2C **48**
(off Kensington Mall)
Mallet Rd. *SE13* —4F **85**
Mall Gallery. WC2 —5A **38**
(off Shorts Gdns.)
Mallinson Rd. *SW11* —3A **78**
Mallon Gdns. *E1* —5B **40**
Mallord St. *SW3* —2F **63**
Mallory Clo. *SE4* —2A **84**
Mallory St. *NW8* —3A **36**
Mallow St. *EC1* —3F **39**
Mall Rd. *W6* —1D **61**
Mall, The. *E15* —4F **29**
Mall, The. *SW1* —2F **51**
Malmesbury Rd. *E3* —2B **42**
Malmesbury Rd. *E16* —4A **44**
Malmesbury Ter. *E16* —4B **44**
Malmsey Ho. *SE11* —1B **66**
Malmsmead Ho. E9 —2A **28**
(off Homerton Rd.)
Malpas Rd. *E8* —2D **27**
Malpas Rd. *SE4* —5B **70**
Malta Rd. *E10* —3C **14**
Malta St. *EC1* —3D **39**
Maltby St. *SE1* —3B **54**
Malthouse Dri. *W4* —2A **60**
Malthouse Pas. SW13 —5B **60**
(off Maltings Clo.)
Maltings Clo. *SW13* —5B **60**
Maltings Lodge. W4 —2A **60**
(off Corney Reach Way)
Maltings Pl. *SW6* —4D **63**
Malton M. *W10* —5A **34**
Malton Rd. *W10* —5A **34**
Maltravers St. *WC2* —1B **52**
Malt St. *SE1* —2C **68**
Malva Clo. *SW18* —3D **77**
Malvern Clo. *W10* —4B **34**
Malvern Ct. W12 —3C **46**
(off Hadyn Pk. Rd.)

186 Mini London

Margaret Ingram Clo.—Mary Lawrenson Pl.

Margaret Ingram Clo. *SW6*
—3B **62**
Margaret Rd. *N16* —3B **12**
Margaret St. *W1* —5D **37**
Margaretta Ter. *SW3* —2A **64**
Margaretting Rd. *E12* —3E **17**
Margaret Way. *Ilf* —1F **17**
Margate Rd. *SW2* —3A **80**
Margery Fry Ct. *N7* —5A **10**
Margery Pk. Rd. *E7* —3C **30**
Margery St. *WC1* —2C **38**
Margin Dri. *SW19* —5F **89**
Margravine Gdns. *W6* —1F **61**
Margravine Rd. *W6* —1F **61**
Marham Gdns. *SW18* —1A **92**
Maria Clo. *SE1* —5D **55**
Marian Ct. *E9* —3E **27**
Marian Pl. *E2* —1D **41**
Marian St. *E2* —1D **41**
Marian Way. *NW10* —4B **18**
Maria Ter. *E1* —3E **41**
Marie Lloyd Gdns. *N19*
—2A **10**
Marie Lloyd Wlk. *E8* —3B **26**
Marigold All. *SE1* —1D **53**
(off Up. Ground)
Marigold St. *SE16* —3D **55**
Marinefield Rd. *SW6* —5D **63**
Marinel Ho. *SE5* —3E **67**
Mariners M. *E14* —5F **57**
Marine St. *SE16* —4C **54**
Marion Sq. *E2* —1D **41**
Marischal Rd. *SE13* —1F **85**
Maritime Ind. Est. *SE7* —5D **58**
Maritime St. *E3* —3B **42**
Marius Pas. *SW17* —2C **92**
Marius Rd. *SW17* —2C **92**
Marjorie Gro. *SW11* —2B **78**
Marjorie M. *E1* —5F **41**
*Market Ct. W1 —5E **37***
(off Market Pl.)
Market Entrance. *SW8* —3E **65**
Market Est. *N7* —3A **24**
Market M. *W1* —2D **51**
Market Pde. *E10* —1E **15**
Market Pavilion. *E10* —5C **14**
Market Pl. *SE16* —5C **54**
(in two parts)
Market Pl. *W1* —5E **37**
Market Rd. *N7* —3A **24**
Market Row. *SW9* —2C **80**
Market Sq. *E14* —5D **43**
Market Way. *E14* —5D **43**
Markham St. *SW3* —1B **64**
Markham Sq. *SW3* —1B **64**
Markham St. *SW3* —1A **64**
Markhouse Av. *E17* —1A **14**
*Markhouse Pas. E17 —1B **14***
(off Markhouse Rd.)
Markhouse Rd. *E17* —1B **14**
Mark La. *EC3* —1A **54**
Markmanor Av. *E17* —2A **14**
Mark Sq. *EC2* —3A **40**
Mark St. *E15* —4A **30**
Mark St. *EC2* —3A **40**
Markwell Clo. *SE26* —4D **97**
Marlborough Av. *E8* —5C **26**
(in two parts)

Marlborough Clo. *SE17*
—5E **53**
*Marlborough Ct. W1 —1E **51***
(off Kingly St.)
*Marlborough Ct. W8 —5C **48***
(off Pembroke Rd.)
Marlborough Cres. *W4* —4A **46**
Marlborough Flats. SW3
—5A **50**
(off Walton St.)
Marlborough Ga. Stables. W2
—1F **49**
(off Elms M.)
Marlborough Gro. *SE1* —1C **68**
Marlborough Hill. *NW8* —5F **21**
Marlborough La. *SE7* —3E **73**
Marlborough Mans. *NW6*
—2C **20**
Marlborough Pl. *NW8* —1E **35**
Marlborough Rd. *E7* —4E **31**
Marlborough Rd. *E15* —1A **30**
Marlborough Rd. *N19* —4F **9**
Marlborough Rd. *SW1* —2E **51**
Marlborough St. *SW3* —5A **50**
Marlborough Yd. *N19* —4F **9**
Marler Rd. *SE23* —1A **98**
Marley Wlk. *NW2* —2E **19**
Marloes Rd. *W8* —4D **49**
Marlowes, The. *NW8* —5F **21**
Marlow Way. *SE16* —3F **55**
Marl Rd. *SW18* —2E **77**
Marlton St. *SE10* —1B **72**
Marmion M. *SW11* —1C **78**
Marmion Rd. *SW11* —2C **78**
Marmont Rd. *SE15* —4C **68**
Marmora Rd. *SE22* —4E **83**
*Marne Ho. SE15 —3C **68***
(off Sumner Est.)
Marne St. *W10* —2A **34**
Marney Rd. *SW11* —2C **78**
Marnfield Cres. *SW2* —1B **94**
Marnham Av. *NW2* —1A **20**
Marnock Rd. *SE4* —3B **84**
Maroon St. *E14* —4A **42**
Maroons Way. *SE6* —5C **98**
Marquess Rd. *N1* —3F **25**
Marquess Rd. N. *N1* —3F **25**
Marquess S. *N1* —3E **25**
*Marquis Ct. N4 —2C **10***
(off Marquis Rd.)
Marquis Rd. *N4* —3B **10**
Marquis Rd. *NW1* —3F **23**
Marrick Clo. *SW15* —2C **74**
Marriett Ho. *SE6* —4E **99**
Marriott Rd. *E15* —5A **30**
Marriott Rd. *N4* —3B **10**
Marriotts Clo. *NW9* —1B **4**
Marryat Pl. *SW19* —4A **90**
Marryat Rd. *SW19* —5F **89**
Marryat Sq. *SW6* —4A **62**
Marsala Rd. *SE13* —2D **85**
Marsden Rd. *SE15* —1B **82**
Marsden St. *NW5* —3C **22**
Marshall Clo. *SW18* —4E **77**
*Marshall Ho. N1 —1F **39***
(off Cranston Est.)
*Marshall Ho. SE1 —4A **54***
(off Page's Wlk.)
Marshall's Pl. *SE16* —4B **54**
Marshall St. *W1* —5E **37**

Marshalsea Rd. *SE1* —3E **53**
Marsham Ct. *SW1* —5F **51**
Marsham St. *SW1* —4F **51**
Marshbrook Clo. *SE3* —1F **87**
Marsh Ct. *E8* —4C **26**
Marsh Dri. *NW9* —1B **4**
Marshfield St. *E14* —4E **57**
Marsh Ga. Bus. Cen. *E15*
—1E **43**
Marshgate La. *E15* —4D **29**
Marshgate Trad. Est. *E15*
—4D **29**
Marsh Hill. *E9* —2A **28**
Marsh La. *E10* —4C **14**
Marsh St. *E14* —5D **57**
Marsh Wall. *E14* —2C **56**
Marsland Clo. *SE17* —1D **67**
*Marsom Ho. N1 —2F **39***
(off Provost Est.)
Marston Clo. *NW6* —4E **21**
Marston Ho. *SW9* —5C **66**
Martaban Rd. *N16* —4B **12**
Martello St. *E8* —4D **27**
Martello Ter. *E8* —4D **27**
Martell Rd. *SE21* —3F **95**
Martel Pl. *E8* —3B **26**
Martha Ct. *E2* —1D **41**
Martha Rd. *E15* —3A **30**
Martha St. *E1* —5E **41**
Martindale Av. *E16* —1C **58**
Martindale Rd. *SW12* —5D **79**
Martineau Est. *E1* —5E **41**
Martineau M. *N5* —1D **25**
Martineau Rd. *N5* —1D **25**
*Martin Ho. SE1 —4E **53***
*Martin Ho. SW8 —3A **66***
(off Wyvil Rd.)
Martin La. *EC4* —1F **53**
Bartlett Ct. *WC2* —5A **38**
Marton Clo. *SE6* —3C **98**
Marton Rd. *N16* —4A **12**
Mart St. *WC2* —1A **52**
Martys Yd. *NW3* —1F **21**
*Marvell Ho. SE5 —3F **67***
(off Camberwell Rd.)
Marvels Clo. *SE12* —2D **101**
Marvels La. *SE12* —2D **101**
Marville Rd. *SW6* —3B **62**
Marvin St. *E8* —3D **27**
Mary Adelaide Clo. *SW15*
—4A **88**
Mary Ann Gdns. *SE8* —2C **70**
Mary Datchelor Clo. *SE5*
—4F **67**
Mary Grn. *NW8* —5D **21**
*Maryland Ho. E15 —3A **30***
(off Manbey Pk. Rd.)
*Maryland Ind. Est. E15 —2A **30***
(off Maryland Rd.)
Maryland Pk. *E15* —2A **30**
Maryland Rd. *E15* —2F **29**
Maryland Sq. *E15* —2A **30**
Marylands Rd. *W9* —3C **34**
Maryland St. *E15* —2F **29**
*Maryland Wlk. N1 —5E **25***
(off Popham St.)
Mary Lawrenson Pl. *SE3*
—3C **72**

Marylebone Fly-Over—Medhurst Clo.

Median Rd.—Michael Stewart Ho.

Median Rd. *E5* —2E **27**
Medina Gro. *N7* —5C **10**
Medina Rd. *N7* —5C **10**
Medlar St. *SE5* —4E **67**
Medley Rd. *NW6* —3C **20**
Medora Rd. *SW2* —5B **80**
Medusa Rd. *SE6* —4D **85**
Medway M. *E3* —1A **42**
Medway Rd. *E3* —1A **42**
Medway St. *SW1* —4F **51**
Medwin St. *SW4* —2B **80**
Meek Clo. *E8* —5D **27**
Meek Rd. *SW10* —3E **63**
  (off Tadema Rd.)
Meerbrook Rd. *SE3* —1E **87**
Meeson Rd. *E15* —5B **30**
Meeson St. *E5* —1A **28**
Meeting Field Path. *E9* —3E **27**
Meetinghouse All. *E1* —2D **55**
Meeting Ho. La. *SE15* —4D **69**
Mehetabel Rd. *E9* —3E **27**
Melba Way. *SE13* —4D **71**
Melbourne Gro. *SE22* —2A **82**
Melbourne M. *SE6* —5E **85**
Melbourne M. *SW9* —4C **66**
Melbourne Pl. *WC2* —5B **38**
Melbourne Rd. *E10* —2D **15**
Melbourne Sq. *SW9* —4C **66**
Melbury Ct. *W8* —4B **48**
Melbury Dri. *SE5* —3A **68**
Melbury Rd. *W14* —4B **48**
  (off Richborne Ter.)
Melbury Ter. *NW1* —3A **36**
Melchester Ho. *N19* —5F **9**
  (off Wedmore St.)
Melcombe Ho. *SW8* —3B **66**
  (off Dorset Rd.)
Melcombe Pl. *NW1* —4B **36**
Melcombe St. *NW1* —3B **36**
Meldon Clo. *SW6* —4D **63**
Melfield Gdns. *SE6* —4E **99**
Melford Ct. *SE1* —4B **54**
  (off Fendall St.)
Melford Ct. *SE22* —1C **96**
Melford Pas. *SE22* —5C **82**
Melford Rd. *E11* —4A **16**
Melford Rd. *SE22* —5C **82**
Melgund Rd. *N5* —2C **24**
Melina Ct. *SW15* —1C **74**
Melina Pl. *NW8* —2F **35**
Melina Rd. *W12* —3D **47**
Melior Ct. *N6* —1E **9**
Melior Pl. *SE1* —3A **54**
Melior St. *SE1* —3A **54**
Meliot Rd. *SE6* —2F **99**
Mellish Flats. *E10* —2C **14**
Mellish Ind. Est. *SE18* —4F **59**
Mellish St. *E14* —4C **56**
Mellison Rd. *SW17* —5A **92**
Mellitus St. *W12* —4B **32**
Mell St. *SE10* —1A **72**
Melody La. *N5* —2D **25**
Melody Rd. *SW18* —3E **77**
Melon Pl. *W8* —3C **48**
Melon Rd. *E11* —5A **16**
Melon Rd. *SE15* —4C **68**
Melrose Av. *NW2* —2D **19**

Melrose Av. *SW19* —2B **90**
Melrose Clo. *SE12* —1C **100**
Melrose Gdns. *W6* —4E **47**
Melrose Rd. *SW13* —5B **60**
Melrose Rd. *SW18* —4B **76**
Melrose Ter. *W6* —4E **47**
Melthorpe Gdns. *SE3* —4F **73**
Melton Ct. *SW7* —5F **49**
Melton St. *NW1* —2E **37**
Melville Ct. *SE8* —5A **56**
Melville Ct. *W12* —3D **47**
  (off Goldhawk Rd.)
Melville Ho. *SE10* —4E **71**
Melville Pl. *N1* —4E **25**
Melville Rd. *SW13* —4C **60**
Melyn Clo. *N7* —1E **23**
Memel Ct. *EC1* —3E **39**
  (off Memel St.)
Memel St. *EC1* —3E **39**
Memorial Av. *E15* —2A **44**
Mendip Clo. *SE26* —4E **97**
Mendip Clo. *SW19* —2A **90**
Mendip Ct. *SW11* —1E **77**
Mendip Dri. *NW2* —4A **6**
Mendip Houses. *E2* —2E **41**
  (off Welwyn St.)
Mendip Rd. *SW11* —1E **77**
Mendora Rd. *SW6* —3A **62**
Menelik Rd. *NW2* —1A **20**
Menotti St. *E2* —3C **40**
Mentmore Ter. *E8* —4D **27**
Mepham St. *SE1* —2C **52**
Merbury Clo. *SE13* —3F **85**
Mercator Rd. *SE13* —2F **85**
Merceron Houses. *E2* —2E **41**
  (off Globe Rd.)
Merceron St. *E1* —3D **41**
Mercers Clo. *SE10* —5B **58**
Mercers Pl. *W6* —5E **47**
Mercers Rd. *N19* —5F **9**
Mercer St. *WC2* —5A **38**
Merchant St. *E3* —2B **42**
Merchiston Rd. *SE6* —2F **99**
Mercia Gro. *SE13* —2E **85**
Mercia Ho. *SE5* —5E **67**
Mercier Rd. *SW15* —3A **76**
Mercury Way. *SE14* —2F **69**
Mercy Ter. *SE13* —3D **85**
Mere Clo. *SW15* —5F **75**
Meredith Av. *NW2* —2E **19**
Meredith Ho. *N16* —2A **26**
Meredith M. *SE4* —2B **84**
Meredith St. *E13* —2C **44**
Meredith St. *EC1* —2D **39**
Meredyth Rd. *SW13* —5C **60**
Meretone Clo. *SE4* —2A **84**
Mereworth Ho. *SE15* —2E **69**
Merganser Ct. *SE8* —2B **70**
  (off Edward St.)
Meriden Ct. *SW3* —1A **64**
  (off Chelsea Mnr. St.)
Meridian Ga. *E14* —3E **57**
Meridian Rd. *SE7* —3F **73**
Meridian Trad. Est. *SE7*
  —5D **59**
Merifield Rd. *SE9* —2E **87**
Merivale Rd. *SW15* —2A **76**
Merlin St. *SE8* —2B **70**

Merlin Gdns. *Brom* —3C **100**
Merlin Rd. *E12* —4F **17**
Merlin St. *WC1* —2C **38**
Mermaid Ct. *SE1* —3F **53**
Mermaid Ct. *SE16* —2B **56**
Mermaid Tower. *SE8* —2B **70**
  (off Abinger Gro.)
Meroe Ct. *N16* —4A **12**
Merredene St. *SW2* —4B **80**
Merrick Ho. *SE8* —5B **56**
Merrick Sq. *SE1* —4F **53**
Merriman Rd. *SE3* —4E **73**
Merrington Rd. *SW6* —2C **62**
Merritt Rd. *SE4* —3B **84**
Merritt's Bldgs. *EC2* —3A **40**
  (off Worship St.)
Merrow St. *SE17* —1F **67**
Merrow Wlk. *SE17* —1F **67**
Merryfield. *SE3* —5B **72**
Merryfield Ho. *SE9* —3E **101**
  (off Grove Pk. Rd.)
Merryfields Way. *SE6* —5D **85**
Merryweather Ct. *N19* —5E **9**
Merthyr Ter. *SW13* —2D **61**
Merton Av. *W4* —5B **46**
Merton La. *N6* —4B **8**
Merton Rise. *NW3* —4A **22**
Merton Rd. *E17* —1E **15**
Merton Rd. *SW18* —4C **76**
Merttins Rd. *SE15* & *SE4*
  —3F **83**
Meru Clo. *NW5* —1C **22**
Mervan Rd. *SW2* —2C **80**
Messent Rd. *SE9* —3E **87**
Messina Av. *NW6* —4C **20**
Messiter Ho. *N1* —5B **24**
  (off Barnsbury Est.)
Meteor St. *SW11* —2C **78**
Methley St. *SE11* —1C **66**
Methwold Rd. *W10* —4F **33**
Metro Bus. Cen., The. *Beck*
  —5B **98**
Metropolis. *SE11* —5D **53**
  (off Oswin St.)
Mews St. *E1* —2C **54**
Mews, The. *N1* —5E **25**
Mews, The. *Ilf* —1F **17**
Mexfield Rd. *SW15* —3B **76**
Meymott St. *SE1* —2D **53**
Meynell Cres. *E9* —4F **27**
Meynell Gdns. *E9* —4F **27**
Meynell Rd. *E9* —4F **27**
Meyrick Rd. *NW10* —3C **18**
Meyrick Rd. *SW11* —1F **77**
Miah Ter. *E1* —2C **54**
Miall Wlk. *SE26* —4A **98**
Micawber Ho. *SE16* —3C **54**
  (off Llewellyn St.)
Micawber St. *N1* —2E **39**
Michael Cliffe Ho. *EC1* —2C **38**
  (off Finsbury St.)
Michael Manley Ind. Est. *SW8*
  —5F **65**
Michael Rd. *E11* —3A **16**
Michael Rd. *SW6* —4D **63**
Michael's Clo. *SE13* —2A **86**
Michael Stewart Ho. *SW6*
  (off Clem Attlee Ct.) —2B **62**

Moor St. *W1* —5F **37**
Morant St. *E14* —1C **56**
Mora Rd. *NW2* —1E **19**
Mora St. *EC1* —2E **39**
Morat St. *SW9* —4B **66**
Moravian Clo. *SW10* —2F **63**
Moravian Pl. *SW10* —2F **63**
Moravian St. *E2* —1E **41**
Moray M. *N7* —4B **10**
Moray St. *N4* —4B **10**
Mordaunt Rd. *NW10* —5A **18**
Mordaunt St. *SW9* —1B **80**
Morden Hill. *SE13* —5E **71**
Morden La. *SE13* —4E **71**
Morden Rd. *SE3* —5C **72**
Morden Rd. M. *SE3* —5C **72**
Morden St. *SE13* —4D **71**
Morden Wharf Rd. *SE10*
　　　　　　　—4A **58**
Mordred Rd. *SE6* —2A **100**
Morecambe Clo. *E1* —4F **41**
Morecambe St. *SE17* —1E **67**
More Clo. *E16* —5B **44**
More Clo. *W14* —5F **47**
Moreland St. *NW2* —5C **6**
Moreland St. *EC1* —2D **39**
Morella Rd. *SW12* —5B **78**
Moremead Rd. *SE6* —4B **98**
Morena St. *SE6* —5D **85**
Moresby Wlk. *SW8* —5F **65**
More's Gdns. *SW3* —2F **63**
　　(off Cheyne Wlk.)
Moreton Clo. *E5* —4D **13**
Moreton Clo. *N15* —1F **11**
Moreton Pl. *SW1* —1E **65**
Moreton St. *N15* —1F **11**
Moreton St. *SW1* —1E **65**
Moreton Ter. *SW1* —1E **65**
Moreton Ter. M. N. *SW1*
　　　　　　　—1E **65**
Moreton Ter. M. S. *SW1*
　　　　　　　—1E **65**
Morgan Mans. N7 —2C **24**
　　(off Morgan Rd.)
Morgan Rd. *N7* —2C **24**
Morgan Rd. *W10* —4B **34**
Morgan's La. *SE1* —2A **54**
Morgan St. *E3* —2A **42**
Morgan St. *E16* —4B **44**
Moriatry Clo. *N7* —1A **24**
Morie St. *SW18* —3D **77**
Morieux Rd. *E10* —3B **14**
Moring Rd. *SW17* —4C **92**
Morkyns Wlk. *SE21* —3A **96**
Morland Clo. *NW11* —3D **7**
Morland Est. *E8* —4C **26**
Morland Gdns. *NW10* —4A **18**
Morland M. *N1* —4C **24**
Morland Rd. *E17* —1F **13**
Morley Ho. *N16* —4C **12**
Morley Rd. *E10* —3E **15**
Morley Rd. *E15* —1B **44**
Morley Rd. *SE13* —2E **85**
Morley St. *SE1* —4C **52**
Morna Rd. *SE5* —5E **67**
Morning La. *E9* —3E **27**
Mornington Av. *W14* —5B **48**

Mornington Cres. *NW1* —1E **37**
Mornington Gro. *E3* —2C **42**
Mornington M. *SE5* —4E **67**
Mornington Pl. *NW1* —1D **37**
Mornington Rd. *E11* —2B **16**
Mornington Rd. *SE8* —3B **70**
Mornington Ter. *NW1* —1D **37**
Mornington Ter. *NW1* —5D **23**
Morocco St. *SE1* —3A **54**
Morpeth Gro. *E9* —5F **27**
Morpeth Mans. SW1 —5E **51**
　　(off Morpeth Ter.)
Morpeth Rd. *E9* —5E **27**
Morpeth St. *E2* —2F **41**
Morpeth Ter. *SW1* —4E **51**
Morris Blitz Ct. *N16* —1B **26**
Morris Gdns. *SW18* —5C **76**
Morris Rd. *SW2* —5A **80**
Morrison Bldgs. N. *E1* —5C **40**
　　(off Commercial Rd.)
Morrison Bldgs. S. *E1* —5C **40**
　　(off Commercial Rd.)
Morrison St. *SW11* —1C **78**
Morris Pl. *N4* —4C **10**
Morris Rd. *E14* —4D **43**
Morris Rd. *E15* —1A **30**
Morriss Ho. SE16 —3D **55**
　　(off Cherry Garden St.)
Morris St. *E1* —5D **41**
Morse Clo. *E13* —2C **44**
Morshead Mans. W9 —2D **35**
　　(off Morshead Rd.)
Morshead Rd. *W9* —2C **34**
Mortain Ho. SE16 —5D **55**
　　(off Roseberry St.)
Morten Clo. *SW4* —4F **79**
Mortham St. *E15* —5A **30**
Mortimer Clo. *NW2* —4B **6**
Mortimer Clo. *SW16* —2F **93**
Mortimer Cres. *NW6* —5D **21**
Mortimer Est. NW6 —5D **21**
　　(off Mortimer Pl.)
Mortimer Ho. W11 —2F **47**
　　(off Queensdale Cres.)
Mortimer Mkt. *WC1* —3E **37**
Mortimer Pl. *NW6* —5D **21**
Mortimer Rd. *N1* —4A **26**
　　(in two parts)
Mortimer Rd. *NW10* —2E **33**
Mortimer Sq. *W11* —1F **47**
Mortimer St. *W1* —5E **37**
Mortimer Ter. *NW5* —1D **23**
Mortlake High St. *SW14*
　　　　　　　—1A **74**
Mortlake Rd. *E16* —5D **45**
Mortlock Clo. *SE15* —4D **69**
Mortlock Ct. *E12* —1F **31**
Morton M. *SW5* —5D **49**
Morton Pl. *SE1* —4C **52**
Morton Rd. *E15* —4B **30**
Morton Rd. *N1* —4E **25**
Morval Rd. *SW2* —3C **80**
Morven Rd. *SW17* —3B **92**
Morville St. *E3* —1C **42**
Morwell St. *WC1* —4F **37**
Moscow Pl. *W2* —1D **49**
Moscow Rd. *W2* —1C **48**
Mossbury Rd. *SW11* —1A **78**

Moss Clo. *E1* —4C **40**
Mossford St. *E3* —3B **42**
Mossington Gdns. SE16
　　　　　　　—5E **55**
Mossop St. *SW3* —5A **50**
Mostyn Gdns. *NW10* —1F **33**
Mostyn Gro. *E3* —1C **42**
Mostyn Rd. *SW9* —4C **66**
Motcomb St. *SW1* —4C **50**
Mothers Sq. *E5* —1E **27**
Motley Av. *EC2* —3A **40**
　　(off Christina St.)
Motley St. *SW8* —5E **65**
Mottingham Gdns. SE9
　　　　　　　—1F **101**
Mottingham La. *SE12 & SE9*
　　　　　　　—1E **101**
Mottingham Rd. SE9 —2F **101**
Moules Ct. *SE5* —3E **67**
Moulins Rd. *E9* —4E **27**
Moulsford Ho. *N7* —2C **13**
Moundfield Rd. *N16* —1C **12**
Mountacre Clo. *SE26* —4B **96**
Mt. Adon Pk. *SE22* —5C **82**
Mountague Pl. *E14* —1E **57**
Mountain Ho. *SE11* —1B **66**
Mt. Angelus Rd. *SW15*
　　　　　　　—5B **74**
Mt. Ash Rd. *SE26* —3D **97**
Mountbatten Clo. *SE19*
　　　　　　　—5A **96**
Mountbatten Ho. N6 —2C **8**
　　(off Hillcrest)
Mountbatten M. *SW18* —5E **77**
Mount Ct. *SW15* —1A **76**
Mountearl Gdns. *SW16*
　　　　　　　—3B **94**
Mt. Ephraim La. *SW16*
　　　　　　　—3F **93**
Mt. Ephraim Rd. *SW16*
　　　　　　　—3F **93**
Mountford Rd. *E8* —2C **26**
Mountford St. *E1* —5C **40**
Mountfort Cres. *N1* —4C **24**
Mountfort Ter. *N1* —4C **24**
Mount Gdns. *SE26* —3D **97**
Mountgrove Rd. *N5* —5D **11**
Mountjoy Clo. EC2 —4E **39**
　　(off Thomas More Highwalk)
Mountjoy Ho. EC2 —4E **39**
　　(off Barbican)
Mt. Lodge. *N6* —1E **9**
Mt. Mills. *EC1* —2D **39**
Mt. Nod Rd. *SW16* —3B **94**
Mt. Pleasant. *SE27* —4E **95**
Mt. Pleasant. *WC1* —3C **38**
Mt. Pleasant Cres. *N4* —3B **10**
Mt. Pleasant Hill. *E5* —4D **13**
Mt. Pleasant La. *E5* —4D **13**
Mt. Pleasant Rd. *NW10*
　　　　　　　—4E **19**
Mt. Pleasant Rd. *SE13*
　　　　　　　—4D **85**
Mt. Pleasant Vs. *N4* —2B **10**
Mount Rd. *NW2* —5D **5**
Mount Rd. *NW4* —1C **4**
Mount Rd. *SW19* —2C **90**
Mount Row. *W1* —1D **51**

Mountsfield Ct.—Nayland Ho.

Mountsfield Ct. *SE13* —4F **85**
Mounts Pond Rd. *SE3* —5F **71**
(in two parts)
Mount Sq., The. *NW3* —5E **7**
Mount St. *W1* —1C **50**
Mount St. M. W1 —1D **51**
(off Mount St.)
Mount Ter. *E1* —4D **41**
Mount, The. *E5* —4D **13**
Mount, The. *NW3* —1E **21**
Mt. Vernon. *NW3* —1E **21**
Mt. View Rd. *N4* —2A **10**
Mount Vs. *SE27* —3D **95**
Mowatt Cl. *N19* —4F **9**
Mowbray Rd. *NW6* —4A **20**
Mowlem St. *E2* —1D **41**
Mowll St. *SW9* —3C **66**
Moxon Clo. *E13* —1B **44**
Moxon St. *W1* —4C **36**
Moye Clo. *E2* —1C **40**
Moyers Rd. *E10* —2E **15**
Moylan Rd. *W6* —2A **62**
Moyne Ho. *SE24* —3D **81**
Moyser Rd. *SW16* —5D **93**
Mozart St. *W10* —2B **34**
Mozart Ter. *SW1* —5C **50**
Mudlarks Way. *SE10 & SE7*
—4B **58**
Muir Dri. *SW18* —4A **78**
Muirfield. *W3* —5A **32**
Muirfield Clo. *SE16* —1D **69**
Muirfield Cres. *E14* —4D **57**
Muirkirk Rd. *SE6* —1E **99**
Muir Rd. *E5* —1C **26**
Mulberry Bus. Pk. *SE16*
—3F **55**
Mulberry Clo. *NW3* —1F **21**
Mulberry Clo. *SE22* —3C **82**
Mulberry Clo. *SW3* —2F **63**
Mulberry Clo. *SW16* —4E **93**
Mulberry Ho. *SE8* —2B **70**
Mulberry M. *SE14* —4B **70**
Mulberry Pl. E14 —1E **57**
(off Clove Cres.)
Mulberry Pl. *W6* —1C **60**
Mulberry Rd. *E8* —4B **26**
Mulberry St. *E1* —5C **40**
Mulberry Wlk. *SW3* —2F **63**
Mulgrave Rd. *NW10* —1B **18**
Mulgrave Rd. *SW6* —2B **62**
Mulkern Rd. *N19* —3F **9**
Muller Rd. *SW4* —4F **79**
Mullet Gdns. *E2* —2C **40**
Mullins Path. *SW14* —1A **74**
Mull Wlk. N1 —3E **25**
(off Clephane Rd.)
Mulready St. *NW8* —3A **36**
Multi Way. *W3* —3A **46**
Multon Rd. *SW18* —5F **77**
Mulvaney Way. *SE1* —3F **53**
Mumford Rd. *EC2* —5E **39**
Mumford Rd. *SE24* —3D **81**
Muncies M. *SE6* —2E **99**
Mundania Rd. *SE22* —4D **83**
Munday Rd. *E16* —1C **58**
Munden St. *W14* —5A **48**
Mundford Rd. *E5* —4E **13**

Mund St. *W14* —1B **62**
Mundy St. *N1* —2A **40**
Munro Ho. *SE1* —3C **52**
Munro M. *W10* —4A **34**
Munro Ter. *SW10* —2F **63**
Munster Rd. *SW6* —4B **62**
Munster Rd. *SW6* —3A **62**
Munster Sq. *NW1* —2D **37**
Munton Rd. *SE17* —5E **53**
Murchison Rd. *E10* —4E **15**
Murdock Clo. *E16* —5B **44**
Murdock St. *SE15* —2D **69**
Murfett Clo. *SW19* —2A **90**
Muriel Ct. *E10* —2D **15**
Muriel St. N1 —1B **38**
(in two parts)
Murillo Rd. *SE13* —2F **85**
Murphy St. *SE1* —3C **52**
Murray Gro. *N1* —1E **39**
Murray M. *NW1* —4F **23**
Murray Rd. *SW19* —5F **89**
Murray Sq. *E16* —5C **44**
Murray St. *NW1* —4F **23**
Murray Ter. NW3 —1E **21**
Mursell Est. *SW8* —4B **66**
Musard Rd. *W6* —2A **62**
Musbury St. *E1* —5E **41**
Muscatel Pl. *SE5* —3A **68**
Muschamp Rd. *SE15* —1B **82**
Muscovy St. *EC3* —1A **54**
Museum Path. *E2* —2E **41**
Museum St. *WC1* —4A **38**
Musgrave Cres. *SW6* —3C **62**
Musgrove Rd. *SE14* —4F **69**
Musjid Rd. *SW11* —5F **63**
Muston Rd. *E5* —4D **13**
Mustow Pl. *SW6* —5B **62**
Muswell Hill Rd. *N6 & N10*
—1C **8**
Mutrix Rd. *NW6* —5C **20**
Mutton Pl. *NW1* —3C **22**
Myatt Rd. *SW9* —4D **67**
Mycenae Rd. *SE3* —3C **72**
Myddelton Pas. *EC1* —2C **38**
Myddelton Sq. *EC1* —2C **38**
Myddelton St. *EC1* —2C **38**
Myddleton Ho. WC1 —1C **38**
(off Pentonville Rd.)
Myers La. *SE14* —2F **69**
Mylis Clo. *SE26* —4D **97**
Mylius Clo. *SE14* —3E **69**
Mylne Clo. *W6* —1C **60**
Mylne St. *EC1* —2C **38**
Myrdle St. *E1* —4C **40**
Myron Pl. *SE13* —1E **85**
Myrtleberry Clo. E8 —3B **26**
(off Beechwood Rd.)
Myrtle Rd. *E17* —1A **14**
Myrtle Wlk. *N1* —1A **40**
Mysore Rd. *SW11* —2B **78**
Myton Rd. *SE21* —3F **95**
Mytton Ho. SW8 —3B **66**
(off St Stephens Ter.)

Nadine St. *SE7* —1E **73**
Nagasaki Wlk. *SE7* —4D **59**
Nag's Head. (Junct.) —5A **10**

Nags Head Ct. *EC1* —3E **39**
(off Golden La.)
Nags Head Shop. Cen. *N7*
—1B **24**
Nailsworth Ct. *SE15* —2A **68**
(off Birdlip Clo.)
Nainby Ho. SE11 —5C **52**
(off Hotspur St.)
Nairne Gro. *SE24* —3F **81**
Nairn St. *E14* —4E **43**
Naish Ct. *N1* —4A **24**
Naldera Gdns. *SE3* —2C **72**
Namba Roy Clo. *SW16*
—4B **94**
Nankin St. *E14* —5C **42**
Nansen Rd. *SW11* —1C **78**
Nant Ct. *NW2* —4B **6**
Nantes Clo. *SW18* —2E **77**
Nantes Pas. *E1* —4B **40**
Nant Rd. *NW2* —4B **6**
Nant St. *E2* —2D **41**
Naoroji St. *WC1* —2C **38**
Napier Av. *E14* —1C **70**
Napier Av. *SW6* —1B **76**
Napier Clo. *SE8* —3B **70**
Napier Clo. *W14* —4A **48**
Napier Ct. SW6 —1B **76**
(off Ranelagh Gdns.)
Napier Gro. *N1* —1E **39**
Napier Pl. *W14* —4B **48**
Napier Rd. *E11* —1A **30**
Napier Rd. *E15* —1A **44**
(in two parts)
Napier Rd. *NW10* —2D **33**
Napier Rd. *W14* —4A **48**
Napier Ter. *N1* —4D **25**
Napoleon Rd. *E5* —5D **13**
Narbonne Av. *SW4* —3E **79**
Narborough St. *SW6* —5D **63**
Narcissus Rd. *NW6* —2C **20**
Narford Rd. *E5* —5C **12**
Narrow St. *E14* —1A **56**
Narvic Ho. *SE5* —5E **67**
Nascot St. *W12* —5E **33**
Naseby Clo. *NW6* —4E **21**
Naseby Rd. *SE19* —5F **95**
Naseby Tower. SE14 —3A **70**
(off Desmond St.)
Nash Pl. *E14* —2D **57**
Nash Rd. *SE4* —2A **84**
Nash St. *NW1* —2D **37**
Nasmyth St. *W6* —4D **47**
Nassau Rd. *SW13* —4B **60**
Nassau St. *W1* —4E **37**
Nassington Rd. *NW3* —1A **22**
Natal Rd. *SW16* —5F **93**
Nathan Ho. SE11 —5C **52**
(off Reedworth St.)
Nathaniel Clo. *E1* —4B **40**
Nathaniel Ct. *E17* —1A **14**
Naval Row. *E14* —1E **57**
Navarino Gro. *E8* —3C **26**
Navarino Mans. *E8* —3C **26**
Navarino Rd. *E8* —3C **26**
Navarre St. *E2* —3B **40**
Navenby Wlk. *E3* —3C **42**
Navy St. *SW4* —1F **79**
Nayland Ho. *SE6* —4E **99**

Nunhead Pas. *SE15* —2D **83**
Nursery Clo. *SE4* —5B **70**
Nursery Clo. *SW15* —2F **75**
Nursery La. *E2* —5B **26**
Nursery La. *E7* —3C **30**
Nursery La. *W10* —4E **33**
Nursery Rd. *E9* —3E **27**
Nursery Rd. *SW9* —2B **80**
Nutbourne St. *W10* —2A **34**
Nutbrook St. *SE15* —1C **82**
Nutcroft Rd. *SE15* —3D **69**
Nutfield Rd. *E15* —1E **29**
Nutfield Rd. *NW2* —5C **4**
Nutfield Rd. *SE22* —2B **82**
Nutford Pl. *W1* —5B **36**
Nuthurst Av. *SW2* —2B **94**
Nutley Ter. *NW3* —3E **21**
Nutmeg Clo. *E16* —3A **44**
Nutmeg La. *E14* —5F **43**
Nuttall St. *N1* —1A **40**
Nutter La. *E11* —1E **17**
Nutt St. *SE15* —3B **68**
Nutwell St. *SW17* —5A **92**
Nye Bevan Est. *E5* —5F **19**
Nye Bevan Ho. SW6 —3B *62*
 (off Clem Attlee Est.)
Nynehead St. *SE14* —3A **70**
Nyon Gro. *SE6* —2B **98**
Nyssa St. E15 —2A *44*
 (off Teasel Way)
Nyton Clo. *N19* —3A **10**

Oak Apple Ct. *SE12* —1C **100**
Oakbank Gro. *SE24* —2E **81**
Oakbrook Clo. *Brom* —4D **101**
Oakbury Rd. *SW6* —5D **63**
Oak Cottage Clo. *SE6* —1B **100**
Oak Ct. SE15 —3B *68*
 (off Sumner Rd.)
Oak Cres. *E16* —4A **44**
Oakcroft Rd. *SE13* —5F **71**
Oakdale Clo. *E7* —4D **31**
Oakdale Rd. *E11* —4F **15**
Oakdale Rd. *N4* —1E **11**
Oakdale Rd. *SE15 & SE4*
 —1E **83**
Oakdale Rd. *SW16* —5A **94**
Oak Dene. *SE15* —4D **69**
Oakden St. *SE11* —5C **52**
Oake Ct. *SW15* —3A **75**
Oakend Ho. *N4* —2F **11**
Oakeshott Av. *N6* —4C **8**
Oakey La. *SE1* —4C **52**
Oakfield Ct. *N8* —2A **10**
Oakfield Ct. *NW2* —2F **5**
Oakfield Gdns. *SE19* —5A **96**
 (in two parts)
Oakfield Rd. *E6* —5F **31**
Oakfield Rd. *N4* —1C **10**
Oakfield Rd. *SW19* —3F **89**
Oakfields Rd. *NW11* —1A **6**
Oakfield St. *SW10* —2E **63**
Oakford Rd. *NW5* —1E **23**
Oak Gro. *NW2* —1F **19**
Oakhall Ct. *E11* —1D **17**
Oak Hall Rd. *E11* —1D **17**
Oakham Clo. *SE6* —2B **98**

Oakhill Av. *NW3* —1D **21**
Oakhill Ct. *SE23* —4E **83**
Oak Hill Pk. *NW3* —1D **21**
Oakhill Pk. M. *NW3* —1E **21**
Oakhill Pl. *SW15* —3D **77**
Oak Hill Way. *NW3* —1E **21**
Oakhurst Gro. *SE22* —2C **82**
Oakington Rd. *W9* —3C **34**
Oakington Way. *N8* —2A **10**
Oakland Rd. *E15* —1F **29**
Oaklands Est. *SW4* —4E **79**
Oaklands Gro. *W12* —2C **46**
Oaklands Pl. *SW4* —2F **79**
Oaklands Rd. *NW2* —1F **19**
Oak La. *E14* —1B **56**
Oakley Cres. *EC1* —1D **39**
Oakley Gdns. *SW3* —2A **64**
Oakley Pl. *SE1* —1B **68**
Oakley Rd. *N1* —4F **25**
Oakley Sq. *NW1* —1E **37**
Oakley St. *SW3* —2A **64**
Oakley Wlk. *W6* —2F **61**
Oak Lodge. *E11* —1C **16**
Oak Lodge. W8 —4D *49*
 (off Chantry Sq.)
Oakmead Rd. *SW12* —1C **92**
Oak Pk. Gdns. *SW19* —1F **89**
Oak Pk. M. *N16* —5B **12**
Oak Pl. *SW18* —3D **77**
Oakridge La. *Brom* —5F **99**
Oakridge Rd. *Brom* —4F **99**
Oaks Av. *SE19* —5A **96**
Oaksford Av. *SE26* —3D **97**
Oakshade Rd. *Brom* —4F **99**
Oakshaw Rd. *SW18* —5D **77**
Oaks, The. *NW10* —4D **19**
Oak Tree Gdns. *Brom*
 —5D **101**
Oak Tree Rd. *NW8* —2A **36**
Oakview Lodge. NW11 —2B *6*
 (off Beechcroft Av.)
Oakview Rd. *SE6* —5D **99**
Oak Village. *NW5* —1C **22**
Oak Way. *W3* —2A **46**
Oakwood Bus. Pk. *NW10*
 —3A **32**
Oakwood Ct. *E6* —5F **31**
Oakwood Ct. *W14* —4B **48**
Oakwood Dri. *SE19* —5F **95**
Oakwood La. *W14* —4B **48**
Oakworth Rd. *W10* —4B **33**
Oast Lodge. W4 —3A *60*
 (off Corney Reach Way)
Oatfield Ho. *N15* —1A *12*
 (off Perry Ct.)
Oat La. *EC2* —2E **39**
Oban Clo. *E13* —3E **45**
Oban Rd. *E13* —3E **45**
Oban St. *E14* —5F **43**
Oberon Ho. N1 —1A *40*
 (off Arden St.)
Oberstein Rd. *SW11* —2F **77**
Oborne Clo. *SE24* —3D **81**
Observatory Gdns. *W8* —3C **48**
Occupation Rd. *SE17* —1E **67**
Ocean Est. *E1* —3F **41**
 (in two parts)

Ocean St. *E1* —4F **41**
Ockendon Rd. *N1* —3F **25**
Ockley Rd. *SW16* —4A **94**
Octagon Arc. *EC2* —4A **40**
Octavia Ho. W10 —3A *34*
 (off Southern Row)
Octavia St. *SW11* —4A **64**
Octavius St. *SE8* —3C **70**
Odeon Ct. *E16* —4C **44**
Odeon Ct. *NW10* —5A **18**
Odessa Rd. *E7* —5B **16**
Odessa Rd. *NW10* —1C **32**
Odessa St. *SE16* —4B **56**
Odger St. *SW11* —5B **64**
Odhams Wlk. *WC2* —5A **38**
Odin Ho. *SE5* —5E **67**
O'Donnell Ct. *WC1* —3A **38**
O'Driscoll Ho. *W12* —5D **33**
Offa's Mead. *E9* —1B **28**
Offerton Rd. *SW4* —1E **79**
Offley Rd. *SW9* —3C **66**
Offord Rd. *N1* —4B **24**
Offord St. *N1* —4B **24**
Oglander Rd. *SE15* —2B **82**
Ogle St. *W1* —4E **37**
Ohio Rd. *E13* —3B **44**
Oil Mill La. *W6* —1C **60**
Okeburn Rd. *SW17* —5C **92**
Okehampton Rd. *NW10*
 —5E **19**
Olaf St. *W11* —1F **47**
Oldacre M. *SW12* —5D **79**
Old Bailey. *EC4* —5D **39**
Old Barge Ho. All. SE1 —1C *52*
 (off Barge Ho. St.)
Old Barrack Yd. *SW1* —3C **50**
Old Barrowfield. *E15* —5A **30**
Old Belgate Wharf. *E14* —4C **56**
Old Bell Ga. *E14* —4C **56**
Old Bethnal Grn. Rd. *E2*
 —2C **42**
Old Billingsgate Wlk. *EC3*
 —1A **54**
Old Bond St. *W1* —1E **51**
Old Brewer's Yd. *WC2* —5A **38**
Old Brewery M. *NW3* —1F **21**
Old Broad St. *EC2* —5F **39**
Old Bromley Rd. *Brom* —5F **99**
Old Brompton Rd. *SW5 & SW7*
 —1C **62**
Old Bldgs. WC2 —5C *38*
 (off Chancery La.)
Old Burlington St. *W1* —1E **51**
Oldbury Pl. *W1* —4C **36**
Old Castle St. *E1* —5B **40**
Old Cavendish St. *W1* —5D **37**
Old Change Ct. EC4 —5E *39*
 (off Carter La.)
Old Chapel Pl. *SW9* —5C **66**
Old Chelsea M. *SW3* —2A **64**
Old Chu. Rd. *E1* —5F **41**
Old Chu. St. *SW3* —1F **63**
Old Compton St. *W1* —1F **51**
Old Ct. Pl. *W8* —3D **49**
Old Devonshire Rd. *SW12*
 —5D **79**
Old Dover Rd. *SE3* —3C **72**
Oldgate Ho. *E6* —5F **31**

Oldfield Gro. *SE16* —5F **55**
Oldfield Ho. *W4* —1A **60**
(off Devonshire Rd.)
Oldfield M. *N6* —2E **9**
Oldfield Rd. *N16* —5A **12**
Oldfield Rd. *NW10* —4A **18**
Oldfield Rd. *SW19* —5A **90**
Oldfield Rd. *W3* —3B **46**
Old Fish St. Hill. *EC4* —1E **53**
(off Victoria St.)
Old Fleet La. *EC4* —5D **39**
Old Ford. (Junct.) —1C **42**
Old Ford Rd. *E2 & E3* —2E **41**
Old Forge M. *W12* —3D **47**
Old Gloucester St. *WC1*
—4A **38**
Oldhill St. *N16* —3C **12**
Old Hospital Clo. *SW17*
—1B **92**
Old Ho. Clo. *SW19* —5A **90**
Old Jamaica Rd. *SE16* —4C **54**
Old James St. *SE15* —1D **83**
Old Jewry. *EC2* —5F **39**
Old Kent Rd. *SE1 & SE15*
—5A **54**
Old Mnr. Yd. *SW5* —1D **63**
Old Mkt. Sq. *E2* —2B **40**
Old Marylebone Rd. *NW1*
—4A **36**
Old Montague St. *E1* —4C **40**
Old Nichol St. *E2* —3B **40**
Old N. St. *WC1* —4B **38**
(off Theobald's Rd.)
Old Oak Comn. La. *NW10 & W3*
—4A **32**
Old Oak La. *NW10* —2A **32**
Old Oak Rd. *W3* —1B **46**
Old Orchard, The. *NW3*
—1A **22**
Old Pal. Yd. *SW1* —4A **52**
Old Paradise St. *SE11* —5B **52**
Old Pk. Av. *SW12* —4C **92**
Old Pk. La. *W1* —2D **51**
Old Pye St. *SW1* —4F **51**
Old Pye St. Est. *SW1* —4F **51**
(off Old Pye St.)
Old Quebec St. *W1* —5B **36**
Old Queen St. *SW1* —3F **51**
Oldridge Rd. *SW12* —5C **78**
Old Rd. *SE13* —2A **86**
Old Royal Free Pl. *N1* —5C **24**
(off Liverpool Rd.)
Old Royal Free Sq. *N1* —5C **24**
(off Old Royal Free Pl.)
Old Seacoal La. *EC4* —5D **39**
Old S. Lambeth Rd. *SW8*
—3A **66**
Old Sq. *WC2* —5B **38**
Old Stable M. *N5* —5E **11**
Oldstead Rd. *Brom* —4E **99**
Old St. *E13* —1D **45**
Old St. *EC1* —3E **39**
Old Street. (Junct.) —2F **39**
(off Old St.)
Old Sun Wharf. *E14* —1A **56**
(off Narrow St.)
Old Swan Wharf. *SW11*
—4E **63**

Old Town. *SW4* —1E **79**
Old Woolwich Rd. *SE10*
—2F **71**
Old York Rd. *SW18* —3D **77**
O'Leary Sq. *E1* —4E **41**
Olinda Rd. *N16* —1B **12**
Oliphant St. *W10* —2F **33**
Oliver Clo. *E10* —5D **15**
Oliver Goldsmith Est. *SE15*
—4C **68**
Oliver Ho. *SE16* —3C **54**
(off George Row)
Oliver Ho. *SW8* —3A **66**
(off Wyvil Rd.)
Olive Rd. *E13* —2E **45**
Olive Rd. *NW2* —1E **19**
Oliver Rd. *E10* —4D **15**
Olivers Yd. *EC1* —3F **39**
Olivette St. *SW15* —1F **75**
Olive Waite Ho. *NW6* —4D **21**
Ollerton Grn. *E3* —5B **28**
Ollgar Clo. *W12* —2B **46**
Olliffe St. *E14* —4E **57**
Olmar St. *SE1* —2C **68**
Olney Rd. *SE17* —2D **67**
(in two parts)
Olympia M. *W2* —1D **49**
Olympia Way. *W14* —4A **48**
Olympus Sq. *E5* —5C **12**
O'Mahoney Ct. *SW17* —3E **91**
Oman Av. *NW2* —1D **19**
O'Meara St. *SE1* —2E **53**
Omega Clo. *E14* —4D **57**
Omega Pl. *N1* —1A **38**
(off Caledonian Rd.)
Omega St. *SE14* —4C **70**
Ommaney Rd. *SE14* —4F **69**
Ondine Rd. *SE15* —2B **82**
Onega Ga. *SE16* —4A **56**
101 Bus. Units. *SW11* —1B **78**
One Tree Clo. *SE23* —4E **83**
Ongar Rd. *SW6* —2C **64**
Onra Rd. *E17* —2C **14**
Onslow Gdns. *SW7* —5F **49**
Onslow M. E. *SW7* —5F **49**
Onslow M. W. *SW7* —5F **49**
Onslow Sq. *SW7* —5F **49**
Onslow St. *EC1* —3C **38**
Ontario St. *SE1* —4D **53**
Ontario Way. *E14* —2C **56**
Opal Clo. *E16* —5D **45**
Opal M. *NW6* —5B **20**
Opal St. *SE11* —1D **67**
Openview. *SW18* —1E **91**
Ophelia Gdns. *NW2* —5A **4**
Ophir Ter. *SE15* —4C **68**
Oppenheim Rd. *SE13* —5E **71**
Oppidans M. *NW3* —4B **22**
Oppidans Rd. *NW3* —4B **22**
Orange Gro. *E11* —5A **16**
(in two parts)
Orange Pl. *SE16* —4E **55**
Orange St. *WC2* —1F **51**
Orange Yd. *W1* —5F **37**
(off Manette St.)
Oratory La. *SW3* —1F **63**
(off Stewart's Gro.)
Orbain Rd. *SW6* —3A **62**

Orbel St. *SW11* —4A **64**
Orb St. *SE17* —5F **53**
Orchard Bus. Cen. *SE26*
—5B **98**
Orchard Clo. *N1* —4E **25**
Orchard Clo. *NW2* —5C **4**
Orchard Clo. *SE23* —4E **83**
Orchard Clo. *W10* —4B **34**
Orchard Ct. *E10* —3D **15**
Orchard Dri. *SE3* —5F **71**
Orchard Hill. *SE13* —5D **71**
Orchard Ho. *SE16* —4E **55**
Orchard Ho. *W12* —2C **46**
Orchard Mead Ho. *NW11*
—4C **6**
Orchard M. *N1* —4E **25**
Orchard Pl. *E14* —1A **58**
Orchard Rd. *N6* —2D **9**
Orchard Rd. *SE3* —5A **72**
Orchardson Ho. *NW8* —3F **35**
(off Orchardson St.)
Orchardson St. *NW8* —3F **35**
Orchard Sq. *W14* —1B **62**
(off Sun Rd.)
Orchard St. *W1* —5C **36**
Orchard, The. *NW11* —1C **6**
Orchard, The. *SE3* —5F **71**
Orchard, The. *W4* —5A **46**
Orchid Clo. *E6* —4F **45**
Orchid St. *W12* —1C **46**
Orde Hall St. *WC1* —4A **38**
Ordell Rd. *E3* —1B **42**
Ordnance Cres. *SE10* —3A **58**
Ordnance Hill. *NW8* —5F **21**
Ordnance M. *NW8* —1F **35**
Ordnance Rd. *E16* —4B **44**
Oregano Dri. *E14* —5F **43**
Orestes M. *NW6* —2C **20**
Orford Ct. *SE27* —2D **95**
Orford Rd. *E17* —1C **14**
Orford Rd. *SE6* —3D **99**
Oriel Ct. *NW3* —1E **21**
Oriel Pl. *NW3* —1E **21**
(off Heath St.)
Oriel Rd. *E9* —3F **27**
Oriental Rd. *E16* —2F **59**
Orient Ind. Pk. *E10* —4C **14**
Orient St. *SE11* —5D **53**
Orient Way. *E5* —5F **13**
Orion Bus. Cen. *SE14* —1F **69**
Orkney Ho. *N1* —5B **24**
(off Bemerton Est.)
Orkney St. *SW11* —5C **64**
Orlando Rd. *SW4* —1E **79**
Orleston M. *N7* —3C **24**
Orleston Rd. *N7* —3C **24**
Orlop St. *SE10* —1A **72**
Ormanton Rd. *SE26* —4C **96**
Orme Ct. *W2* —1D **49**
Orme Ct. M. *W2* —1D **49**
(off Orme La.)
Orme Ho. *E8* —5B **26**
Orme La. *W2* —1D **49**
Ormeley Rd. *SW12* —1D **93**
Orme Sq. *W2* —1D **49**
Orminston Gro. *W12* —2D **47**
Ormiston Rd. *SE10* —1C **72**
Ormond Clo. *WC1* —4A **38**

Ormonde Ga.—Page Grn. Ter.

Ormonde Ga. *SW3* —1B **64**
Ormonde Pl. *SW1* —5C **50**
Ormonde Ter. *NW8* —5B **22**
Ormond M. *WC1* —3A **38**
Ormond Rd. *N19* —3A **10**
Ormond Yd. *SW1* —2E **51**
Ormsby Lodge. *W4* —4A **46**
Ormsby Pl. *N16* —5B **12**
Ormsby St. *E2* —1B **40**
Ormside. *SE15* —2E **69**
Ornan Rd. *NW3* —2A **22**
Oronsay Wlk. *N1* —4E **25**
Orpen Wlk. *N16* —5A **12**
Orpheus St. *SE5* —4F **67**
Orpheus Tower. SE14 —3A 70
(off Desmond St.)
Orsett M. *W2* —4D **35**
(in two parts)
Orsett St. *SE11* —1B **66**
Orsett Ter. *W2* —5D **35**
Orsman Rd. *N1* —5A **26**
Orton St. *E1* —2C **54**
Orville Rd. *SW11* —5F **63**
Orwell Ct. *N5* —1E **25**
Orwell Rd. *E13* —5E **31**
Osbaldeston Rd. *N16* —4C **12**
Osberton Rd. *SE12* —3C **86**
Osbert St. *SW1* —5F **51**
Osborn Clo. *E8* —5C **26**
Osborne Ct. *E10* —2D **15**
Osborne Gro. *N4* —3C **10**
Osborne Rd. *E7* —2D **31**
Osborne Rd. *E9* —3B **28**
Osborne Rd. *E10* —5D **15**
Osborne Rd. *N4* —3C **10**
Osborne Rd. *NW2* —3D **19**
Osborne Ter. SW17 —5C 92
(off Church La.)
Osborn La. *SE23* —5A **84**
Osborn St. *E1* —4B **40**
Osborn Ter. *SE3* —2B **86**
Oscar Faber Pl. N1 —5A 40
(off St Peter's Way)
Oscar St. *SE8* —5C **70**
(in two parts)
Oseney Cres. *NW5* —2E **23**
O'Shea Gro. *E3* —5B **28**
Osier M. *W4* —2A **60**
Osiers Rd. *SW18* —2C **76**
Osier St. *E1* —3E **41**
Osier Way. *E10* —5D **15**
Oslac Rd. *SE6* —5D **99**
Oslo Ct. NW8 —1A 36
(off Prince Albert Rd.)
Oslo Ho. *SE5* —5E **67**
Oslo Sq. *SE16* —4A **56**
Osman Clo. *N15* —1F **11**
Osman Rd. *W6* —4E **47**
Osmund St. *W12* —4B **32**
Osnaburgh St. *NW1* —3D **37**
Osnaburgh Ter. *NW1* —3D **37**
Osprey Clo. *E6* —4F **45**
Osprey Est. *SE16* —5F **55**
Ospringe Rd. *NW5* —1E **23**
Osric Path. *N1* —1A **40**
Ossian M. *N4* —2B **10**
Ossian Rd. *N4* —2B **10**
Ossington Bldgs. *W1* —4C **36**

Ossington Clo. *W2* —1C **48**
Ossington St. *W2* —1D **49**
Ossory Rd. *SE1* —2C **68**
Ossulston St. *NW1* —1F **37**
Ostade Rd. *SW2* —5B **80**
Ostend Pl. *SE17* —5E **53**
Osten M. *SW7* —4D **49**
Osterley Rd. *N16* —1A **26**
Oswald St. *E5* —5F **13**
Oswald's Mead. *E9* —1A **28**
Oswald Ter. *NW2* —5E **5**
Osward Rd. *SW17* —2B **92**
Oswin St. *SE11* —5D **53**
Oswyth Rd. *SE5* —5A **68**
Otford Cres. *SE4* —4B **84**
Otford Ho. SE15 —2E 69
(off Lovelinch Clo.)
Othello Clo. *SE11* —1D **67**
Otis St. *E3* —2E **43**
Otley Ho. *N5* —5D **11**
Otley Rd. *E16* —5E **45**
Otley Ter. *E5* —5F **13**
Ottaway Ct. *E5* —5C **12**
Ottaway St. *E5* —5C **12**
Otterburn St. *SW17* —5B **92**
Otterden St. *SE6* —4C **98**
Otto Clo. *SE26* —3D **97**
Otto St. *SE17* —2D **67**
Oulton Clo. *E5* —4E **13**
Oulton Rd. *N15* —1F **11**
Ouseley Rd. *SW12* —1B **92**
Outer Circ. *NW1* —2A **36**
Outgate Rd. *NW10* —4B **18**
Outram Pl. *N1* —5A **24**
Outram Rd. *E6* —5F **31**
Outwich St. EC3 —5A 40
(off Houndsditch)
Outwood Ho. SW2 —5B 80
(off Deepdene Gdns.)
Oval Mans. *SE11* —2B **66**
Oval Pl. *SW8* —3B **66**
Oval Rd. *NW1* —5D **23**
Oval, The. *E2* —1D **41**
Oval Way. *SE11* —1B **66**
Overbrae. *Beck* —5C **98**
Overbury Rd. *N15* —1F **11**
Overbury St. *E5* —1F **27**
Overcliff Rd. *SE13* —1C **84**
Overdown Rd. *SE6* —4C **98**
Overhill Rd. *SE22* —5C **82**
Overlea Rd. *E5* —2C **12**
Oversley Ho. W2 —4C 34
(off Alfred Rd.)
Overstone Rd. *W6* —4E **47**
Overstrand Mans. *SW11*
—4B **64**
Overton Ct. *E11* —2C **16**
Overton Dri. *E11* —2C **16**
Overton Ho. SW15 —5B 74
(off Tangley Gro.)
Overton Rd. *E10* —3A **14**
Overton Rd. *SW9* —5C **66**
Overy Ho. *SE1* —3D **53**
Ovex Clo. *E14* —3E **57**
Ovington Gdns. *SW3* —4A **50**
Ovington M. *SW3* —4A **50**
Ovington Sq. *SW3* —4A **50**
Ovington St. *SW3* —5A **50**

Owen Mans. W14 —2A 62
(off Queen's Club Gdns.)
Owen's Ct. *EC1* —2D **39**
Owen's Row. *EC1* —2D **39**
Owen St. *EC1* —1D **39**
Owens Way. *SE23* —5A **84**
Owgan Clo. *SE5* —3F **67**
Oxberry Av. *SW6* —5A **62**
Oxendon St. *SW1* —1F **51**
Oxenford St. *SE15* —1B **82**
Oxestall's Rd. *SE8* —1A **70**
Oxford Av. *NW10* —2D **33**
Oxford & Cambridge Mans.
NW1 —4A 36
(off Old Marylebone Rd.)
Oxford Cir. W1 —5E 37
(off Oxford St.)
Oxford Cir. Av. *W1* —5E **37**
Oxford Ct. EC4 —1F 53
(off Salter's Hall Ct.)
Oxford Gdns. *W10* —5E **33**
Oxford Ga. *W6* —5F **47**
Oxford Rd. *E15* —3F **29**
(in two parts)
Oxford Rd. *N4* —3C **10**
Oxford Rd. *NW6* —1C **34**
Oxford Rd. *SE19* —5F **95**
Oxford Rd. *SW15* —2A **76**
Oxford Sq. *W2* —5A **36**
Oxford St. *W1* —5B **36**
Oxgate Cen. *NW2* —4D **5**
Oxgate Gdns. *NW2* —4C **4**
Oxgate Gdns. *NW2* —5D **5**
Oxgate La. *NW2* —4C **4**
Oxgate Pde. *NW2* —4C **4**
Oxley Clo. *SE1* —1B **68**
Oxleys Rd. *NW2* —5D **5**
Oxonian St. *SE22* —2B **82**
Oystercatcher Clo. *E16*
—5D **46**
Oystergate Wlk. EC4 —1F 53
(off Swan La.)
Oyster Row. *E1* —5E **41**
Ozolins Way. *E16* —5C **44**

Pablo Neruda Clo. *SE24*
—1D **81**
Pace Pl. *E1* —5D **41**
Pacific Rd. *E16* —5C **44**
Packington Sq. *N1* —5E **25**
Packington St. *N1* —5D **25**
Padbury. SE17 —1A 68
(off Bagshot St.)
Padbury Ct. *E2* —2B **40**
Paddenswick Rd. *W6* —4C **46**
Paddington Grn. *W2* —4F **35**
Paddington St. *W1* —4C **36**
Paddock Clo. *SE3* —1C **86**
Paddock Clo. *SE26* —4F **97**
Paddock Rd. *NW2* —4C **4**
Padfield Rd. *SE5* —1E **81**
Pagden St. *SW8* —4D **65**
Pageant Cres. *SE16* —2B **56**
Pageantmaster Ct. EC4 —5D 39
(off Ludgate Hill)
Page Grn. Rd. *N15* —1C **12**
Page Grn. Ter. *N15* —1B **12**

Page St. *SW1* —5F **51**
Page's Wlk. *SE1* —5A **54**
Pages Yd. *W4* —2A **60**
Paget Rd. *N16* —3F **11**
Paget St. *EC1* —2D **39**
Pagin Ho. *N15* —1A **12**
  (off Braemar Rd.)
Pagnell St. *SE14* —3B **70**
Pagoda Gdns. *SE3* —5F **71**
Paignton Rd. *N15* —1A **12**
Painsthorpe Rd. *N16* —5A **12**
Painswick Ct. *SE15* —3B **68**
  (off Daniel Gdns.)
Pakeman St. *N7* —5B **10**
Pakenham Clo. *SW12* —1C **92**
Pakenham St. *WC1* —2B **38**
Pakington Ho. *SW9* —5A **66**
  (off Stockwell Gdns. Est.)
Palace Av. *W8* —3D **49**
Palace Ct. *NW3* —2D **21**
Palace Ct. *W2* —1D **49**
Palace Gdns. M. *W8* —2D **49**
Palace Gdns. Ter. *W8* —2C **48**
Palace Ga. *W8* —3E **49**
Palace Grn. *W8* —2D **49**
Palace M. *SW1* —5C **50**
  (off Eaton Ter.)
Palace M. *SW6* —3B **62**
Palace Pl. *SW1* —4E **51**
Palace Pl. Mans. *W8* —3D **49**
  (off Kensington Ct.)
Palace Rd. *N8* —1F **9**
  (in two parts)
Palace Rd. *SW2* —1B **94**
Palace St. *SW1* —4E **51**
Palace View. *SE12* —2C **100**
Palamon Ct. *SE1* —1B **68**
  (off Cooper's Rd.)
Palamos Rd. *E10* —3C **14**
Palatine Av. *N16* —1A **26**
Palatine Rd. *N16* —1A **26**
Palermo Rd. *NW10* —1C **32**
Palewell Comn. Dri. *SW14*
  —3A **74**
Palfrey Pl. *SW8* —3B **66**
Palgrave Ho. *SE5* —3E **67**
  (off Wyndham Est.)
Palgrave Rd. *W12* —4B **46**
Palissy St. *E2* —2B **40**
Pallant Ho. *SE1* —4F **53**
  (off Tabard St.)
Pallett Way. *SE18* —4F **73**
Palliser Rd. *W14* —1A **62**
Pall Mall. *SW1* —2E **51**
Pall Mall E. *SW1* —2F **51**
Pall Mall Pl. *SW1* —2E **51**
  (off Pall Mall)
Palm Clo. *E10* —5D **15**
Palm Ct. *SE15* —3B **68**
  (off Garnies Clo.)
Palmer Pl. *N7* —2C **24**
Palmer Rd. *E13* —3D **45**
Palmer's Rd. *E2* —1F **41**
Palmerston Mans. *W14* —2A **62**
  (off Queen's Club Gdns.)
Palmerston Rd. *E7* —3D **31**
Palmerston Rd. *NW6* —4B **20**
  (in two parts)

Palmerston Way. *SW8* —3E **65**
Palmer St. *SW1* —4F **51**
Pamela Wlk. *E8* —5C **26**
Pancras La. *EC4* —5E **39**
Pancras Rd. *NW1* —1F **37**
Pandora Rd. *NW6* —3C **20**
Pangbourne Av. *W10* —4E **33**
Panmure Clo. *N5* —1D **25**
Panmure Rd. *SE26* —3D **97**
Panorama Ct. *N6* —1E **9**
Pansy Gdns. *W12* —1C **46**
Panton St. *SW1* —1F **51**
Panyer All. *EC4* —5E **39**
  (off Newgate St.)
Paper Bldgs. *EC4* —1C **52**
  (off Temple)
Paper Mill Wharf. *E14* —1A **56**
Papillons Wlk. *SE3* —1C **86**
Papworth Gdns. *N7* —2B **24**
Papworth Way. *SW2* —5C **80**
Parade Mans. *NW4* —1D **5**
Parade, The. *SE27* —2D **95**
Parade, The. *W4* —1D **59**
Parade, The. *SE4* —5B **70**
  (off Up. Brockley Rd.)
Parade, The. *SE26* —4D **97**
  (off Wells Pk. Rd.)
Parade, The. *SW11* —3B **64**
Paradise Pas. *N7* —2C **24**
Paradise Rd. *SW4* —5A **66**
Paradise Row. *E2* —2D **41**
Paradise St. *SE16* —3D **55**
Paradise Wlk. *SW3* —2B **64**
Paragon All. *SE1* —4A **54**
Paragon Clo. *E16* —5C **44**
Paragon M. *SE1* —5F **53**
Paragon Pl. *SE3* —5B **72**
Paragon Rd. *E9* —3E **27**
Paragon Row. *SE17* —5F **53**
Paragon, The. *SE3* —5C **72**
Parbury Rd. *SE23* —4A **84**
Pardoner St. *SE1* —4F **53**
Pardon St. *EC1* —3D **39**
Parfett St. *E1* —4C **40**
Parfitt Clo. *NW3* —2F **7**
Parfrey St. *W6* —2E **61**
Paris Garden. *SE1* —2D **53**
Park App. *SE16* —4D **55**
Park Av. *E15* —3A **30**
Park Av. *NW2* —2D **19**
Park Av. *NW11* —3D **7**
Park Av. *SW14* —2A **75**
Park Av. N. *NW10* —2D **19**
Park Bus. Cen. *NW6* —2C **34**
Park Clo. *E9* —5E **27**
Park Clo. *NW2* —5D **5**
Park Clo. *SW1* —3B **50**
Park Clo. *W4* —1A **60**
Park Clo. *W14* —4B **48**
Park Ct. *E17* —1D **15**
Park Ct. *SE26* —5D **97**
Park Ct. *SW11* —4D **65**
Park Cres. *W1* —3D **37**
Park Cres. M. E. *W1* —3D **37**
Park Cres. M. W. *W1* —3D **37**
Parkcroft Rd. *SE12* —5B **86**
Park Dri. *NW11* —3D **7**
Park Dri. *SE7* —2F **73**

Park Dri. *SW14* —3A **74**
Park Dwellings. *NW3* —2B **22**
Park End. *NW3* —1A **22**
Parker Clo. *E16* —2F **59**
Parker Ho. *E14* —3C **56**
  (off Admirals Way)
Parker M. *WC2* —5A **38**
Parke Rd. *SW13* —4C **60**
Parkers Row. *SE1* —3C **54**
Parker St. *E16* —2F **59**
Parker St. *WC2* —5A **38**
Parkfield Av. *SW14* —2A **74**
Parkfield Rd. *NW10* —4D **19**
Parkfield Rd. *SE14* —4B **70**
Parkfields. *SW15* —2E **75**
Parkfields Av. *NW9* —3A **4**
Parkfield St. *N1* —1C **38**
Park Gdns. *E10* —3C **14**
Park Ga. *SE3* —1B **86**
Parkgate M. *N6* —2E **9**
Parkgate Rd. *SW11* —3A **64**
Park Gro. *E15* —5C **30**
Park Gro. Rd. *E11* —4A **16**
Park Hall Rd. *SE21* —3F **95**
Park Hall Trad. Est. *SE21*
  —3E **95**
Parkham St. *SW11* —4A **64**
Park Hill. *SE23* —2D **97**
Park Hill. *SW4* —3F **79**
Park Hill Ct. *SW17* —3B **92**
Parkhill Rd. *NW3* —2B **22**
Parkhill Wlk. *NW3* —2B **22**
Parkholme Rd. *E8* —3C **26**
Park Ho. Pas. *N6* —2C **8**
Parkhouse St. *SE5* —3F **67**
Parkhurst Ct. *N7* —1A **24**
Parkhurst Rd. *N7* —1A **24**
Parkland Ct. *E15* —2A **30**
  (off Maryland Pk.)
Parkland Gdns. *SW19* —1F **89**
Parklands. *N6* —2D **9**
Parklands Rd. *SW16* —5D **93**
Park La. *E15* —5F **29**
Park La. *W1* —1B **50**
Park Lee Ct. *N16* —2A **12**
Park Mans. *NW4* —1D **5**
Park Mans. *SE26* —3E **97**
  (off Sydenham Pk.)
Park Mans. *SW1* —3B **50**
  (off Brompton Sq.)
Park Mans. *SW8* —2A **66**
Park Mans. *SW11* —4B **64**
  (off Prince of Wales Dri.)
Parkmead. *SW15* —4D **75**
Park Mead. *SE24* —5E **81**
Park M. *W10* —1A **34**
Park Pde. *NW10* —1B **32**
Park Pl. *E14* —2C **56**
Park Pl. *SW1* —2E **51**
Park Pl. Gdns. *W2* —4E **35**
Park Pl. Vs. *W2* —4E **35**
Park Rise. *SE23* —1A **98**
Park Rise Rd. *SE23* —1A **98**
Park Rd. *E6* —5E **31**
Park Rd. *E10* —3C **14**
Park Rd. *E12* —3D **17**
Park Rd. *E15* —5C **30**
Park Rd. *E17* —1B **14**

Pickfords Wharf—Pomell Way

Pickfords Wharf. *N1* —1E **39**
Pickfords Wharf. *SE1* —2F **53**
(off Clink St.)
Pickwick Ho. *SE16* —3C **54**
(off George Row)
Pickwick St. *SE21* —5F **81**
Pickwick St. *SE1* —3E **53**
Pickworth Clo. *SW8* —3A **66**
Picton Pl. *W1* —5C **36**
Picton St. *SE5* —3F **67**
Pied Bull Yd. *WC1* —4A **38**
(off Bury Pl.)
Pier Head. *E1* —2D **55**
(off Wapping High St.)
Pier Ho. *SW3* —2A **64**
(off Cheyne Wlk.)
Piermont Rd. *SE22* —3D **83**
Pierrepont Arc. *N1* —1D **39**
(off Pierrepont Row)
Pierrepont Row. *N1* —1D **39**
(off Camden Pas.)
Pier St. *E14* —5E **57**
Pier Ter. *SW18* —2D **77**
Piggott St. *E14* —5C **42**
Pike Clo. *Brom* —5D **101**
Pikemans Ct. *SW5* —5C **48**
(off W. Cromwell Rd.)
Pikethorne. *SE23* —2F **97**
Pilgrimage St. *SE1* —3F **53**
Pilgrim Hill. *SE27* —4E **95**
Pilgrim's La. *NW3* —1F **21**
Pilgrim's Pl. *NW3* —1F **21**
Pilgrim St. *EC4* —5D **39**
Pilgrims Way. *N19* —3F **9**
Pilkington Rd. *SE15* —5D **69**
Pilot Clo. *SE8* —2B **70**
Pilot Ind. Cen. *NW10* —3A **32**
Pilsden Clo. *SW19* —1F **89**
Pilton Pl. *SE17* —1E **67**
(off King and Queen St.)
Pimlico Rd. *SW1* —1C **64**
Pimlico Wlk. *N1* —2A **40**
Pinchin St. *E1* —1C **54**
Pincott Pl. *SE4* —2F **83**
Pindar St. *EC2* —4A **40**
Pindock M. *W9* —3D **35**
Pineapple Ct. *SW1* —4E **51**
(off Wilfred St.)
Pine Av. *E15* —2F **29**
Pine Clo. *E10* —4D **15**
Pine Clo. *N19* —4E **9**
Pine Dene. *SE15* —4D **69**
Pinefield Clo. *E14* —1C **56**
Pine Gro. *N4* —4A **10**
Pine Gro. *SW19* —5B **90**
Pinehurst Ct. *W11* —5B **34**
(off Colville Gdns.)
Pinemartin Clo. *NW2* —5E **5**
Pine Rd. *NW2* —1E **19**
Pine St. *EC1* —3C **38**
Pinewood Clo. *SW4* —4F **79**
Pinfold Rd. *SW16* —4A **94**
Pingle St. *SE17* —1E **67**
Pinkerton Pl. *SW16* —4F **93**
Pinnell Rd. *SE9* —2F **87**
Pintail Clo. *E6* —4F **45**
Pintail Ct. *SE8* —2B **70**
(off Pilot Clo.)

Pinter Ho. *SW9* —5A **66**
(off Grantham Rd.)
Pinto Way. *SE3* —2D **87**
Pioneer Clo. *W12* —5D **33**
Pioneer St. *SE15* —4C **68**
Piper Clo. *N7* —2B **24**
Pippin Clo. *NW2* —5D **5**
Pirbright Rd. *SW18* —1B **90**
Pirie Clo. *SE5* —1F **81**
Pirie St. *E16* —2D **59**
Pitcairn Ho. *E9* —4E **27**
Pitchford St. *E15* —4F **29**
Pitfield Est. *N1* —2A **40**
Pitfield St. *N1* —2A **40**
Pitfold Clo. *SE12* —4D **87**
Pitfold Rd. *SE12* —4C **86**
Pitman Ho. *SE8* —4C **70**
Pitman St. *SE5* —3E **67**
(in two parts)
Pitsea Pl. *E1* —5F **41**
Pitsea St. *E1* —5F **41**
Pitt Cres. *SW19* —4D **91**
Pitt's Head M. *W1* —2C **50**
Pitt St. *SE15* —4B **68**
Pitt St. *W8* —3C **48**
Pixley St. *E14* —5B **42**
Plaisterers Highwalk. *EC2*
(off Noble St.) —4E **39**
Plaistow Gro. *E15* —5B **30**
Plaistow Pk. Rd. *E13* —1D **45**
Plaistow Rd. *E15 & E13*
—5B **30**
Plaistow Wharf. *E16* —2C **58**
Plane St. *SE26* —3D **97**
Planetree Ct. *W6* —5F **47**
(off Brook Grn.)
Plane Tree Wlk. *SE19* —5A **96**
Plantain Gdns. *E11* —5F **15**
Plantain Pl. *SE1* —3F **53**
Plantation Ho. *EC3* —1A **54**
Plantation, The. *SE3* —5C **72**
Plantation Wharf. *SW11*
—1E **77**
Plasel Ct. *E13* —5D **31**
(off Pawsey Clo.)
Plashet Gro. *E6* —5E **31**
Plashet Rd. *E13* —5C **30**
Plassy Rd. *SE6* —5D **85**
Platina St. *EC2* —3F **39**
(off Tabernacle St.)
Plato Rd. *SW2* —2A **80**
Platt's La. *NW3* —1C **20**
Platt St. *NW1* —1F **37**
Platt, The. *SW15* —1F **75**
Plaxton Ct. *E11* —5B **16**
Playfair Mans. *W14* —2A **62**
(off Queen's Club Gdns.)
Playfair St. *W6* —1E **61**
Playfield Cres. *SE22* —3B **82**
Playford Rd. *N4* —4B **10**
(in two parts)
Playgreen Way. *SE6* —3C **98**
Playhouse Yd. *EC4* —5D **39**
Plaza Pde. *NW6* —1D **35**
Plaza, The. *W1* —5E **37**
Pleasance Rd. *SW15* —3D **75**
Pleasance, The. *SW15* —2D **75**
Pleasant Pl. *N1* —4D **25**

Pleasant Row. *NW1* —5D **23**
Plender Pl. *NW1* —5E **23**
(off Plender St.)
Plender St. *NW1* —5E **23**
Pleshey Rd. *N7* —1F **23**
Plevna Cres. *N15* —1A **12**
Plevna St. *E14* —4E **57**
Pleydell Av. *W6* —5B **46**
Pleydell Ct. *EC4* —5C **38**
(off Mitre Ct.)
Pleydell Est. *EC1* —2E **39**
(off Lever St.)
Pleydell St. *EC4* —5C **38**
(off Bouverie St.)
Plimsoll Clo. *E14* —5D **43**
Plimsoll Rd. *N4* —5C **10**
Plough Ct. *EC3* —1F **53**
Plough La. *SE22* —4B **82**
Plough La. *SW19 & SW17*
—5D **91**
Ploughmans Clo. *NW1* —5F **23**
Plough Pl. *EC4* —5C **38**
Plough Rd. *SW11* —1F **77**
Plough St. *E1* —5C **40**
Plough Ter. *SW11* —2F **77**
Plough Way. *SE16* —5F **55**
Plough Yd. *EC2* —3A **40**
Plover Way. *SE16* —4A **56**
Plowden Bldgs. *EC4* —1C **52**
(off Temple)
Plumber's Row. *E1* —4C **40**
Plumbridge St. *SE10* —4E **71**
Plummer Rd. *SW4* —5F **79**
Plums Clo. *E14* —5D **43**
Plumtree Ct. *EC4* —5D **39**
Plymouth Rd. *E16* —4C **44**
Plymouth Wharf. *E14* —5F **57**
Plympton Av. *NW6* —4B **20**
Plympton Pl. *NW8* —3A **36**
Plympton Rd. *NW6* —4B **20**
Plympton St. *NW8* —3A **36**
Pocklington Clo. *W12* —4C **46**
(off Goldhawk Rd.)
Pocock St. *SE1* —3D **53**
Podmore Rd. *SW18* —2E **77**
Poet's Rd. *N5* —2F **25**
Point Clo. *SE10* —4E **71**
Pointers Clo. *E14* —1D **71**
Point Hill. *SE10* —4E **71**
Point Pleasant. *SW18* —2C **76**
Point Ter. *E7* —2D **31**
(off Claremont Rd.)
Poland St. *W1* —5E **37**
Polebrook Rd. *SE3* —1E **87**
Polecroft La. *SE6* —2B **98**
Polesworth Ho. *W2* —4C **34**
(off Alfred Rd.)
Pollard Clo. *E16* —1C **58**
Pollard Clo. *N7* —1B **24**
Pollard Row. *E2* —2C **40**
Pollard St. *E2* —2C **40**
Pollen St. *W1* —5D **37**
Pollitt Dri. *NW8* —3F **35**
Polsted Rd. *SE6* —5B **84**
Polworth Rd. *SW16* —5A **94**
Polygon Rd. *NW1* —1F **37**
Polygon, The. *SW4* —2E **79**
Pomell Way. *E1* —5B **40**

Pomeroy St.—Prebend Mans.

Pomeroy St. *SE14* —3E **69**
Pomfret Rd. *SE5* —1E **81**
Pomoja La. *N19* —4A **10**
Pond Clo. *SE3* —5C **72**
Pond Cotts. *SE2* —1A **96**
Ponder St. *N7* —4B **24**
Pond Farm Est. *E5* —5E **13**
Pondfield Ho. *SE27* —5E **95**
Pond Mead. *SE21* —4F **81**
Pond Pl. *SW3* —5A **50**
Pond Rd. *E15* —1A **44**
Pond Rd. *SE3* —5B **72**
Pond Sq. *N6* —3C **8**
Pond St. *NW3* —2A **22**
Ponler St. *E1* —5D **41**
Ponsard Rd. *NW10* —2D **33**
Ponsford St. *E9* —3E **27**
Ponsonby Pl. *SW1* —1F **65**
Ponsonby Rd. *SW15* —5D **75**
Ponsonby Ter. *SW1* —1F **65**
Pontefract Rd. *Brom* —5B **100**
Ponton Rd. *SW8* —3F **65**
Pont St. *SW1* —4B **50**
Pont St. M. *SW1* —4B **50**
Pontypool Pl. *SE1* —3D **53**

Pool Clo. *Beck* —5C **98**
Pool Ct. *SE6* —2C **98**
Poole Ho. SE11 —4C **52**
(off Lambeth Wlk.)
Poole Rd. *E9* —3F **27**
Pooles Bldgs. WC1 —3C **38**
(off Mt. Pleasant)
Pooles La. *SW10* —3E **63**
Pooles Pk. *N4* —4C **10**
Poole St. *N1* —5F **25**
Poolmans St. *SE16* —3F **55**
Poonah St. *E1* —5E **41**
Pope Clo. *SW19* —5F **91**
Pope's Head All. *EC3* —5F **39**
Pope's Rd. *SW9* —1C **80**
Pope St. *SE1* —3A **54**
Popham Rd. *N1* —5E **25**
Popham St. *N1* —5D **25**
(in two parts)
Poplar Bath St. *E14* —5D **43**
Poplar Bus. Pk. *E14* —1E **57**
Poplar Clo. *E9* —2B **28**
Poplar Ct. *SW19* —5C **90**
Poplar Gro. *W6* —3E **47**
Poplar High St. *E14* —1D **57**
Poplar Ho. SE4 —2B **84**
(off Wickham Rd.)
Poplar M. W12 —2E **47**
(off Uxbridge Rd.)
Poplar Pl. *W2* —1D **49**
Poplar Rd. *SE24* —2E **81**
Poplars Av. *NW2* —3E **19**
Poplars Rd. *E17* —1D **15**
Poplar Wlk. *SE24* —2E **81**
Poppins Ct. *EC4* —5D **39**
Poppleton Rd. *E11* —1A **16**
Porchester Clo. *SE5* —2F **81**
Porchester Gdns. *W2* —1D **49**
Porchester Gdns. M. *W2*
—5D **35**
Porchester Mead. *Beck*
—5C **98**
Porchester M. *W2* —5D **35**

Porchester Pl. *W2* —5A **36**
Porchester Rd. *W2* —5D **35**
Porchester Sq. *W2* —5D **35**
Porchester Ter. *W2* —1E **49**
Porchester Ter. N. *W2*
—5D **35**
Porden Rd. *SW2* —2B **80**
Porlock Ho. *SE26* —3C **96**
Porlock Rd. *W10* —3F **33**
Porlock St. *SE1* —3F **53**
Porson Ct. *SE13* —1D **85**
Portal Clo. *SE27* —3C **94**
Portbury Clo. *SE15* —4C **68**
Port Cres. *E13* —3D **45**
Portelet Rd. *E1* —2F **41**
Porter Rd. *W14* —4A **48**
Porter Sq. *N19* —3A **10**
Porter St. *SE1* —2E **53**
Porter St. *W1* —4B **36**
Porters Wlk. E1 —1D **55**
(off Pennington St.)
Porteus Rd. *W2* —4E **35**
Portgate Clo. *W9* —3B **34**
Porthcawe Rd. *SE26* —4A **98**
Portia Ct. SE11 —1D **67**
(off Opal St.)
Portia Way. *E3* —3B **42**
Porticos, The. SW3 —2F **63**
(off Kings Rd.)
Portinscale Rd. *SW15* —3A **76**
Portland Av. *N16* —3B **12**
Portland Cres. *SE9* —2F **101**
Portland Gdns. *N4* —1D **11**
Portland Gro. *SW8* —4B **66**
Portland M. *W1* —5E **37**
Portland Pl. *W1* —3D **37**
Portland Rise. *N4* —3D **11**
Portland Rise Est. *N4* —3E **11**
Portland Rd. *SE9* —2F **101**
Portland Rd. *W11* —1A **48**
Portland Rd. *Brom* —4E **101**
Portland Sq. *E1* —2D **55**
Portland St. *SE17* —1F **67**
Portland Wlk. *SE17* —2F **67**
Portman Av. *SW14* —1A **74**
Portman Bldgs. NW1 —3A **36**
(off Broadley Ter.)
Portman Clo. *W1* —5C **36**
Portman M. S. *W1* —5C **36**
Portman Pl. *E2* —2E **41**
Portman Sq. *W1* —5C **36**
Portman St. *W1* —5C **36**
Portman Towers. W1 —5B **36**
(off George St.)
Portmeers Clo. *E17* —1B **14**
Portnall Rd. *W9* —1B **34**
Portobello Ct. Est. *W11*
—5B **34**
Portobello M. *W11* —1C **48**
Portobello Rd. *W10* —4A **34**
Portobello Rd. *W11* —5B **34**
Portpool La. *EC1* —4B **38**
Portree St. *E14* —5F **43**
Portsdown Av. *NW11* —1B **6**
Portsdown M. *NW11* —1B **6**
Portsea M. W2 —5A **36**
(off Portsea Pl.)
Portsea Pl. *W2* —5A **36**

Portslade Rd. *SW8* —5E **65**
Portsmouth Rd. *SW15* —5D **75**
Portsmouth St. *WC2* —5B **38**
Portsoken St. *E1* —1B **54**
Portswood Pl. *SW15* —4B **74**
Portugal St. *WC2* —5B **38**
Portway. *E15* —5B **30**
Portway Gdns. *SE18* —3F **73**
Postern, The. EC2 —4E **39**
(off Barbican)
Post Office App. *E7* —2D **31**
Post Office Ct. EC3 —5F **39**
(off Barbican)
Post Office Way. *SW8* —2F **65**
Potier St. *SE1* —4F **53**
Potterne Clo. *SW19* —5F **75**
Potters Fields. *SE1* —2A **54**
Potter's La. *SW16* —5F **93**
Potters Lodge. E14 —1E **71**
(off Manchester Rd.)
Potters Rd. *SW6* —5E **63**
Pottery La. *W11* —1A **48**
Pottery St. *SE16* —3D **55**
Pott St. *E2* —2D **41**
Poulner Way. *SE15* —3B **68**
(in two parts)
Poulton Clo. *E8* —3D **27**
Poultry. *EC2* —5F **39**
Pound La. *NW10* —3C **18**
Pound Pk. Rd. *SE7* —5F **59**
Pountney Rd. *SW11* —1C **78**
Powell Rd. *E5* —5D **13**
Powell's Wlk. *W4* —2A **60**
Powerscroft Rd. *E5* —1E **27**
Powis Gdns. *NW11* —2B **6**
Powis Gdns. *W11* —5B **34**
Powis M. *W11* —5B **34**
Powis Pl. *WC1* —3A **38**
Powis Rd. *E3* —2D **43**
Powis Sq. *W11* —5B **34**
Powis Ter. *W11* —5B **34**
Powlett Pl. *NW1* —4C **22**
Pownall Rd. *E8* —5C **26**
Powster Rd. *Brom* —5C **100**
Poxon Ct. *EC4* —5D **39**
Poynders Ct. *SW4* —4E **79**
Poynders Gdns. *SW4* —5E **79**
Poynders Rd. *SW4* —4E **79**
Poynings Rd. *N19* —5E **9**
Poynter Ho. W11 —2F **47**
(off Queensdale Cres.)
Poyntz Rd. *SW11* —5B **64**
Poyser St. *E2* —1D **41**
Praed M. *W2* —5F **35**
Praed St. *W2* —5F **35**
Pragel St. *E13* —1E **45**
Pragnell Rd. *SE12* —2D **101**
Prague Pl. *SW2* —3A **80**
Prah Rd. *N4* —4C **10**
Prairie St. *SW8* —5C **64**
Pratt M. *NW1* —5E **23**
Pratt St. *NW1* —5E **23**
Pratt Wlk. *SE11* —5B **52**
Prayle Gro. *NW2* —3F **5**
Prebend Gdns. *W6* & *W4*
(in two parts) —4B **46**
Prebend Mans. W4 —5B **46**
(off Chiswick High Rd.)

Prebend St.—Prospect Quay

Randisbourne Gdns.—Redcliffe Pl.

Randisbourne Gdns. *SE6*
　　　　—3D **99**
Randlesdown Rd. *SE6* —4C **98**
(in two parts)
Randolph App. *E16* —5E **45**
Randolph Av. *W9* —1D **35**
Randolph Cres. *W9* —3E **35**
Randolph Gdns. *NW6* —1D **35**
Randolph M. *W9* —3E **35**
Randolph Rd. *E17* —1D **15**
Randolph Rd. *W9* —3E **35**
Randolph St. *NW1* —4E **23**
Ranelagh Av. *SW6* —1B **76**
Ranelagh Av. *SW13* —5C **60**
Ranelagh Bri. *W2* —4D **35**
Ranelagh Gdns. *SW6* —1A **76**
Ranelagh Gdns. *W6* —4B **46**
Ranelagh Gdns. Mans. SW6
(off Ranelagh Gdns.) —1A **76**
Ranelagh Gro. *SW1* —1C **64**
Ranelagh Rd. *E11* —1A **30**
Ranelagh Rd. *E15* —1A **44**
Ranelagh Rd. *NW10* —1B **32**
Ranelagh Ho. *SW1* —1E **65**
Rangbourne Ho. *N7* —2A **24**
Rangefield Rd. *Brom* —5A **100**
Rangemoor Rd. *N15* —1B **12**
Rangers Sq. *SE10* —4F **71**
Rangoon St. EC3 —5B **40**
(off Crutched Friars)
Ranmere St. *SW12* —1D **93**
Rannoch Rd. *W6* —2E **61**
Rannock Av. *NW9* —2A **4**
Ransome's Dock Bus. Cen.
　　　　SW11 —3A **64**
Ransom Rd. *SE7* —1E **73**
Ransom Wlk. *SE7* —5E **59**
Ranston St. *NW1* —4A **36**
Ranulf Rd. *NW2* —1B **20**
Ranwell Clo. *E3* —5B **98**
Rapesco Ho. SE14 —3A **70**
(off Greenwood Rd.)
Raphael St. *SW7* —3B **50**
Rashleigh Ct. *SW8* —5D **65**
Rastell Av. *SW2* —2F **93**
Ratcliffe Clo. *SE12* —5C **86**
Ratcliffe Cross St. *E1* —5F **41**
Ratcliffe La. *E14* —5A **42**
Ratcliff Orchard. *E1* —1F **55**
Ratcliff Gro. *EC1* —2E **39**
Ratcliff Rd. *E7* —2E **31**
Rathbone Pl. *W1* —4F **37**
Rathbone Point. *E5* —1C **26**
Rathbone St. *E16* —5B **44**
Rathbone St. *W1* —4E **37**
Rathcoole Gdns. *N8* —1B **10**
Rathfern Rd. *SE6* —1B **98**
Rathgar Rd. *SW9* —1D **81**
Rathlin Wlk. *N1* —3E **25**
Rathmell Dri. *SW4* —4F **79**
Rathmore Rd. *SE7* —1D **73**
Rattray Rd. *SW2* —2C **80**
Raul Rd. *SE15* —5C **68**
Raveley St. *NW5* —1E **23**
Ravenet St. *SW11* —4D **65**
Ravenfield Rd. *SW17* —3B **92**
Ravenhill Rd. *E13* —1E **45**
Ravenna Rd. *SW15* —3F **75**

210 Mini London

Raven Row. *E1* —4D **41**
Ravensbourne Ct. *SE6* —5C **84**
Ravensbourne Ho. *Brom*
　　　　—5F **99**
Ravensbourne Pk. *SE6* —5C **84**
Ravensbourne Pk. Cres. *SE6*
　　　　—5B **84**
Ravensbourne Pl. *SE13*
　　　　—5D **71**
Ravensbourne Rd. *SE6*
　　　　—5B **84**
Ravensbury Rd. *SW18* —2D **91**
Ravensbury Ter. *SW18*
　　　　—2D **91**
Ravenscar Rd. *Brom* —4A **100**
Ravenscourt Av. *W6* —5C **46**
Ravenscourt Gdns. *W6*
　　　　—5C **46**
Ravenscourt Pk. *W6* —4C **46**
Ravenscourt Pk. Mans. W6
　　　　—4D **47**
(off Paddenswick Rd.)
Ravenscourt Pl. *W6* —5D **47**
Ravenscourt Rd. *W6* —5D **47**
Ravenscourt Sq. *W6* —4C **46**
Ravenscroft Av. *NW11* —2B **6**
Ravenscroft Clo. *E16* —4C **44**
Ravenscroft Rd. *E16* —4C **44**
Ravenscroft St. *E2* —1B **40**
Ravensdale Rd. *N16* —2B **12**
Ravensdon St. *SE11* —1C **66**
Ravenshaw St. *NW6* —2B **20**
Ravenslea Rd. *SW12* —5D **92**
Ravensleigh Gdns. *Brom*
　　　　—5D **101**
Ravensmede Way. *W4* —5B **46**
Ravens M. *SE12* —3C **86**
Ravenstone. SE17 —1A **68**
(off Bagshot St.)
Ravenstone Rd. *NW9* —1B **4**
Ravenstone St. *SW12* —1C **92**
Ravens Way. *SE12* —3C **86**
Ravenswood Rd. *SW12*
　　　　—5D **79**
Ravensworth Rd. *NW10*
　　　　—2D **33**
Ravent Rd. *SE11* —5B **52**
Ravey St. *EC2* —3A **40**
Rawalpindi Ho. *E16* —3B **44**
Rawchester Clo. *SW18* —1B **90**
Rawlings St. *SW3* —5B **50**
Rawlinson Ct. *NW2* —2E **5**
Rawlinson Ho. SE13 —2F **85**
(off Mercator Rd.)
Rawlinson Point. *E16* —4B **44**
(off Fox Rd.)
Rawreth Wlk. *N1* —5E **25**
(off Basire St.)
Rawson St. *SW11* —4C **64**
(in two parts)
Rawstone Wlk. *E13* —1C **44**
Rawstorne Pl. *EC1* —2D **39**
Rawstorne St. *EC1* —2D **39**
Rayburne Ct. *W14* —4A **48**
Raydon St. *N19* —4D **9**
Rayford Av. *SE12* —5B **86**
Ray Ho. N1 —5A **26**
(off Colville Est.)

Raymede Towers. W10 —4F **33**
(off Treverton St.)
Raymond Bldgs. *WC1* —4B **38**
Raymond Clo. *SE26* —5E **97**
Raymond Rd. *E13* —5B **31**
Raymond Rd. *SW19* —5A **90**
Raymouth Ho. SE16 —5E **55**
(off Rotherhithe New Rd.)
Raymouth Rd. *SE16* —5D **55**
Raynald Ho. *SW16* —3A **94**
Rayners Rd. *SW15* —3A **76**
Rayner Towers. *E10* —2C **14**
Raynes Av. *E11* —2E **17**
Raynham Rd. *W6* —5D **47**
Raynor Pl. *N1* —5E **25**
Ray St. *EC1* —3C **38**
Ray St. Bri. EC1 —3C **38**
(off Farringdon Rd.)
Ray Wlk. *N7* —4B **10**
Reachview Clo. *NW1* —4E **23**
Read Ct. *E17* —1C **14**
Reade Wlk. *NW10* —4A **18**
Read Ho. SE11 —2C **66**
(off Clayton St.)
Reading La. *E8* —3D **27**
Reapers Clo. *NW1* —5F **23**
Reardon Path. *E1* —2D **55**
Reardon St. *E1* —2D **55**
Reaston St. *SE14* —3F **69**
Rebecca Ter. *SE16* —4E **55**
Reckitt Rd. *W4* —1A **60**
Record St. *SE15* —2E **69**
Recovery St. *SW17* —5A **92**
Recreation Rd. *SE26* —4F **97**
Rector St. *N1* —5E **25**
Rectory Cres. *E11* —1E **17**
Rectory Field Cres. *SE7*
　　　　—3E **73**
Rectory Gdns. *SW4* —1E **79**
Rectory Gro. *SW4* —1E **79**
Rectory La. *SW17* —5C **92**
Rectory Orchard. *SW19*
　　　　—4A **90**
Rectory Rd. *N16* —4B **12**
Rectory Rd. *SW13* —5C **60**
Rectory Sq. *E1* —4F **41**
Reculver Ho. SE15 —2E **69**
(off Lovelinch Clo.)
Reculver Rd. *SE16* —1F **69**
Red Anchor Clo. *SW3* —2F **63**
Redan Pl. *W2* —5D **35**
Redan St. *W14* —4F **47**
Redan Ter. *SE5* —5D **67**
Redberry Gro. *SE26* —3E **97**
Redbridge Gdns. *SE5* —3A **68**
Redbridge La. E. *Ilf* —1F **17**
Redbridge La. W. *E11* —1D **17**
Redbridge Roundabout.
　　　　(Junct.) —1F **17**
Redburn St. *SW3* —2B **64**
Redcar St. *SE5* —3E **67**
Redcastle Clo. *E1* —1E **55**
Redchurch St. *E2* —3B **40**
Redcliffe Clo. *SW5* —1D **63**
Redcliffe Gdns. *SW5 & SW10*
　　　　—1D **63**
Redcliffe M. *SW10* —1D **63**
Redcliffe Pl. *SW10* —2E **63**

Redcliffe Rd.—Richard Foster Clo.

Redcliffe Rd. *SW10* —1E **63**
Redcliffe Sq. *SW10* —1D **63**
Redcliffe St. *SW10* —2D **63**
Redclyffe Rd. *E6* —5E **31**
Redcross Way. *SE1* —3E **53**
Reddins Rd. *SE15* —3C **68**
Redenham Ho. *SW15* —5C **74**
(off Tangley Gro.)
Rede Pl. *W2* —5C **34**
Redesdale St. *SW3* —2A **64**
Redfern Ho. *E13* —5B **30**
(off Redriffe Rd.)
Redfern Rd. *NW10* —4A **18**
Redfern Rd. *SE6* —5E **85**
Redfield La. *SW5* —5C **48**
Redfield M. *SW5* —5D **49**
Redford Wlk. *N1* —5E **25**
(off Popham St.)
Redgate Ter. *SW15* —4F **75**
Redgrave Rd. *SW15* —1F **75**
Redhill Ct. *SW2* —2C **94**
Redhill St. *NW1* —1D **37**
Red Ho. Sq. *N1* —4E **25**
(off Ashby Gro.)
Redington Gdns. *NW3* —1D **21**
Redington Rd. *NW3* —5D **7**
Redlands Way. *SW2* —5B **80**
Red Lion Clo. *SE17* —2F **67**
(off Red Lion Row)
Red Lion Ct. *EC4* —5C **38**
Red Lion Ct. *SE1* —2E **53**
Red Lion Row. *SE17* —2E **67**
Red Lion Sq. *SW18* —3C **76**
Red Lion Sq. *WC1* —4B **38**
Red Lion St. *WC1* —4B **38**
Red Lion Yd. *W1* —2D **51**
(off Waverton St.)
Redman's Rd. *E1* —4E **41**
Redmead La. *E1* —2C **54**
Redmond Ho. *N1* —5B **24**
(off Barnsbury Est.)
Redmore Rd. *W6* —5D **47**
Red Path. *E9* —3A **28**
Red Pl. *W1* —1C **50**
Red Post Hill. *SE24 & SE21*
—2F **81**
Red Post Ho. *E6* —4F **31**
Redriffe Rd. *SE16* —4B **56**
Redriff Rd. *SE16* —5F **55**
Red Rover. (Junct.) —2C **74**
Redruth Rd. *E9* —5E **27**
Redstart Clo. *E6* —4F **45**
Redstart Clo. *SE14* —3A **70**
Redvers St. *N1* —2A **40**
Redwald Rd. *E5* —1F **27**
Redwood Clo. *SE16* —2A **56**
Redwood Ct. *N19* —2F **9**
Redwood Ct. *NW6* —4A **20**
Redwood Mans. *W8* —4D **49**
(off Chantry Sq.)
Redwoods. *SW15* —1C **88**
Reece M. *SW7* —5F **49**
Reed Clo. *E16* —4C **44**
Reed Clo. *SE12* —3C **86**
Reedham St. *SE15* —5C **68**
Reedholm Vs. *N16* —1F **25**
Reed's Pl. *NW1* —4E **23**

Reedworth St. *SE11* —5C **52**
Rees St. *N1* —5E **25**
Reets Farm Clo. *NW9* —1A **4**
Reeves Av. *NW9* —2A **4**
Reeves Ho. SE1 —3C **52**
(off Baylis Rd.)
Reeves M. *W1* —1C **50**
Reeves Rd. *E3* —3D **43**
Reform St. *SW11* —5B **64**
Regal Clo. *E1* —4C **40**
Regal La. *NW1* —5C **22**
Regal Pl. *E3* —2B **42**
Regal Pl. SW6 —3D **63**
(off Maxwell Rd.)
Regal Row. *SE15* —4E **69**
Regan Way. *N1* —1A **40**
Regency Lodge. NW3 —4F **21**
(off Adelaide Rd.)
Regency M. *NW10* —3C **18**
Regency Pl. *SW1* —5F **51**
Regency St. *SW1* —5F **51**
Regency Ter. SW7 —1F **63**
(off Fulham Rd.)
Regent Pl. *SW19* —5E **91**
Regent Pl. *W1* —1E **51**
Regent Rd. *SE24* —4D **81**
Regent's Bri. Apartments. *SW8*
—3A **66**
Regents M. *NW8* —1E **35**
Regent's Pk. Est. *NW1* —2E **37**
(off Robert St.)
Regent's Pk. Gdns. M. *NW1*
—5B **22**
Regent's Pk. Rd. *NW1* —5B **22**
(in two parts)
Regent's Pk. Ter. *NW1* —5D **23**
Regent's Pl. *SE3* —5C **72**
Regents Plaza. NW6 —1C **34**
(off Kilburn High Rd.)
Regent Sq. *E3* —2D **43**
Regent Sq. *WC1* —2A **38**
Regent's Row. *E8* —5C **26**
Regent St. *NW10* —2F **33**
Regent St. *SW1* —1F **51**
Regent St. *W1* —5D **37**
Regents Wharf. E2 —5C **26**
(off Wharf Pl.)
Regents Wharf. *N1* —1B **38**
Reginald Rd. *E7* —3C **30**
Reginald Rd. *SE8* —3D **70**
Reginald Sq. *SE8* —3D **70**
Regina Rd. *N4* —3B **10**
Regis Rd. *NW5* —2D **23**
Regnart Bldgs. NW1 —3E **37**
(off Euston St.)
Reigate Rd. *Brom* —3B **100**
Reighton Rd. *E5* —5C **12**
Relay Rd. *W12* —2E **47**
Relf Rd. *SE15* —1C **82**
Reliance Arc. *SW9* —2C **80**
Reliance Sq. EC2 —3A **40**
(off Anning St.)
Relton M. *SW7* —4A **50**
Rembrandt Clo. *E14* —4F **57**
Rembrandt Clo. SW1 —1C **64**
(off Graham Ter.)
Rembrandt Rd. *SE13* —2A **86**
Rememberance Rd. *E7* —1F **31**

Remington Rd. *E6* —5F **45**
Remington Rd. *N15* —1F **11**
Remington St. *N1* —1D **39**
Remnant St. *WC2* —5B **38**
Rempstone M. *N1* —1F **39**
Remus Rd. *E3* —4C **28**
Rendlesham Rd. *E5* —1C **26**
Renforth St. *SE16* —3E **55**
Renfrew Rd. *SE11* —5D **53**
Renmuir St. *SW17* —5B **92**
Rennell St. *SE13* —1E **85**
Rennie Ct. SE1 —2A **54**
(off Stamford St.)
Rennie Est. *SE16* —5D **55**
Rennie St. *SE1* —2D **53**
Rensburg Rd. *E5* —1F **13**
Renters Av. *NW4* —1E **5**
Renton Clo. *SW2* —4B **80**
Rephidim St. *SE1* —4A **54**
Replingham Rd. *SW18*
—1B **90**
Reporton Rd. *SW6* —3A **62**
Repton Ct. *E5* —5A **14**
Repton St. *E14* —5A **42**
Reservoir Rd. *SE4* —5A **70**
Restell Clo. *SE3* —2A **72**
Reston Pl. *SW7* —3E **49**
Restormel Ho. SE11 —5C **52**
(off Chester Way)
Retcar Clo. *NW5* —4D **9**
Retcar Pl. N19 —4D **9**
(off Retcar Clo.)
Retford St. *N1* —1A **40**
Retreat Ho. *E9* —3E **27**
Retreat Pl. *E9* —3E **27**
Retreat, The. *SW14* —1A **74**
Reunion Row. *E1* —1D **55**
Reveley Sq. *SE16* —3A **56**
Revelon Rd. *SE4* —2A **84**
Revelstoke Rd. *SW18* —2B **90**
Reverdy Rd. *SE1* —5C **54**
Review Rd. *NW2* —4B **4**
Rewell St. *SW6* —3E **63**
Rex Pl. *W1* —1C **50**
Reydon Av. *E11* —1E **17**
Reynard Clo. *SE4* —1A **84**
Reynolds Clo. *NW11* —2D **7**
Reynolds Pl. *SE3* —3D **73**
Reynolds Rd. *SE15* —2E **83**
Rheidol M. *N1* —1E **39**
Rheidol Ter. *N1* —1E **39**
Rhoda St. *E2* —3B **40**
Rhodes Ho. N1 —2F **39**
(off Provost Est.)
Rhodes Ho. W12 —2D **47**
(off White City Est.)
Rhodesia Rd. *E11* —4F **15**
Rhodesia Rd. *SW9* —5A **66**
Rhodes St. *N7* —2B **24**
Rhodeswell Rd. *E14* —4A **42**
Rhondda Gro. *E3* —2A **42**
Rhyl St. *NW5* —3C **22**
Ribblesdale Rd. *SW16* —5D **93**
Ribbon Dance M. *SE5* —4F **67**
Ricardo St. *E14* —5D **43**
Ricards Rd. *SW19* —5B **90**
Richard Foster Clo. *E17*
—2B **14**

Mini London 211

Richard Ho. Dri.—Robin Hood La.

Robin Hood La. *SW15*
—4A 88
Robin Hood Rd. *SW19 & SW15*
—5C 88
Robin Hood Way. *SW15 & SW20* —3A 88
Robinia Cres. *E10* —4C 14
Robins Ct. *SE12* —3E 101
Robinscroft M. *SE10* —4D 71
Robinson Rd. *E2* —1E 41
Robinson Rd. *SW17 & SW19* —5A 92
Robinson St. *SW3* —2B 64
Robinwood Pl. *SW15* —4A 88
Robsart St. *SW9* —5B 66
Robson Av. *NW10* —5C 18
Robson Clo. *E6* —5F 45
Robson Rd. *SE27* —3D 95
Rochdale Rd. *E17* —2C 14
Rochdale Way. *SE8* —3C 70
Rochelle Clo. *SW11* —2F 77
Rochelle St. *E2* —2B 40
Rochester Av. *E13* —5E 31
Rochester Clo. *SE3* —1E 87
Rochester Ho. *SE15* —2E 69
(off Sharratt St.)
Rochester M. *NW1* —4E 23
Rochester Pl. *NW1* —3E 23
(in two parts)
Rochester Rd. *NW1* —3E 23
Rochester Row. *SW1* —5E 51
Rochester Sq. *NW1* —4E 23
Rochester St. *SW1* —4F 51
Rochester Ter. *NW1* —3E 23
Rochester Wlk. *SE1* —2F 53
(off Stoney St.)
Rochester Way. *SE3 & SE9*
—4D 73
Rochester Way Relief Rd. *SE3 & SE9* —4D 73
Rochford Clo. *E6* —1F 45
Rochford Wlk. *E8* —4C 26
Rochfort Ho. *SE8* —1B 70
Rock Av. *SW14* —1A 74
Rockbourne Rd. *SE23* —1F 97
Rockbourne Rd. *SE23* —1F 97
Rockell's Pl. *SE22* —4D 83
Rockett Clo. *SE8* —5A 56
Rock Gro. Way. *SE16* —5D 55
Rockhall Rd. *NW2* —1F 19
Rockhampton Clo. *SE27*
—4C 94
Rockhampton Rd. *SE27*
—4C 94
Rock Hill. *SE26* —4B 96
Rockingham Clo. *SW15*
—2B 74
Rockingham St. *SE1* —4E 53
Rockland Rd. *SW15* —2A 76
Rockley Ct. *W14* —3F 47
(off Rockley Rd.)
Rockley Rd. *W14* —3F 47
Rockmount Rd. *SE19* —5F 95
Rocks La. *SW13* —4C 60
Rock St. *N4* —4C 10
Rockwell Gdns. *SE19* —5A 96
Rockwood Pl. *W12* —3E 47
Rocliffe St. *N1* —1D 39

Rocombe Cres. *SE23* —5E 83
Rocque Ho. *SW6* —3B 62
(off Estcourt Rd.)
Rocque La. *SE3* —1B 86
Rodborough Rd. *NW11* —3C 6
Rodenhurst Rd. *SW4* —4E 79
Roden St. *N7* —5B 10
Roderick Rd. *NW3* —1B 22
Rodgers Ho. *SW4* —5F 79
(off Clapham Pk. Est.)
Roding Ho. *N1* —5C 24
(off Barnsbury Est.)
Roding M. *E1* —2C 54
Roding Rd. *E5* —1F 27
Rodmarton St. *W1* —4B 36
Rodmere St. *SE10* —1A 72
Rodmill La. *SW2* —5A 80
Rodney Ct. *W9* —3E 35
(off Maida Vale)
Rodney Pl. *SE17* —5E 53
Rodney Rd. *SE17* —5E 53
Rodney St. *N1* —1B 38
Rodsley St. *SE1* —1C 68
Rodway Rd. *SW15* —5C 74
Rodwell Rd. *SE22* —4B 82
Roedean Cres. *SW14* —4A 74

Roehampton Clo. *SW15*
—2C 74
Roehampton Ga. *SW15*
—4A 74
Roehampton High St. *SW15*
—5C 74
Roehampton La. *SW15*
—2C 74
Roehampton Lane. (Junct.)
—1D 89
Roehampton Vale. *SW15*
—3B 88
Roffey St. *E14* —3E 57
Rogate Ho. *E5* —5C 12
Roger Dowley Ct. *E2* —1E 41
Roger Harriss Almshouses. *E15*
(off Gift La.) —5B 30
Rogers Est. *E2* —2E 41
Rogers Rd. *E16* —5B 44
Rogers Rd. *SW17* —4F 91
Roger St. *WC1* —3B 38
Rohere Ho. *EC1* —2E 39
(off Central St.)
Rojack Rd. *SE23* —1F 97
Rokeby Rd. *SE4* —5B 70
Rokeby St. *E15* —5A 30
Rokell Ho. Beck. —5D 99
(off Beckenham Hill Rd.)
Roland Gdns. *SW7* —1E 63
Roland M. *E1* —4F 41
Roland Way. *SE17* —1F 67
Roland Way. *SW7* —1E 63
Rollins St. *SE15* —2E 69
Rollit St. *N7* —2C 24
Rolls Bldgs. *EC4* —5C 38
Rollscourt Av. *SE24* —3E 81
Rolls Pas. *EC4* —5C 38
(off Chancery La.)
Rolls Rd. *SE1* —1B 68
Rolt St. *SE8* —2A 70
Romanfield Rd. *SW2* —5B 80

Roman Ho. *EC2* —4E 39
(off Wind St.)
Roman Rise. *SE19* —5F 95
Roman Rd. *E2 & E3* —2E 41
Roman Rd. *E6* —3F 45
Roman Rd. *NW2* —5E 5
Roman Rd. *W4* —5B 46
Roman Way. *N7* —3B 24
Roman Way. *SE15* —3E 69
Roma Read Clo. *SW15* —5D 75
Romayne Ho. *SW4* —1F 79
Romberg Rd. *SW17* —3C 92
Romborough Gdns. *SE13*
—3E 85
Romborough Way. *SE13*
—3E 85
Romero Clo. *SW9* —1B 80
Romero Sq. *SE3* —2E 87
Romeyn Rd. *SW16* —3B 94
Romford Rd. *E15, E7 & E12*
—4A 30
Romford St. *E1* —4D 41
Romilly Rd. *N4* —4D 11
Romilly St. *W1* —1F 51
Romily Ct. *SW6* —5A 62
Rommany Rd. *SE27* —4F 95
(in two parts)
Romney Clo. *NW11* —3E 7
Romney Clo. *SE14* —3E 69
Romney Ct. *W12* —3E 47
(off Shepherd's Bush Grn.)
Romney M. *W1* —4C 36
Romney Rd. *SE10* —2F 71
Romney Row. *SW1* —4A 52
Romola Rd. *SE24* —1D 95
Ronald Av. *E15* —2A 44
Ronaldshay. *N4* —3C 10
Ronalds Rd. *N5* —2C 24
Ronald St. *E1* —5E 41
Rona Rd. *NW3* —1C 22
Rona Wlk. *N1* —3F 25
(off Ramsey Wlk.)
Rondu Rd. *NW2* —2A 20
Ronver Rd. *SE12* —1B 100
Rood La. *EC3* —1A 54
Rookery Rd. *SW4* —2E 79
Rookery Way. *NW9* —1B 4
Rooke Way. *SE10* —1B 72
Rookstone Rd. *SW17* —5B 92
Rook Wlk. *E6* —5F 45
Rookwood Rd. *N16* —2B 12
Rootes Dri. *W10* —4F 33
Ropemaker Rd. *SE16* —3A 56
Ropemaker's Field. *E14*
—1B 56
Ropemaker St. *EC2* —4F 39
Roper La. *SE1* —3A 54
Ropers Orchard. *SW3* —2A 64
(off Danvers St.)
Ropers Wlk. *SW2* —5C 80
Ropery Bus. Pk. *SE7* —5E 59
Ropery St. *E3* —3B 42
Rope St. *SE16* —5A 56
Rope Wlk. Gdns. *E1* —5C 40
Ropley St. *E2* —1C 40
Rosa Alba M. *N5* —1E 25
Rosalind Ho. *N1* —1A 40
(off Arden Ho.)

Rosaline Rd.—Royal Arc.

Rosaline Rd. *SW6* —3A **62**
Rosamond St. *SE26* —3D **97**
Rosary Gdns. *SW7* —5E **49**
Rosaville Rd. *SW6* —3B **62**
Roscoe St. *EC1* —3E **39**
Roscoe St. EC1 —1E **39**
  (off Roscoe St.)
Rose All. EC2 —2A **40**
  (off Bishopsgate)
Rose All. *SE1* —2E **53**
Rosebank Gdns. *E3* —1B **42**
Rosebank Rd. *E17* —1D **15**
Rosebank Wlk. *NW1* —4F **23**
Roseberry Gdns. *N4* —1C **8**
Roseberry Pl. *E8* —3B **26**
Roseberry St. *SE16* —5D **55**
Rosebery Av. *EC1* —2F **31**
Rosebery Av. *E12* —3C **38**
Rosebery Ct. EC1 —3C **38**
  (off Rosebery Av.)
Rosebery Gdns. *N8* —1A **10**
Rosebery Rd. *SW2* —4A **80**
Rosebery Sq. EC1 —3C **38**
  (off Rosebery Av.)
Rosebury Rd. *SW6* —5D **63**
Rose Bush Ct. *NW3* —2B **22**
Rose Ct. E1 —4B **40**
  (off Wentworth St.)
Rosecroft Av. *NW3* —5C **6**
Rosecroft Gdns. *NW2* —5C **4**
Rose & Crown Ct. EC2 —5E **39**
  (off Foster La.)
Rose & Crown Yd. *SW1*
  —2E **51**
Rosedale Ct. *N5* —1D **25**
Rosedale Ho. *N16* —3F **11**
Rosedale Rd. *E7* —2E **31**
Rosedale Ter. W6 —4D **47**
  (off Dalling Rd.)
Rosedene. *NW6* —5F **19**
Rosedene Av. *SW16* —3B **94**
Rosedene Ter. *E10* —4D **15**
Rosedew Rd. *W6* —2F **61**
Rosefield Gdns. *E14* —1C **56**
Roseford Ct. W12 —3F **47**
  (off Shepherd's Bush Grn.)
Rosehart M. *W11* —5C **34**
Rosehill Rd. *SW18* —4E **77**
Roseleigh Av. *N5* —1D **25**
Rosemary Dri. *E14* —5F **43**
Rosemary Dri. *IIf* —1F **17**
Rosemary Ho. N1 —5F **25**
  (off Colville Est.)
Rosemary Rd. *SW17* —3E **91**
Rosemary St. *N1* —5F **25**
Rosemead. *NW9* —2B **4**
Rosemont Rd. *NW3* —3E **21**
Rosemoor St. *SW3* —5B **50**
Rosemount Point. *SE23*
  —3F **97**
Rosenau Cres. *SW11* —4B **64**
Rosenau Rd. *SW11* —4A **64**
Rosendale Rd. *SE21* —3F **95**
Rosendale Rd. *SE24 & SE21*
  —5E **81**
Roseneath Rd. *SW11* —4C **78**
Rosenthal Rd. *SE6* —4D **85**
Rosenthorpe Rd. *SE15* —3F **83**

Roserton St. *E14* —3E **57**
Rose St. *WC2* —1A **52**
Rosethorn Clo. *SW12* —5F **79**
Rosetta Clo. *SW8* —3A **66**
Roseveare Rd. *SE12* —4E **101**
Rose Way. *SE12* —3C **86**
Roseway. *SE21* —4F **81**
Rosewood Ct. *E8* —4B **26**
Rosewood Ct. *E11* —1F **29**
Rosewood Gdns. *SE13* —5E **71**
Rosewood Ho. SW8 —2B **66**
  (off Vauxhall Gro.)
Rosewood Sq. *W12* —5C **32**
Rosher Clo. *E15* —4F **29**
Roshni Ho. *SW17* —5A **92**
Rosina St. *E9* —3F **27**
Roskell Rd. *SW15* —1F **75**
Roslin Way. *Brom* —5C **100**
Rosmead Rd. *W11* —1A **48**
Rosoman Pl. *EC1* —3C **38**
Rosoman St. *EC1* —2C **38**
Rossdale Rd. *SW15* —2E **75**
Rosse M. *SE3* —4D **73**
Rossendale St. *E5* —4D **13**
Rossendale Way. *NW1* —4E **23**
Rossetti Rd. *SE16* —1D **69**
Rossington St. *E5* —4C **12**
Rossiter Rd. *SW12* —1D **93**
Rosslyn Av. *SW13* —1A **74**
Rosslyn Hill. *NW3* —1F **21**
Rosslyn M. *NW3* —1F **21**
Rosslyn Pk. M. *NW3* —2F **21**
Rossmore Ct. *NW1* —3B **36**
Rossmore Rd. *NW1* —3A **36**
Ross Way. *SE9* —1F **87**
Rostella Rd. *SW17* —4F **91**
Rostrevor Av. *N15* —1B **12**
Rostrevor M. *SW6* —4B **62**
Rostrevor Rd. *SW6* —4B **62**
Rostrevor Rd. *SW19* —5C **90**
Rotary St. *SE1* —4D **53**
Rothbury Rd. *E9* —4B **28**
Rotherfield St. *N1* —4E **25**
Rotherham Wlk. SE1 —2D **53**
  (off Nicholson St.)
Rotherhithe New Rd. *SE16*
  —1C **68**
Rotherhithe Old Rd. *SE16*
  —5F **55**
Rotherhithe St. *SE16* —3B **55**
Rother Ho. *SE15* —2D **83**
Rotherwick Rd. *NW11* —2C **6**
Rotherwood Rd. *SW15* —1F **75**
Rothery St. N1 —5D **25**
  (off St Marys Path)
Rothesay Ct. *SE11* —2C **66**
  (off Harleyford St.)
Rothesay Ct. *SE12* —3D **101**
Rothsay Rd. *E7* —4E **31**
Rothsay St. *SE1* —4A **54**
Rothsay Wlk. E14 —5C **56**
  (off Charnwood Gdns.)
Rothschild St. *SE27* —4D **95**
Roth Wlk. *N7* —4B **10**
Rothwell St. *NW1* —5B **22**
Rotten Row. *NW3* —3E **7**
Rotten Row. *SW7 & SW1*
  —3F **49**

Rotterdam Dri. *E14* —4E **57**
Rouel Rd. *SE16* —4C **54**
  (in two parts)
Roundacre. *SW19* —2F **89**
Roundel Clo. *SE4* —2B **84**
Roundhay Clo. *SE23* —2F **97**
Round Hill. *SE26* —3E **97**
Roundhouse, The. NW1
  (off Chalk Farm Rd.) —4C **22**
Roundtable Rd. *Brom* —3B **100**
Roundwood Rd. *NW10*
  —3B **18**
Rounton Rd. *E3* —3C **42**
Roupel Ho. SE15 —3C **68**
  (off Sumner Est.)
Roupell Rd. *SW2* —1B **94**
Roupell St. *SE1* —2C **52**
Rousden St. *NW1* —4E **23**
Rouse Gdns. *SE21* —4A **96**
Routemaster Clo. *E13* —2D **45**
Routh Rd. *SW18* —5A **78**
Rover Ho. N1 —5A **26**
  (off Whitmore Est.)
Rowallan Rd. *SW6* —3A **62**
Rowan Ct. *E8* —4B **26**
Rowan Ct. E13 —1D **45**
  (off High St. Plaistow,)
Rowan Ct. SE15 —3B **68**
  (off Garnies Clo.)
Rowan Ct. *SW11* —4B **78**
Rowan Rd. *W6* —5F **47**
Rowan Ter. W6 —5F **47**
  (off Rowan Rd.)
Rowan Wlk. *N2* —1E **7**
Rowan Wlk. *N19* —4E **9**
Rowan Wlk. *W10* —3A **34**
Rowberry Clo. *SW6* —3E **61**
Rowcross Pl. SE1 —1B **68**
  (off Rowcross St.)
Rowcross St. *SE1* —1B **68**
Rowditch La. *SW11* —5C **64**
Rowdon Av. *NW10* —4D **19**
Rowe La. *E9* —2E **27**
Rowena Cres. *SW11* —5A **64**
Rowfant Rd. *SW17* —1C **92**
Rowhill Rd. *E5* —1D **27**
Rowington Clo. *W2* —4D **35**
Rowland Ct. *E16* —3B **44**
Rowland Gro. *SE26* —3D **97**
Rowland Hill Ho. *SE1* —3D **53**
Rowland Hill St. *NW3* —2A **22**
Rowlands Clo. *N6* —1C **8**
Rowley Gdns. *N4* —2E **11**
Rowley Rd. *N15* —1E **11**
Rowley Way. *NW8* —5D **21**
Rowntree Clifford Clo. *E13*
  —3D **45**
Rowntree Clo. *NW6* —3C **20**
Rowse Clo. *E15* —5E **29**
Rowstock Gdns. *N7* —2F **23**
Roxburgh Rd. *SE27* —5D **95**
Roxby Pl. *SW6* —2C **62**
Roxley Rd. *SE13* —4D **85**
Roxwell Rd. *W12* —3C **46**
Roxwell Trad. Pk. *E10* —2A **14**
Royal Albert Way. E16 —1F **59**
Royal Arc. W1 —1E **51**
  (off Old Bond St.)

Royal Av. *SW3* —1B **64**
Royal Cir. *SE27* —3C **94**
Royal Clo. *N16* —3A **12**
Royal College St. *NW1* —4E **23**
Royal Cre. E3 —5F **39**
(off Finch La.)
Royal Ct. *SE16* —4B **56**
Royal Cres. *W11* —2F **47**
Royal Cres. M. *W11* —2F **47**
Royal Exchange Av. EC3
(off Finch La.) —5F **39**
Royal Exchange Bldgs. EC3
—5F **39**
(off Threadneedle St.)
Royal Hill. *SE10* —3E **71**
Royal Hospital Rd. *SW3*
—2B **64**
Royal London Ind. Est. *NW10*
—1A **32**
Royal Mint Ct. *EC3* —1B **54**
Royal Mint Pl. *E1* —1C **54**
Royal Mint St. *E1* —1B **54**
Royal Naval Pl. *SE14* —3B **70**
Royal Oak M. *SE1* —3A **54**
Royal Oak Pl. *SE22* —4D **83**
Royal Oak Rd. *E8* —3D **27**
Royal Opera Arc. *SW1* —2F **51**
Royal Orchard Clo. *SW18*
—5A **76**
Royal Pde. *SE3* —5B **72**
Royal Pde. *SW6* —3A **62**
Royal Pl. *SE10* —3E **71**
Royal Rd. *E16* —5E **45**
Royal Rd. *SE17* —2D **67**
Royal St. *SE1* —4B **52**
Royal Tower Lodge. E1 —1C **54**
(off Cartwright St.)
Royalty M. W1 —5F **37**
(off Dean St.)
Royal Victoria Patriotic
Building. *SW18* —4F **77**
Royal Victor Pl. *E3* —1F **41**
Roycroft Clo. *SW2* —1C **94**
Roy Sq. *E14* —1A **56**
Royston Clo. E13 —5C **30**
(off Stopford Rd.)
Royston Ct. *SE24* —4E **81**
Royston Gdns. *Ilf* —1F **17**
Royston Pde. *Ilf* —1F **17**
Royston St. *E2* —1E **41**
Rozel Ct. *N1* —5A **26**
Rozel Rd. *SW4* —1E **79**
Rubens St. *SE6* —2B **98**
Ruby St. *SE15* —2D **69**
Ruby Triangle. *SE15* —2D **69**
Ruckholt Clo. *E10* —5D **15**
Ruckholt Rd. *E10* —1D **29**
Rucklidge Av. *NW10* —1B **32**
Rucklidge Pas. NW10 —1B **32**
(off Rucklidge Av.)
Rudall Cres. *NW3* —1F **21**
Ruddington Clo. *E5* —1A **28**
Rudge Ho. SE1 —4C **54**
(off Llewellyn St.)
Rudloe Rd. *SW12* —5E **79**
Rudolf Pl. *SW8* —2A **66**
Rudolph Rd. *E13* —1B **44**
Rudolph Rd. *NW6* —1C **34**

Rufford St. *N1* —5A **24**
Rufus St. *N1* —2A **40**
Rugby Rd. *W4* —3A **46**
Rugby St. *WC1* —3B **38**
Rugg St. *E14* —1C **56**
Ruislip St. *SW17* —4B **92**
Rumbold Rd. *SW6* —3D **63**
Rum Clo. *E1* —1E **55**
Rumsey M. *N4* —5D **11**
Rumsey Rd. *SW9* —1B **80**
Runbury Circ. *NW9* —4A **4**
Runcorn Pl. *W11* —1A **48**
Rundell Cres. *NW4* —1D **5**
Rundell Tower. *SW8* —4B **66**
Runnymede Ct. *SW15* —1C **88**
Runnymede Ho. *E9* —1A **28**
Rupack St. *SE16* —3E **55**
Rupert Ct. *W1* —1F **51**
Rupert Gdns. *SW9* —5D **67**
Rupert Ho. SE11 —5C **52**
Rupert Rd. N19 —5F **9**
(in two parts)
Rupert Rd. *NW6* —1B **34**
Rupert Rd. *W4* —4A **46**
Rupert St. *W1* —1F **51**
Ruscoe Rd. *E16* —5B **44**
Rusham Rd. *SW12* —4B **78**
Rushcroft Rd. *SW2* —2C **80**
Rushey Grn. *SE6* —5D **85**
Rushey Mead. *SE4* —3C **84**
Rushford Rd. *SE4* —4B **84**
Rushgrove Av. *NW9* —1A **4**
Rushgrove Pde. *NW9* —1A **4**
Rush Hill Rd. *SW11* —1C **78**
Rushmead. *E2* —2D **41**
Rushmere Pl. *SW19* —5F **89**
Rushmore Cres. *E5* —1F **27**
Rushmore Rd. E5 —1E **27**
(in three parts)
Rusholme Gro. *SE19* —5A **96**
Rusholme Rd. *SW15* —4F **75**
Rushton Ho. *SW8* —5F **65**
Rushton St. *N1* —1F **39**
Rushworth St. *SE1* —3D **53**
Ruskin Av. *E12* —3F **31**
Ruskin Clo. *NW11* —1D **7**
Ruskin Ct. SE5 —1F **81**
(off Champion Hill)
Ruskin Mans. W14 —2A **62**
(off Queen's Club Gdns.)
Ruskin Pk. Ho. *SE5* —1F **81**
Ruskin Wlk. *SE24* —3E **81**
Rusper Clo. *NW2* —5E **5**
Rusper Ct. SW9 —5A **66**
(off Clapham Rd.)
Russell Clo. *SE7* —3E **73**
Russell Clo. *W4* —2B **60**
Russell Ct. *E10* —2D **15**
Russell Ct. SE15 —5D **69**
(off Heaton Rd.)
Russell Ct. SW1 —2E **51**
(off Cleveland Row)
Russell Ct. *SW16* —5B **94**
Russell Gdns. *NW11* —1A **6**
Russell Gdns. *W14* —4A **48**
Russell Gdns. M. *W14*
—3A **48**
Russell Gro. *SW9* —3C **66**

Russell Pde. NW11 —1A **6**
(off Golders Grn. Rd.)
Russell Pl. *NW3* —2A **22**
Russell Pl. *SE16* —4A **56**
Russell Rd. *E10* —1D **15**
Russell Rd. *E16* —5C **44**
Russell Rd. *N8* —1F **9**
Russell Rd. *N15* —1A **12**
Russell Rd. *NW9* —1B **4**
Russell Rd. *W14* —4A **48**
Russell's Footpath. SW16
—5A **94**
Russell Sq. *WC1* —4A **38**
Russell St. *WC2* —1A **52**
Russell Yd. *SW15* —2A **76**
Russet Cres. *N7* —2B **24**
Russett Way. *SE13* —5D **71**
Russia Ct. EC2 —2E **39**
(off Russia Row)
Russia Dock Rd. *SE16*
—2A **56**
Russia La. *E2* —1E **41**
Russia Row. *EC2* —2E **39**
Russia Wlk. *SE16* —3A **56**
Rusthall Av. *W4* —5A **46**
Rustic Wlk. E16 —5D **45**
(off Lambert Rd.)
Ruston M. *W11* —5A **34**
Ruston Rd. *SE18* —4F **59**
Ruston St. *E3* —5B **28**
Rust Sq. *SE5* —3F **67**
Rutford Rd. *SW16* —5A **94**
Ruth Ct. *E3* —1A **42**
Rutherford St. *SW1* —5F **51**
Ruthin Clo. *NW9* —1A **4**
Ruthin Rd. *SE3* —2C **72**
Ruthven St. *E9* —5F **27**
Rutland Ct. EC1 —3E **39**
(off Goswell Rd.)
Rutland Ct. *SE5* —2F **81**
Rutland Ct. SW7 —3A **50**
(off Rutland Gdns.)
Rutland Gdns. *N4* —1D **11**
Rutland Gdns. *SW7* —3A **50**
Rutland Gdns. M. *SW7*
—3A **50**
Rutland Ga. *SW7* —3A **50**
Rutland Ga. M. SW7 —3A *50*
(off Rutland Ga.)
Rutland Gro. *W6* —1D **61**
Rutland Ho. W8 —4D **49**
(off Marloes Rd.)
Rutland M. *NW8* —5D **21**
Rutland M. E. SW7 —4A **50**
(off Ennismore St.)
Rutland M. S. SW7 —4A **50**
(off Ennismore St.)
Rutland M. W. SW7 —4A **50**
(off Rutland Ga.)
Rutland Pk. *NW2* —3E **19**
Rutland Pk. *SE6* —2B **98**
Rutland Pk. Mans. NW2
—3E **19**
Rutland Pl. *EC1* —3D **39**
Rutland Rd. *E7* —4F **31**
Rutland Rd. *E9* —5F **27**
Rutland Rd. *E17* —1C **14**
Rutland St. *SW7* —4A **50**

Rutland Wlk. *SE6* —2B **98**
Rutley Clo. *SE17* —2D **67**
Rutt's Ter. *SE14* —4F **69**
Ruvigny Gdns. *SW15* —1F **75**
Ryan Clo. *SE3* —2E **87**
Rycott Path. *SE22* —5C **82**
Ryculff Sq. *SE3* —5B **72**
Rydal Gdns. *NW9* —1A **4**
Rydal Gdns. *SW15* —5A **88**
Rydal Rd. *SW16* —4F **93**
Rydens Ho. *SE9* —3E **101**
Ryder Clo. *Brom* —5D **101**
Ryder Ct. *E10* —1D **15**
Ryder Ct. SW1 —2E 51
(off Ryder St.)
Ryder Dri. *SE16* —1D **69**
Ryder M. *E9* —2E **27**
Ryder's Ter. *NW8* —1E **35**
Ryder Yd. *SW1* —2E **51**
Ryde Vale Rd. *SW12* —2E **93**
Rydons Clo. *SE9* —1F **87**
Rydon St. *N1* —5E **25**
Rydston Clo. *N7* —4A **24**
Ryecotes Mead. *SE21* —1A **96**
Ryecroft Lodge. *SW16* —5D **95**
Ryecroft Rd. *SE13* —3E **85**
Ryecroft Rd. *SW16* —5C **94**
Ryecroft St. *SW6* —4D **63**
Ryedale. *SE22* —4B **83**
Ryefield Path. *SW15* —1C **88**
Ryefield Rd. *SE19* —5E **95**
Rye Hill Pk. *SE15* —2E **83**
Ryelands Cres. *SE12* —4E **87**
Rye La. *SE15* —4C **68**
Rye Pas. *SE15* —1C **82**
Rye Rd. *SE15* —2F **83**
Rye Wlk. *SW15* —3F **75**
Ryfold Rd. *SW19* —3C **90**
Rylandes Rd. *NW2* —5C **4**
Ryland Rd. *NW5* —3D **23**
Rylett Cres. *W12* —3B **46**
Rylett Rd. *W12* —3B **46**
Rylston Rd. *SW6* —2B **62**
Rymer St. *SE24* —4D **81**
Rysbrack St. *SW3* —4B **50**

Sabbarton St. *E16* —5B **44**
Sabella Ct. *E3* —1B **42**
Sabine Rd. *SW11* —1B **78**
Sable St. *N1* —4D **25**
Sach Rd. *E5* —4D **13**
Sackville Ho. *SW16* —3A **94**
Sackville St. *W1* —1E **51**
Sackville Way. *SE22* —1C **96**
Saddlers M. *SW8* —4A **66**
Saddle Yd. *W1* —2D **51**
Saffron Av. *E14* —1F **57**
Saffron Clo. *NW11* —1B **6**
Saffron Ct. E15 —2A 30
(off Maryland Pk.)
Saffron Hill. *EC1* —4C **38**
Saffron St. *EC1* —4C **38**
Sage St. *E1* —1E **55**
Sage Way. WC1 —2B 38
(off Cubitt St.)

216 Mini London

Saigasso Clo. *E16* —5F **45**
Sail St. *SE11* —5B **52**
Sainfoin Rd. *SW17* —2C **92**
Sainsbury Rd. *SE19* —5A **96**
St Agnes Clo. *E9* —5B **27**
St Agnes Pl. *SE11* —2C **66**
St Agnes Well. *EC1* —3F **39**
St Aidan's Rd. *SE22* —4D **83**
St Alban's Av. *W4* —4A **46**
St Alban's Clo. *NW11* —3C **6**
St Albans Ct. EC2 —5E 39
(off Wood St.)
St Alban's Gro. *W8* —4D **49**
St Alban's La. *NW11* —3C **6**
St Albans Mans. W8 —4D 49
(off Kensington Ct. Pl.)
St Alban's M. *W2* —4F **35**
St Alban's Pl. *N1* —5D **25**
St Albans Rd. *NW5* —5C **8**
St Alban's Rd. *NW10* —5A **18**
St Alban's St. *SW1* —1F **51**
St Alban's Ter. *W6* —2A **62**
St Albans Vs. *NW5* —5C **8**
St Alfege Pas. *SE10* —2E **71**
St Alfege Rd. *SE7* —2F **73**
St Alphage Garden. EC2
—4E **39**
St Alphage Highwalk. EC2
(off London Wall) —4E 39
St Alphage Ho. EC2 —4F 39
(off Fore St.)
St Alphonsus Rd. *SW4* —2E **79**
St Amunds Clo. *SE6* —4C **98**
St Andrew's Clo. NW2 —5D 5
St Andrews Clo. SE16 —1D 69
(off Ryder Dri.)
St Andrew's Ct. *SW18* —2E **91**
St Andrew's Gro. *N16* —3F **11**
St Andrew's Hill. *EC4* —1D **53**
St Andrews Mans. W14
(off St Andrews Rd.) —2A 62
St Andrew's M. *N16* —3A **12**
St Andrew's M. *SE3* —3A **72**
St Andrew's Pl. *NW1* —3D **37**
St Andrew's Rd. *E11* —1A **16**
St Andrew's Rd. *E13* —2D **45**
St Andrew's Rd. *W14*
—3D **19**
St Andrew's Rd. *NW11* —1B **6**
St Andrew's Rd. *W3* —1A **46**
St Andrew's Rd. *W14* —2A **62**
St Andrew's Sq. *W11* —5A **34**
St Andrew St. *EC4* —4C **38**
St Andrews Way. E3 —3D 43
St Andrews Wharf. SE1
—3B **54**
St Anne's Clo. *N6* —5C **8**
St Anne's Ct. *NW6* —5A **20**
St Anne's Ct. *W1* —5F **37**
St Anne's Pas. *SW13* —1A **74**
St Anne's Rd. *E11* —4F **15**
St Anne's Row. *E14* —5B **42**
St Anne's St. *E14* —5B **42**
St Ann's Cres. *SW18* —4E **77**
St Ann's Gdns. *NW5* —3C **22**
St Ann's Hill. *SW18* —3D **77**
St Ann's La. *SW1* —4F **51**
St Ann's Pk. Rd. *SW18* —4E **77**

St Ann's Pas. *E14* —5B **42**
St Ann's Rd. *N15* —1D **11**
St Ann's Rd. *SW13* —5B **60**
St Ann's Rd. *W11* —1F **47**
St Ann's St. *SW1* —4F **51**
St Ann's Ter. *NW8* —1F **35**
St Ann's Vs. *W11* —2F **47**
St Anselm's Pl. *W1* —1D **51**
St Anthony's Clo. *E1* —2C **54**
St Anthony's Clo. SW17
—2A **92**
St Antony's Rd. *E7* —4D **31**
St Asaph Rd. *SE4* —1F **83**
St Aubins Ct. *N1* —5A **26**
St Aubyn's Av. *SW19* —5B **90**
St Augustine's Path. N5
—1E **25**
St Augustine's Rd. *NW1*
—4F **23**
St Austell Rd. *SE13* —5E **71**
St Barnabas Rd. *E17* —1C **14**
St Barnabas St. *SW1* —1C **64**
St Barnabas Ter. *E9* —2F **27**
St Barnabas Vs. *SW8* —4A **66**
St Bartholomew's Clo. *SE26*
—4D **97**
St Benedict's Clo. *SW17*
—5C **92**
St Benet's Clo. SW17 —2A 92
St Benet's Pl. *EC3* —1F **53**
St Bernard's Clo. *SE27* —4F **95**
St Bernard's Rd. *E6* —5F **31**
St Botolph Row. *EC3* —5B **40**
St Botolph St. *EC3* —5B **40**
St Brelades Ct. *N1* —5A **26**
St Briavel's Ct. SE15 —3A 68
(off Lynbrook Clo.)
St Bride's Av. EC4 —5D 39
(off Bride La.)
St Bride's Pas. EC4 —5D 39
(off Dorset Rise)
St Bride St. *EC4* —5D **39**
St Catherine's Clo. *SW17*
—2A **92**
St Catherine's Ct. *W4* —4A **46**
St Catherine's Dri. *SE14*
—5F **69**
St Catherines M. *SW3* —5B **50**
St Catherines Tower. *E10*
—2D **15**
St Chad's Pl. *WC1* —2B **38**
St Chad's St. *WC1* —2A **38**
St Charles Pl. *W10* —4A **34**
St Charles Sq. *W10* —4F **33**
St Christopher's Pl. *W1*
—5C **36**
St Clair Rd. *E13* —1D **45**
St Clare St. *EC3* —5B **40**
St Clement's Ct. EC4 —1F 53
(off Clements La.)
St Clement's Ct. *N7* —3B **24**
St Clement's Heights. *SE26*
—3C **96**
St Clement's La. *WC2* —5B **38**
St Clements Mans. SW6
(off Lillie Rd.) —2F 61
St Clement St. *N7* —4C **24**
St Cloud Rd. *SE27* —4E **95**

St Crispin's Clo.—St Katharine's Precinct

St Crispin's Clo. *NW3* —1A **22**
St Cross St. *EC1* —4C **38**
St Cuthbert's Rd. *NW2*
        —3B **20**
St Cyprian's St. *SW17* —4B **92**
St Davids Clo. *SE16* —1D **69**
(off Masters Dri.)
St David's Pl. *NW4* —2D **5**
St Denis Rd. *SE27* —4F **95**
St Dionis Rd. *SW6* —5B **62**
St Donatt's Rd. *SE14* —4B **70**
St Dunstans All. EC3 —1A **54**
(off St Dunstans Hill)
St Dunstan's Av. *W3* —1A **46**
St Dunstans Ct. *EC4* —5C **38**
St Dunstans Hill. *EC3* —1A **54**
St Dunstans La. *EC3* —1A **54**
St Dunstan's Rd. *E7* —3E **31**
St Dunstan's Rd. *W6* —1F **61**
St Edmund's Clo. *NW8*
        —5B **22**
St Edmund's Clo. *SW17*
        —2A **92**
St Edmund's Ter. *NW8*
        —5A **22**
St Edward's Clo. *NW11* —1C **6**
St Edwards Ct. *E10* —2D **15**
St Edwards Clo. SW8 —2F **65**
(off Nine Elms La.)
St Elizabeth Ct. *E10* —2D **15**
St Elmo Rd. *W12* —2B **46**
St Elmos Rd. *SE16* —3A **56**
St Ermin's Hill. SW1 —4F **51**
(off Broadway)
St Ervan's Rd. *W10* —4B **34**
St Faith's Rd. *SE21* —1D **95**
St Fillans Rd. *SE6* —1E **99**
St Francis Rd. *SE22* —2A **82**
St Gabriel's Clo. *E11* —4D **17**
St Gabriel's Mnr. *SE5* —4D **67**
St Gabriels Rd. *NW2* —2F **19**
St George's Av. *E7* —4D **31**
St George's Av. *N7* —1F **23**
St George's Bldgs. *SE1*
        —3E **53**
St George's Cir. *SE1* —4D **53**
St George's Clo. *NW11* —1B **6**
St George's Clo. *SW8* —4E **65**
St Georges Ct. *EC4* —5D **39**
St George's Ct. *SW15* —2B **76**
St George's Dri. *SW1* —5D **51**
St George's Fields. *W2*
        —5A **36**
St George's Gro. *SW17* —3F **91**
St Georges La. EC3 —1F **53**
(off Pudding La.)
St George's M. *NW1* —4B **22**
St George's M. SE1 —4C **52**
(off Westminster Bri. Rd.)
St George's Rd. *E7* —4D **31**
St George's Rd. *E10* —5E **15**
St George's Rd. *NW11* —1B **6**
St George's Rd. *SE1* —4C **52**
St George's Rd. *W4* —3A **46**
St George's Sq. *E7* —4D **31**
St Georges Sq. *E14* —1E **56**
St George's Sq. *SE8* —5B **56**
St George's Sq. *SW1* —1F **65**

St George's Sq. M. *SW1*
        —1F **65**
St George's Ter. *NW1* —4B **22**
St George St. *W1* —1D **51**
St George's Way. *SE15*
        —2A **68**
St Gerards Clo. *SW4* —3E **79**
St German's Pl. *SE3* —4C **72**
St German's Rd. *SE23* —1A **98**
St Giles Cir. *W1* —5F **37**
St Giles High St. *WC2* —5A **38**
(off St Giles High St.)
St Giles High St. *WC2* —5F **37**
St Giles Pas. WC2 —5F **37**
(off New Compton St.)
St Giles Rd. *SE5* —3A **68**
St Giles Ter. *EC2* —4E **39**
(off Barbican)
St Gothard Rd. *SE27* —4F **95**
St Helena Rd. *SE16* —5F **55**
St Helena St. *WC1* —2C **38**
St Helen's Gdns. *W10* —4F **33**
St Helen's Pl. *EC3* —5A **40**
St Helier's Rd. *E10* —1E **15**
St Hilda's Clo. NW6 —5F **19**
St Hilda's Clo. *SW17* —2A **92**
St Hilda's Rd. *SW13* —2D **61**
St Hughes Clo. *SW17* —2A **92**
St James Apartments. E17
(off Pretoria Av.) —1A **14**
St James Ct. *SE3* —4D **73**
St James' Ct. SW1 —4E **51**
St James Ga. *NW1* —4F **23**
St James Gro. *SW11* —5B **64**
St James M. *E14* —4E **57**
St James M. *E17* —1A **14**
St James Residences. W1
(off Brewer St.) —1F **51**
St James' Rd. E15 —2B **30**
St James's. *SE14* —4A **70**
St James's. *SW1* —2E **51**
St James's App. *EC2* —3A **40**
St James's Av. *E2* —1E **41**
St James's Clo. NW8 —5B **22**
(off St James's Ter. M.)
St James's Clo. *SW17* —2B **92**
St James's Cres. *SW9* —1C **80**
St James's Dri. *SW17 & SW12*
        —1B **92**
St James's Gdns. *W11*
        —2A **48**
St James's Mkt. *SW1* —1F **51**
St James's Pas. EC3 —5A **40**
(off Duke's Pl.)
St James's Pl. *SW1* —2E **51**
St James's Rd. *SE1* —2C **68**
St James's Rd. *SE16* —4C **54**
St James's Row. *EC1* —3D **39**
St James's Sq. *SW1* —2E **51**
St James's St. *SW1* —2E **51**
St James's Ter. NW8 —1B **36**
(off Prince Albert Rd.)
St James's Ter. M. *NW8*
        —5B **22**
St James St. *E17* —1A **14**
St James St. *W6* —1E **61**
St James's Wlk. *EC1* —3D **39**
St James Ter. *SW12* —1C **92**

St James Wlk. SE15 —4B **68**
(off Pitt St.)
St John's Av. *NW10* —5B **18**
St John's Av. *SW15* —3F **75**
St Johns Chu. Rd. *E9* —2E **27**
St John's Clo. *SW6* —3C **62**
St John's Ct. *N4* —4D **11**
St John's Ct. *N5* —1D **25**
St John's Ct. *SE13* —5E **71**
St John's Ct. W6 —5D **47**
(off Glenthorne Rd.)
St John's Cres. *SW9* —1C **80**
St Johns Dri. *SW18* —1D **91**
St John's Est. *N1* —1F **39**
St John's Est. SE1 —3B **54**
(off Fair St.)
St John's Gdns. *W11* —1A **48**
St John's Gro. *N19* —4E **9**
St John's Gro. *SW13* —5B **60**
St John's Hill. *SW11* —2F **77**
St John's Hill Gro. *SW11*
        —2F **77**
St John's La. *EC1* —3D **39**
St John's M. *W11* —5C **34**
St John's Pk. *SE3* —3B **72**
St John's Pk. Mans. *N19*
        —5E **9**
St John's Path. EC1 —3D **39**
(off Britton St.)
St Johns Pathway. *SE23*
        —1E **97**
St John's Pl. *EC1* —3D **39**
St John's Rd. *E16* —5C **44**
St John's Rd. *N15* —1A **12**
St John's Rd. *NW11* —1B **6**
St John's Rd. *SE20* —5E **97**
St John's Sq. *EC1* —3D **39**
(in two parts)
St John's Ter. *E7* —3D **31**
St John's Ter. *W10* —3F **33**
St John St. *EC1* —1C **38**
St John's Vale. *SE8* —5C **70**
St John's Vs. *N19* —4E **9**
St John's Vs. *W8* —4D **49**
St John's Way. *N19* —4E **9**
St John's Wood Ct. NW8
        —2F **35**
(off St John's Wood Rd.)
St John's Wood High St. *NW8*
        —1F **35**
St John's Wood Pk. *NW8*
        —5F **21**
St John's Wood Rd. *NW8*
        —3F **35**
St John's Wood Ter. *NW8*
        —1F **35**
St Joseph's Clo. *W10* —4A **34**
St Josephs Ct. *SE7* —2D **73**
St Joseph's St. *SW8* —4D **65**
St Joseph's Vale. *SE3* —1F **85**
St Jude's Rd. *E2* —1D **41**
St Jude St. *N16* —2A **26**
St Julian's Clo. *SW16* —4C **94**
St Julian's Farm Rd. *SE27*
        —4C **95**
St Julian's Rd. *NW6* —5B **20**
St Katharine's Precinct. *NW1*
        —1D **37**

Mini London 217

St Katharine's Way—St Peter's Ter.

St Peter's Vs.—Sandridge Ct.

St Peter's Vs. *W6* —5C **46**
St Peter's Way. *N1* —4A **26**
St Peter's Wharf. *W4* —1C **60**
St Philip Sq. *SW8* —5D **65**
St Philip's. *E8* —3C **26**
St Philip St. *SW8* —5D **65**
St Philip's Way. *N1* —5E **25**
St Quintin Av. *W10* —4E **33**
St Quintin Gdns. *W10* —4E **33**
St Quintin Rd. *E13* —2D **45**
St Regis Heights. *NW3* —5D **7**
St Rule St. *SW8* —5E **65**
St Saviour's College. *SE27*
—4F **95**
St Saviour's Est. *SE1* —4B **54**
St Saviour's Rd. *SW2* —3B **80**
Saints Clo. *SE27* —4D **95**
Saints Dri. *E7* —2F **31**
St Silas Pl. *NW5* —3C **22**
St Simon's Av. *SW15* —3E **75**
St Stephen's Av. *E17* —1E **15**
St Stephen's Av. *W12* —3D **47**
St Stephen's Clo. *E17* —1D **15**
St Stephen's Clo. *NW8*
—5A **22**
St Stephen's Cres. *W2*
—5C **34**
St Stephen's Gdns. *SW15*
—3B **76**
St Stephen's Gdns. *W2*
(in two parts) —5C **34**
St Stephens Gro. *SE13*
—1E **85**
St Stephen's M. *W2* —4C **34**
St Stephens Pde. *E7* —4E **31**
St Stephens Pde. *SW1* —3A **52**
St Stephen's Rd. *E3* —5A **28**
St Stephen's Rd. *E6* —4E **31**
St Stephen's Rd. *E17* —1D **15**
St Stephen's Row. EC4 —5F **39**
(off Walbrook)
St Stephens Ter. *SW8* —3B **66**
St Stephen's Wlk. *SW7*
—5E **49**
St Swithins La. *EC4* —1F **53**
St Swithun's Rd. *SE13* —4F **85**
St Thomas Ct. E10 —2D **15**
(off Skelton's La.)
St Thomas Pl. NW1 —4F **23**
(off Maiden La.)
St Thomas Rd. *E16* —5C **44**
St Thomas Gdns. *NW5*
—3C **22**
St Thomas's Pl. *E9* —4E **27**
St Thomas's Rd. *N4* —4C **10**
St Thomas's Rd. *NW10*
—5A **18**
St Thomas's Sq. *E9* —4E **27**
St Thomas St. *SE1* —2F **53**
St Thomas's Way. *SW6*
—3B **62**
St Vincent Clo. *SE27* —5D **95**
St Vincent St. *W1* —4C **36**
Salamanca Pl. *SE1* —5B **52**
Salamanca St. *SE1 & SE11*
—5B **52**
Salcombe Rd. *E17* —2B **14**

Salcombe Rd. *N16* —2A **26**
Salcott Rd. *SW11* —3A **78**
Salehurst Rd. *SE4* —4B **84**
Salem Rd. *W2* —1D **49**
Sale Pl. *W2* —5A **36**
Sale St. *E2* —3C **40**
Salford Rd. *SW2* —1F **93**
Salisbury Clo. *SE17* —5F **53**
Salisbury Ct. *EC4* —5D **39**
Salisbury Ho. *SW9* —3C **66**
(off Cranmer Rd.)
Salisbury Mans. *N15* —1D **11**
Salisbury M. *SW6* —3B **62**
Salisbury Pas. *SW6* —3B **62**
(off Dawes Rd.)
Salisbury Pl. *SW9* —3D **67**
Salisbury Pl. *W1* —4B **36**
Salisbury Rd. *E7* —3C **30**
Salisbury Rd. *E10* —4E **15**
Salisbury Rd. *E12* —2F **31**
Salisbury Rd. *E17* —1E **15**
Salisbury Rd. *N4* —1D **11**
Salisbury Sq. *EC4* —5C **38**
Salisbury St. *NW8* —3A **36**
Salisbury Ter. *SE15* —1E **83**
Salisbury Wlk. *N19* —4E **9**
Salmen Rd. *E13* —1A **44**
Salmon La. *E14* —5A **42**
Salmon St. *E14* —5B **42**
Salomons Rd. *E13* —4E **45**
Salop Rd. *E17* —1F **13**
Saltcoats Rd. *W4* —3A **46**
Saltdene. *N4* —3B **10**
Salterford Rd. *SW17* —5C **92**
Salter Rd. *SE16* —2F **55**
Salters Ct. EC4 —5E **39**
(off Bow La.)
Salter's Hall Ct. EC4 —1F **53**
(off Cannon St.)
Salter's Hill. *SE19* —5F **95**
Salters Rd. *W10* —3F **33**
Salter St. *E14* —1C **56**
Salter St. *NW10* —2C **32**
Salterton Rd. *N7* —5B **10**
Saltoun Rd. *SW2* —2C **80**
Saltram Cres. *W9* —2B **34**
Saltwell St. *E14* —1C **56**
Saltwood Gro. *SE17* —1F **67**
Saltwood Ho. SE15 —2E **69**
(off Lovelinch Clo.)
Salusbury Rd. *NW6* —5A **20**
Salutation Rd. *SE10* —4A **58**
Salvador. *SW17* —5B **92**
Salvin Rd. *SW15* —1F **75**
Salway Pl. *E15* —3F **29**
Salway Rd. *E15* —3F **29**
Samantha Clo. *E17* —2B **14**
Sam Bartram Clo. *SE7* —1E **73**
Sambrook Ho. SE11 —5C **52**
(off Hotspur St.)
Sambruck M. *SE6* —1D **99**
Samels St. *W6* —1C **60**
Samford Ho. N1 —5C **24**
(off Barnsbury Est.)
Samford St. *NW8* —3F **35**
Sampson St. *E1* —2C **54**
Samson St. *E13* —1E **45**
Samuda Est. *E14* —4E **57**

Samuel Clo. *E8* —5B **26**
Samuel Clo. *SE14* —2F **69**
Samuel Johnson Clo. *SW16*
—4B **94**
Samuel Jones Ind. Est. SE15
(off Peckham Gro.) —3A **68**
Samuel Lewis Bldgs. *N1*
—3C **24**
Samuel Lewis Trust Dwellings.
(Amhurst Rd.) *E8* —2C **26**
Samuel Lewis Trust Dwellings.
(Dalston La.) *E8* —2C **26**
Samuel Lewis Trust Dwellings.
N16 —1A **12**
Samuel Lewis Trust Dwellings.
SE5 —4E **67**
(off Warner Rd.)
Samuel Lewis Trust Dwellings.
SW3 —5A **50**
(off Ixworth Pl.)
Samuel Lewis Trust Dwellings.
SW6 —3C **62**
(off Vanston Pl.)
Samuel Lewis Trust Dwellings.
W14 —5B **48**
(off Lisgar Ter.)
Samuel's Clo. *W6* —5E **47**
Sancroft Clo. *NW2* —5D **5**
Sancroft Ho. SE11 —1B **66**
(off Sancroft St.)
Sancroft St. *SE11* —1B **66**
Sanctuary St. *SE1* —3E **53**
Sanctuary, The. SW1 —4F **51**
(off Broad Sanctuary)
Sandale Clo. *N16* —5F **11**
Sandall Rd. *NW5* —3E **23**
Sandal St. *E15* —5A **30**
Sandalwood Clo. *E1* —3A **42**
Sandbourne Rd. *SE4* —5A **70**
Sandbrook Rd. *N16* —5A **12**
Sandby Grn. *SE9* —1F **87**
Sandell St. *SE1* —3C **52**
Sanderling Clo. SE8 —2B **70**
(off Abinger Gro.)
Sanderson Clo. *NW5* —1D **23**
Sanderstead Av. *NW2* —4A **6**
Sanderstead Clo. *SW12*
—5E **79**
Sanderstead Rd. *E10* —3A **14**
Sanders Way. *N19* —3F **9**
Sandford Ct. *N16* —3A **12**
Sandford St. *SW6* —3D **63**
Sandgate Ho. *E5* —1D **27**
Sandgate La. *SW18* —1A **92**
Sandgate St. *SE15* —2D **69**
Sandham Ct. *SW4* —4A **66**
Sandhills, The. SW10 —2E **63**
(off Limerston St.)
Sandhurst Ct. *SW2* —2A **80**
Sandhurst Rd. *SE6* —1F **99**
Sandilands Rd. *SW6* —4D **63**
Sandison St. *SE15* —1C **82**
Sandland St. *WC1* —4B **38**
Sandlings Clo. *SE15* —5D **69**
Sandmere Rd. *SW4* —2A **80**
Sandpiper Clo. *SE16* —3B **56**
Sandpit Rd. Brom —5A **100**
Sandridge Ct. *N4* —4E **11**

Sandridge St.—Searles Clo.

Sandridge St. *N19* —4E **9**
Sandringham Clo. *SW19*
—5F **75**
Sandringham Ct. *W9* —2E **35**
(off Maida Vale)
Sandringham Flats. *WC2*
—1F **51**
(off Charing Cross Rd.)
Sandringham Gdns. *N8*
—1A **10**
Sandringham Rd. *E7* —2E **31**
Sandringham Rd. *E8* —2B **26**
Sandringham Rd. *E10* —1F **15**
Sandringham Rd. *NW2*
—3D **19**
Sandringham Rd. *NW11*
—2A **6**
Sandringham Rd. *Brom*
—5C **102**
Sandrock Rd. *SE13* —1C **84**
Sand's End La. *SW6* —4D **63**
Sandstone Pl. *N19* —4D **9**
Sandstone Rd. *SE12* —2D **101**
Sandtoft Rd. *SE7* —2D **73**
Sandwell Cres. *NW6* —3C **20**
Sandwich St. *WC1* —2A **38**
Sandy Rd. *NW3* —4D **7**
Sandys Row. *E1* —4A **40**
Sanford La. *N16* —4B **12**
(in two parts)
Sanford St. *SE14* —2A **70**
Sanford Ter. *N16* —5B **12**
Sanford Wlk. *N16* —4B **12**
Sanford Wlk. *SE14* —2A **70**
Sangley Rd. *SE6* —5D **85**
Sangora Rd. *SW11* —2F **77**
Sansom Rd. *E11* —4B **16**
Sansom St. *SE5* —4F **67**
Sans Wlk. *EC1* —3C **38**
Santley Ho. *SE1* —3C **52**
Santley St. *SW4* —2A **80**
Santos Rd. *SW18* —3C **76**
Sapcote Trad. Est. *NW10*
—3B **18**
Saperton Wlk. *SE11* —5B **52**
(off Juxon St.)
Sapperton Ct. *EC1* —3E **39**
(off Gee St.)
Sapphire Rd. *SE8* —5A **56**
Saracens Head Yd. *EC3*
(off Jewry St.) —5B **40**
Saracen St. *E14* —5C **42**
Saratoga Rd. *E5* —1E **27**
Sardinia St. *WC2* —5B **38**
Sarjant Path. *SW19* —2F **89**
(off Blincoe Clo.)
Sark Wlk. *E16* —5D **45**
Sarnesfield Ho. *SE15* —2D **69**
(off Pencraig Way)
Sarre Rd. *NW2* —2B **20**
Sarsfeld Rd. *SW12* —1B **92**
Sartor Rd. *SE15* —2F **83**
Satanita Clo. *E16* —5F **45**
Satchwell Rd. *E2* —2C **40**
Satchwell St. *E2* —2C **40**
Sattar M. *N16* —5F **11**
(off Clissold Rd.)

220 Mini London

Saul Ct. *SE15* —2B **68**
(off Daniel Gdns.)
Sauls Grn. *E11* —5A **16**
Saunders Ho. *W11* —2F **47**
Saunders Ness Rd. *E14*
—1E **71**
Saunders St. *SE11* —5C **52**
Savage Gdns. *EC3* —1A **54**
Savernake Ho. *N4* —2E **11**
Savernake Rd. *NW3* —1B **22**
Savile Row. *W1* —1E **51**
Saville Rd. *E16* —2F **59**
Savill Ho. *SW4* —4F **79**
Savona Ho. *SW8* —3E **65**
Savona St. *SW8* —3E **65**
Savoy Bldgs. *WC2* —1B **52**
(off Strand)
Savoy Clo. *E15* —5A **30**
Savoy Ct. *NW3* —5E **7**
Savoy Ct. *WC2* —1B **52**
Savoy Hill. *WC2* —1B **52**
Savoy Pl. *WC2* —1A **52**
Savoy Row. *WC2* —1B **52**
(off Savoy St.)
Savoy Steps. *WC2* —1B **52**
(off Savoy Row)
Savoy St. *WC2* —1B **52**
Savoy Way. *WC2* —1B **52**
(off Savoy Hill)
Sawkins Clo. *SW19* —2A **90**
Sawley Rd. *W12* —2B **46**
Sawyer Ct. *NW10* —4A **18**
Sawyer St. *SE1* —3E **53**
Saxby Rd. *SW2* —5A **80**
Saxonbury Ct. *N7* —2A **24**
Saxon Clo. *E17* —2C **14**
Saxonfield Clo. *SW2* —1B **94**
Saxon Rd. *E3* —1B **42**
Saxton Clo. *SE13* —1F **85**
Sayer Ct. *SE17* —5E **53**
Sayes Ct. *SE8* —1B **70**
Sayes Ct. St. *SE8* —2B **70**
Scala St. *W1* —4E **37**
Scampston M. *W10* —5F **33**
Scandrett St. *E1* —2D **55**
Scarba Wlk. *N1* —3F **25**
(off Marquess Rd.)
Scarborough Rd. *E11* —3F **15**
Scarborough Rd. *N4* —3C **10**
Scarborough St. *E1* —5B **40**
Scarlet Rd. *SE6* —3A **100**
Scarlette Mnr. Way. *SW2*
—5C **80**
Scarsbrook Rd. *SE3* —1F **87**
Scarsdale Pl. *W8* —4D **49**
Scarsdale Vs. *W8* —4C **48**
Scarth Rd. *SW13* —1B **74**
Scawen Rd. *SE8* —1A **70**
Scawfell St. *E2* —1B **40**
Sceaux Gdns. *SE5* —4A **68**
Sceptre Ct. *EC3* —1B **54**
(off Tower Hill)
Sceptre Rd. *E2* —2E **41**
Schofield Wlk. *SE3* —3D **73**
Scholars St. *SW12* —1E **93**
Scholefield Rd. *N19* —3F **9**
Schonfeld Sq. *N16* —3F **11**
School App. *E2* —2A **40**

Schoolbell M. *E3* —1A **42**
School Ho. La. *E1* —1F **55**
School Rd. *NW10* —3A **32**
Schooner Clo. *SE16* —3F **55**
Schubert Rd. *SW15* —3B **76**
Schwartz Bldgs. *E1* —4E **39**
(off Woodseer St.)
Sclater St. *E1* —3B **40**
Scoble Pl. *N16* —1B **26**
Scoles Cres. *SW2* —1C **94**
Scoresby St. *SE1* —2D **53**
Scotch House. (Junct.)
—3B **50**
Scoter Ct. *SE8* —2B **70**
(off Abinger Gro.)
Scotia Building. *E1* —1F **55**
(off Jardine Rd.)
Scotia Rd. *SW2* —1C **94**
Scotland Pl. *SW1* —2A **52**
Scotney Ho. *E9* —3E **27**
Scotsdale Rd. *SE12* —3D **87**
Scotson Ho. *SE11* —5C **52**
(off Marylee Way)
Scotswood St. *EC1* —3C **38**
Scott Ellis Gdns. *NW8* —2F **35**
Scott Ho. *E13* —1C **44**
(off Queens Rd. W.)
Scott Ho. *E14* —3C **56**
(off Admirals Way)
Scott Lidgett Cres. *SE16*
—3C **54**
Scott Russell Pl. *E14* —1D **71**
Scott's Rd. *E10* —3C **15**
Scott's Rd. *W12* —3D **47**
Scott St. *E1* —3D **41**
Scott's Yd. EC4 —1F **53**
(off Gophir La.)
Scoulding Rd. *E16* —5C **44**
Scouler St. *E14* —1F **57**
Scout App. *NW10* —1A **18**
Scout La. *SW4* —1E **79**
Scovell Cres. *SE1* —3E **53**
(off McCoid Way)
Scovell Rd. *SE1* —3E **53**
Scriven Ct. *E8* —5B **26**
Scriven St. *E8* —5B **26**
Scrooby St. *SE6* —4D **85**
Scrubs La. *NW10* —2C **32**
Scrutton Clo. *SW12* —5F **79**
Scrutton St. *EC2* —3A **40**
Scutari Rd. *SE22* —3E **83**
Scylla Rd. *SE15* —1C **82**
(in two parts)
Seabright Pas. *E2* —1C **40**
Seabright St. *E2* —2D **41**
Seacole Clo. *W3* —4A **32**
Seaford St. *WC1* —2A **38**
Seaforth Cres. *N5* —2E **25**
Seaforth Pl. *SW1* —4E **51**
(off Buckingham Ga.)
Seagrave Clo. *E1* —4F **41**
Seagrave Lodge. *SW6* —2C **62**
(off Seagrave Rd.)
Seagrave Rd. *SW6* —2C **62**
Seagry Rd. *E11* —1C **16**
Seal St. *E8* —1B **26**
Searle Pl. *N4* —3B **10**
Searles Clo. *SW11* —3A **64**

Searles Rd.—Shannon Ct.

Searles Rd. *SE1* —5F **53**
Sears St. *SE5* —3F **67**
Seaton Clo. *E13* —3C **44**
Seaton Clo. *SE11* —1D **67**
Seaton Clo. *SW15* —1D **89**
Seaton Pl. *NW1* —3E **37**
(off Triton Sq.)
Seaton Point. *E5* —1C **26**
Sebastian St. *EC1* —2D **39**
Sebbon St. *N1* —4D **25**
Sebert Rd. *E7* —2D **31**
Sebright Pas. *E2* —1C **40**
Secker Ho. *SW9* —5D **67**
(off Loughborough Est.)
Secker St. *SE1* —2C **52**
Second Av. *E13* —2D **44**
Second Av. *SW14* —1A **74**
Second Av. *W3* —2B **46**
Second Av. *W10* —3A **34**
Sedan Way. *SE17* —1A **68**
Sedding St. *SW1* —5C **50**
Seddon Highwalk. *EC2* —4E **39**
(off Barbican)
Seddon Ho. *EC2* —4E **39**
(off Barbican)
Seddon St. *WC1* —2B **38**
Sedgebrook Rd. *SE3* —1F **87**
Sedgeford Rd. *W12* —2B **46**
Sedgehill Rd. *SE6* —4C **98**
Sedgeway. *SE6* —1B **100**
Sedgmoor Pl. *SE5* —3A **68**
Sedgwick Rd. *E10* —4E **15**
Sedgwick St. *E9* —2F **27**
Sedleigh Rd. *SW18* —4B **76**
Sedlescombe Rd. *SW6*
—2C **62**
Sedley Ct. *SE26* —2D **97**
Sedley Ho. *SE11* —1B **66**
(off Newburn St.)
Sedley Pl. *W1* —5D **37**
Seeley Dri. *SW21* —4A **96**
Seelig Av. *NW9* —2C **4**
Seely Rd. *SW17* —5C **92**
Seething La. *EC3* —1A **54**
Sefton St. *SW15* —1E **75**
Sega Ho. *SW5* —5C **48**
(off Cromwell Rd.)
Segal Clo. *SE23* —5A **84**
Sekforde St. *EC1* —3D **39**
Selbie Av. *NW10* —2B **18**
Selborne Rd. *SE5* —5F **67**
Selbourne Ho. *SE1* —3F **53**
(off Gt. Dover St.)
Selby Clo. *E6* —4F **45**
Selby Rd. *E11* —5A **16**
Selby Rd. *E13* —4D **45**
Selby St. *E1* —3C **40**
Selden Ho. *SE15* —5E **69**
(off Selden Rd.)
Selden Rd. *SE15* —5E **69**
Selden Wlk. *N7* —4B **10**
Seldon Ho. *SW8* —3E **65**
(off Stewart's Rd.)
Selhurst Clo. *SW19* —1F **89**
Selkirk Rd. *SW17* —4A **92**
Sellincourt Rd. *SW17* —5A **92**
Sellon M. *SE11* —5B **52**
Sellons Av. *NW10* —5B **18**

Selsdon Rd. *E11* —2C **16**
Selsdon Rd. *E13* —5E **31**
Selsdon Rd. *NW2* —4B **4**
Selsdon Rd. *SE27* —3D **95**
Selsdon Way. *E14* —4D **57**
Selsea Pl. *N16* —2A **26**
Selsey St. *E14* —4C **42**
Selwood Pl. *SW7* —1F **63**
Selwood Ter. *SW7* —1F **63**
Selworthy Clo. *E11* —1C **16**
Selworthy Rd. *SE6* —3B **98**
Selwyn Ct. *E17* —1C **14**
(off Yunus Khan Clo.)
Selwyn Ct. *SE3* —1B **86**
Selwyn Rd. *E3* —1B **42**
Selwyn Rd. *E13* —5D **31**
Selwyn Rd. *NW10* —4A **18**
Semley Ga. *E9* —3B **28**
Semley Pl. *SW1* —5C **50**
Senate St. *SE15* —5E **69**
Senior St. *W2* —4D **35**
Senlac Rd. *SE12* —1D **101**
Senrab St. *E1* —5F **41**
Serbin Clo. *E10* —2E **15**
Sergeant Ind. Est. *SW18*
—4D **77**
Serica Ct. *SE10* —3E **71**
Serjeant's Inn. *EC4* —5C **38**
Serle St. *WC2* —5B **38**
Sermon La. *EC4* —5E **39**
(off Carter La.)
Serpentine Rd. *W2* —2A **50**
Setchell Rd. *SE1* —5B **54**
Setchell Way. *SE1* —5B **54**
Seth St. *SE16* —3E **55**
Settle Rd. *E13* —1C **44**
Settles St. *E1* —4C **40**
Settrington Rd. *SW6* —5D **63**
Seven Dials. *WC2* —5A **38**
Seven Dials Ct. *WC2* —5A **38**
(off Short Gdns.)
Sevenoaks Rd. *SE4* —4A **84**
Seven Sisters Rd. *N7, N4 &
N15* —5B **10**
Seven Stars Corner. *W12*
—4C **46**
Severnake Clo. *E14* —5C **56**
Severn Way. *NW10* —2B **18**
Severus Rd. *SW11* —2A **78**
Seville St. *SW1* —3B **50**
Sevill M. *N1* —4A **26**
Sevington St. *W9* —3D **35**
Sewardstone Rd. *E2* —1E **41**
Seward St. *EC1* —2D **39**
Sewdley St. *E5* —1F **27**
Sewell St. *E13* —2C **44**
Sextant Av. *E14* —5F **57**
Seymour Clo. *EC1* —3D **39**
Seymour Ct. *NW2* —4D **5**
Seymour Gdns. *SE4* —1A **84**
Seymour M. *W1* —5C **36**
Seymour Pl. *W1* —4B **36**
Seymour Rd. *E6* —1F **45**
Seymour Rd. *E10* —3B **14**
Seymour Rd. *N8* —1C **10**
Seymour Rd. *SW18* —5B **76**
Seymour Rd. *SW19* —3F **89**

Seymour Rd. Ind. Est. *E10*
—3B **14**
Seymour St. *W2 & W1*
—5B **36**
Seymour Wlk. *SW10* —2E **63**
Seyssel St. *E14* —5E **57**
Shaa Rd. *W3* —1A **46**
Shackleton Clo. *SE23* —2D **97**
Shackleton Ho. *NW10* —4A **18**
Shacklewell Grn. *E8* —1B **26**
Shacklewell La. *E8* —2B **26**
Shacklewell Rd. *N16* —1B **26**
Shacklewell Row. *E8* —1B **26**
Shacklewell St. *E2* —2B **40**
Shad Thames. *SE1* —2B **54**
Shadwell Gdns. *E1* —1D **55**
(off Sutton St.)
Shadwell Pier Head. *E1*
—1E **55**
Shadwell Pl. *E1* —1E **55**
Shaftesbury Av. *W1 & WC2*
—1F **51**
Shaftesbury Ct. *SE5* —2F **81**
Shaftesbury Ct. *SW6* —4D **63**
(off Maltings Pl.)
Shaftesbury Ct. *SW16* —3F **93**
Shaftesbury Gdns. *NW10*
—3A **32**
Shaftesbury Lodge. *E14*
(off Upper N. St.) —5D **43**
Shaftesbury M. *SW4* —3E **79**
Shaftesbury M. *W8* —4C **48**
(off Stratford Rd.)
Shaftesbury Pl. *EC2* —4E **39**
(off Barbican)
Shaftesbury Point. *E13* —1C **44**
(off High St. Plaistow.)
Shaftesbury Rd. *E7* —4E **31**
Shaftesbury Rd. *E10* —3C **14**
Shaftesbury Rd. *E17* —1D **15**
Shaftesbury Rd. *N19* —3A **10**
Shaftesbury St. *N1* —1E **39**
(in two parts)
Shafto M. *SW1* —4B **50**
Shafton M. *E9* —5F **27**
Shafton Rd. *E9* —5F **27**
Shafts Ct. *EC3* —5A **40**
Shakespeare M. *N16* —1A **26**
Shakespeare St. *SE24*
—3D **81**
Shakespeare Tower. *EC2*
(off Barbican) —4E **39**
Shakespeare Wlk. *N16* —1A **26**
Shalcomb St. *SW10* —2E **63**
Shalden Ho. *SW15* —4B **74**
Shalfleet Dri. *W10* —1F **47**
Shalford Ct. *N1* —1D **39**
(off Charlton Pl.)
Shalford Ho. *SE1* —4F **53**
Shamrock St. *SW4* —1F **79**
Shandon Rd. *SW4* —4E **79**
Shand St. *SE1* —3A **54**
Shandy St. *E1* —4F **41**
Shanklin Rd. *N8* —1F **9**
Shanklin Way. *SE15* —3B **68**
Shannon Clo. *NW2* —5F **5**
Shannon Ct. *N16* —5A **12**

Shannon Gro. *SW9* —2B **80**
Shannon Pl. *NW8* —1A **36**
Shanti Lit. *SW18* —1C **90**
Shap St. *E2* —1B **40**
Shardcroft Av. *SE24* —3D **81**
Shardeloes Rd. *SE14* —5B **70**
Shard's Sq. *SE15* —2C **68**
Sharon Gdns. *E9* —5E **27**
Sharp Ho. *SW8* —1D **79**
Sharpleshall St. *NW1* —4B **22**
Sharpness Ct. *SE15* —3B **68**
 (off Daniel Gdns.)
Sharratt St. *SE15* —2E **69**
Starsted St. *SE17* —1D **67**
Shaver's Pl. *SW1* —1F **51**
 (off Coventry St.)
Shawbrooke Rd. *SE9* —3E **87**
Shawbury Rd. *SE22* —3B **82**
Shawfield St. *SW3* —1A **64**
Shawford Ct. *SW15* —5C **74**
Shaw Path. *Brom* —3B **100**
Shaw Rd. *SE22* —2A **82**
Shaw Rd. *Brom* —3B **100**
Shearling Way. *N7* —3A **24**
Shearman Rd. *SE3* —2B **86**
Shearwater Ct. *SE8* —2B **70**
 (off Abinger Gro.)
Sheba St. *E1* —3B **40**
Sheenewood. *SE26* —4D **97**
Sheen Gro. *N1* —5C **24**
Sheepcote La. *SW11* —5B **64**
Sheep La. *E8* —5D **27**
Sheep Wlk. M. *SW19* —5F **89**
Sheerwater Rd. *E16* —4F **45**
Sheffield Sq. *E3* —2B **42**
Sheffield St. *WC2* —5B **38**
Sheffield Ter. *W8* —2C **48**
Shelburne Rd. *N7* —1B **24**
Shelbury Rd. *SE22* —3D **83**
Sheldon Av. *N6* —2A **8**
Sheldon Clo. *SE12* —3D **87**
Sheldon Ct. *SW8* —3A **66**
 (off Lansdowne Grn.)
Sheldon Rd. *NW2* —1F **19**
Sheldrake Pl. *W8* —3C **48**
Shelduck Clo. *E7* —2B **30**
Shelduck Ct. *SE8* —2B **70**
 (off Pilot Clo.)
Shelford Pl. *N16* —5F **11**
Shelgate Rd. *SW11* —3A **78**
Shelley Av. *E12* —3F **31**
Shelley Clo. *SE15* —5D **69**
Shelley Ct. *E10* —2D **15**
Shelley Ct. *N4* —3B **10**
Shelley Ho. *SE17* —1E **67**
 (off Browning St.)
Shelley Way. *SW19* —5F **91**
Shellness Rd. *E5* —2D **27**
Shell Rd. *SE13* —1D **85**
Shellwood Rd. *SW11* —5B **64**
Shelmerdine Clo. *E3* —4C **42**
Shelton St. *WC2* —5A **38**
 (in two parts)
Shenfield St. *N1* —1A **40**
Shenley Rd. *SE5* —4A **68**
Shepherd Clo. *W1* —1C **50**
 (off Lees Pl.)
Shepherdess Pl. *N1* —2E **39**

Shepherdess Wlk. *N1* —1E **39**
Shepherd Mkt. *W1* —2D **51**
Shepherd's Bush Grn. *W12*
 —3E **47**
Shepherd's Bush Mkt. *W12*
 —3E **47**
Shepherd's Bush Pl. *W12*
 —3F **47**
Shepherd's Bush Rd. *W6*
 —5E **47**
Shepherd's Clo. *N6* —1D **9**
Shepherds St. *W1* —3F **47**
 (off Shepherd's Bush Grn.)
Shepherd's Hill. *N6* —1D **9**
Shepherds La. *E9* —3F **27**
Shepherd's Path. *NW3* —2F **21**
 (off Lyndhurst Rd.)
Shepherds Pl. *W1* —1C **50**
Shepherd St. *W1* —2D **51**
Shepherds Wlk. *NW2* —4C **4**
Shepherd's Wlk. *NW3* —2F **21**
Sheppard Dri. *SE16* —1D **69**
Sheppard Ho. *SW2* —1C **94**
Sheppard St. *E16* —3B **44**
Shepperton Rd. *N1* —5F **25**
Sheppey Wlk. *N1* —3E **25**
Shepton Houses. *E2* —2E **41**
 (off Welwyn St.)
Sheraton St. *W1* —5F **37**
Sherborne Ho. *SW8* —3B **66**
 (off Bolney St.)
Sherborne La. *EC4* —1F **53**
Sherborne St. *N1* —5E **25**
Sherboro Rd. *N15* —1B **12**
Sherbrooke Rd. *SW6* —3A **62**
Shere Ho. *SE1* —3F **53**
 (off Gt. Dover St.)
Sherfield Gdns. *SW15* —4B **74**
Sheridan Ho. *SE11* —5C **52**
 (off Wincott St.)
Sheridan Pl. *SW13* —1B **74**
Sheridan Rd. *E7* —5B **16**
Sheridan St. *E1* —5D **41**
Sheridan Wlk. *NW11* —1C **6**
Sheringham. *NW8* —4F **21**
Sheringham Ho. *NW1* —4A **36**
 (off Lisson St.)
Sheringham Rd. *N7* —3B **24**
Sherington Rd. *SE7* —2D **73**
Sherlock M. *W1* —4C **36**
Sherrard Rd. *E7 & E12*
 —3E **31**
Sherrick Grn. Rd. *NW10*
 —2D **19**
Sherriff Rd. *NW6* —3C **20**
Sherrin Rd. *E10* —1D **29**
Sherston Ct. *SE1* —5D **53**
 (off Newington Butts)
Sherston Ct. *WC1* —2C **38**
 (off Attneave St.)
Sherwin Ho. *SE11* —2C **66**
 (off Kennington Rd.)
Sherwin Rd. *SE14* —4F **69**
Sherwood. *NW6* —4A **20**
Sherwood Clo. *SW13* —1D **75**
Sherwood Ct. *SW11* —1E **77**
Sherwood Gdns. *E14* —5C **56**
Sherwood Gdns. *SE16* —1C **68**

Sherwood St. *W1* —1E **51**
Shetland Rd. *E3* —1B **42**
Shifford Path. *SE23* —3F **97**
Shillaker Ct. *W3* —2B **46**
Shillibeer Pl. *W1* —4A **36**
 (off York St.)
Shillingford St. *N1* —4D **25**
Shinfield St. *W12* —5E **33**
Shipka Rd. *SW12* —1D **93**
Shipman Rd. *E16* —5D **45**
Shipman Rd. *SE23* —2F **97**
Ship & Mermaid Row. *SE1*
 —3F **53**
Ship St. *SE8* —4C **70**
Ship Tavern Pas. *EC3* —1A **54**
Shipton Pl. *NW5* —3C **22**
Shipton St. *E2* —2B **40**
Shipway Ter. *N16* —5B **12**
Shipwright Rd. *SE16* —3A **56**
Shipwright Yd. *SE1* —2A **54**
 (off Tooley St.)
Ship Yd. *E14* —1D **71**
Shirburn Clo. *SE23* —5E **83**
Shirbutt St. *E14* —1D **57**
Shirebrook Rd. *SE3* —1F **87**
Shirehall Clo. *NW4* —1F **5**
Shirehall Gdns. *NW4* —1F **5**
Shirehall La. *NW4* —1F **5**
Shirehall Pk. *NW4* —1F **5**
Shire Pl. *SW18* —5D **77**
Shirland M. *W9* —2B **34**
Shirland Rd. *W9* —2B **34**
Shirley Gro. *SW11* —1C **78**
Shirley Ho. *SE5* —3F **67**
 (off Picton St.)
Shirley Ho. Dri. *SE7* —3E **73**
Shirley Rd. *E15* —4A **30**
Shirley Rd. *W4* —3A **46**
Shirley St. *E16* —5B **44**
Shirlock Rd. *NW3* —1B **22**
Shobroke Clo. *NW2* —5E **5**
Shoe La. *EC4* —5C **38**
Shooters Hill Rd. *SE3 & SE18*
 —4F **71**
Shoreditch Ct. *E8* —5B **26**
 (off Queensbridge Rd.)
Shoreditch High St. *E1*
 —3A **40**
Shoreham Clo. *SW18* —3D **77**
Shore Ho. *SW8* —1D **79**
Shore Pl. *E9* —4E **27**
Shore Rd. *E9* —4E **27**
Shorncliffe Rd. *SE1* —1B **68**
Shorndean St. *SE6* —1E **99**
Shorrold's Rd. *SW6* —3B **62**
Shorter St. *E1* —1B **54**
Shortlands. *W6* —5F **47**
Shortlands Rd. *E10* —2D **15**
Short Rd. *E11* —4A **16**
Short Rd. *E15* —5F **29**
Short Rd. *W4* —2A **60**
Shorts Gdns. *WC2* —5A **38**
Short St. *SE1* —3C **52**
Short Wall. *E15* —2E **43**
Short Way. *SE9* —1F **87**
Shotfield Av. *SW14* —2A **74**
Shottendane Rd. *SW6* —4C **62**

Shottery Clo. *SE9* —3F **101**
Shoulder of Mutton All. *E14*
—1A **56**
Shouldham St. *W1* —4A **36**
Shrewsbury Ct. *EC1* —3E **39**
(off Whitecross St.)
Shrewsbury Cres. *NW10*
—5A **18**
Shrewsbury Ho. *SW8* —2B **66**
(off Meadow Rd.)
Shrewsbury M. *W2* —4C **34**
(off Chepstow Rd.)
Shrewsbury Rd. *E7* —2F **31**
Shrewsbury Rd. *W2* —5C **34**
Shrewsbury Rd. *W10* —3E **33**
Shroffold Rd. *Brom* —4A **100**
Shropshire Pl. *WC1* —3E **37**
Shroton St. *NW1* —4A **36**
Shrubbary Clo. *N1* —5E **25**
Shrubbery Rd. *SW16* —4A **94**
Shrubbery, The. *E11* —1D **17**
Shrubland Rd. *E8* —5C **26**
Shrubland Rd. *E10* —2C **14**
Shrubland Rd. *E17* —1C **14**
Shrublands Clo. *SE26* —3E **97**
Shuna Wlk. *N1* —3F **25**
Shurland Gdns. *SE15* —3B **68**
Shuters Sq. *W14* —1B **62**
Shuttle St. *E1* —3C **40**
Shuttleworth Rd. *SW11*
—5A **64**
Sibella Rd. *SW4* —5F **65**
Sibthorpe Rd. *SE12* —4D **87**
Sicilian Av. *WC1* —4A **38**
(off Vernon Pl.)
Sidbury St. *SW6* —4A **62**
Sidcup Rd. *SE12 & SE9*
—4E **87**
Siddons La. *NW1* —3B **36**
Siddons Rd. *SE23* —2A **98**
Side Rd. *E17* —1B **14**
Sidford Ho. *SE1* —4B **52**
(off Cosser St.)
Sidford Pl. *SE1* —4C **52**
Sidgwick Ho. *SW9* —5B **66**
(off Stockwell Rd.)
Sidings M. *N7* —5C **10**
Sidings, The. *E11* —3F **15**
Sidlaw Ho. *N16* —3B **12**
Sidmouth Ho. *SE15* —3C **68**
(off Friary Rd.)
Sidmouth Pde. *NW10* —4E **19**
Sidmouth Rd. *E10* —5E **15**
Sidmouth Rd. *NW2* —4E **19**
Sidmouth Rd. *SE15* —4B **68**
Sidmouth St. *WC1* —2B **38**
Sidney Boyd Ct. *NW6* —4C **20**
Sidney Est. *E1* —4E **41**
(in two parts)
Sidney Gro. *EC1* —1D **39**
Sidney Rd. *E7* —5C **16**
Sidney Rd. *SW9* —5B **66**
Sidney Sq. *E1* —4E **41**
Sidney St. *E1* —4D **41**
Sidworth St. *E8* —4D **27**
Siebert Rd. *SE3* —2C **72**
Siemens Rd. *SE18* —4F **59**
Sigdon Pas. *E8* —2C **26**

Sigdon Rd. *E8* —2C **26**
Signmakers Yd. *NW1* —5D **23**
(off Delancey St.)
Silbury Rd. *SE26* —3C **96**
Silbury St. *N1* —2F **39**
Silchester Rd. *W10* —5F **33**
Silesia Bldgs. *E8* —4D **27**
Silex St. *SE1* —3D **53**
Silk Clo. *SE12* —3C **86**
Silk Mills Path. *SE13* —5E **71**
Silkmills Sq. *E9* —3B **28**
Silks Ct. *E11* —3B **16**
Silk St. *EC2* —4E **39**
Sillitoe Ho. *N1* —5F **25**
(off Colville Est.)
Silverbirch Ct. *E8* —4B **26**
Silverburn Ho. *SW9* —4D **67**
(off Lothian Rd.)
Silver Clo. *SE14* —3A **70**
Silverdale. *SE26* —4E **97**
Silverdale Dri. *SE9* —2F **101**
Silvermere Rd. *SE6* —5D **85**
Silver Pl. *W1* —5E **37**
Silver Rd. *W12* —1F **47**
Silverthorne Rd. *SW8* —5D **65**
Silverton Rd. *W6* —2F **61**
Silvertown Way. *E16* —5B **44**
Silver Wlk. *SE16* —2B **56**
Silvester Ho. *W11* —5B **34**
(off Basing St.)
Silvester Rd. *SE22* —3B **82**
Silvester St. *SE1* —3F **53**
Silwood Est. *SE16* —5E **55**
Silwood St. *SE16* —5E **55**
Simla Clo. *SE14* —2A **70**
Simms Rd. *SE1* —5C **54**
Simnel Rd. *SE12* —5D **87**
Simon Clo. *W11* —1B **48**
Simonds Rd. *E10* —4C **14**
Simone Ct. *SE26* —3E **97**
Simons Ct. *N16* —4B **12**
Simons Wlk. *E15* —2F **29**
Simpson Dri. *W3* —5A **32**
Simpson Ho. *NW8* —2A **36**
Simpson Ho. *SE11* —1B **66**
Simpson's Rd. *E14* —1D **57**
Simpson St. *SW11* —5A **64**
Simrose Ct. *SW18* —3C **76**
Sims Wlk. *SE3* —2B **86**
Sinclair Gdns. *W14* —3F **47**
Sinclair Gro. *NW11* —1F **5**
Sinclair Mans. *W12* —3F **47**
(off Richmond Way)
Sinclair Rd. *W14* —3F **47**
Singer St. *EC2* —2F **39**
Sir Alexander Clo. *W3* —2B **46**
Sir Alexander Rd. *W3* —2B **46**
Sirdar Rd. *W11* —1F **47**
Sirinham Point. *SW8* —2B **66**
(off Meadow Rd.)
Sirius Building. *E1* —1F **55**
(off Jardine Rd.)
Sir Oswald Stoll Foundation,
The. *SW6* —3D **63**
(off Fulham Rd.)
Sir William Powell's
Almshouses. *SW6* —5A **62**
Sise La. *EC4* —5F **39**

Sispara Gdns. *SW18* —4B **76**
Sister Mabel's Way. *SE15*
—3C **68**
Sisters Av. *SW11* —1B **78**
Sistova Rd. *SW12* —1D **93**
Sisulu Pl. *SW9* —1C **80**
Siward Rd. *N17* —3E **91**
Six Acres Est. *N4* —4C **10**
Six Bridges Ind. Est. *SE1*
—1C **68**
(off Marlborough Gro.)
Sixth Av. *W10* —2A **34**
Skardu Rd. *NW2* —2A **20**
Skeena Hill. *SW18* —5A **76**
Skelbrook St. *SW18* —2E **91**
Skelgill Rd. *SW15* —2B **76**
Skelley Rd. *E15* —4B **30**
Skelton Clo. *E8* —3B **26**
Skelton Rd. *E7* —3C **30**
Skelton's La. *E10* —2D **15**
Skelwith Rd. *W6* —2E **61**
Sketchley Gdns. *SE16* —1F **69**
Skiers St. *E15* —5A **30**
Skiffington Clo. *SW2* —1C **94**
Skinner Ct. *E2* —1D **41**
Skinner Pl. *SW1* —5C **50**
(off Bourne St.)
Skinners La. *EC4* —1E **53**
Skinner's Row. *SE10* —4D **71**
Skinner St. *EC1* —3C **38**
Skipton Ho. *SE4* —2A **84**
Skipworth Rd. *E9* —5E **27**
Skomer Wlk. *N1* —3E **25**
Skylines. *E14* —3E **57**
Sladebrook Rd. *SE3* —1F **87**
Sladen Pl. *E5* —1D **27**
Slade Tower. *E10* —4C **14**
Slade Wlk. *SE17* —2E **67**
Slagrove Pl. *SE13* —3C **84**
Slaidburn St. *SW10* —2E **63**
Slaithwaite Rd. *SE13* —2E **85**
Slaney Pl. *N7* —2C **24**
Sleaford Ind. Est. *SW8* —3E **65**
Sleaford St. *SW8* —3E **65**
Slievemore Clo. *SW4* —1F **79**
Slindon Ct. *N16* —5B **12**
Slingsby Pl. *WC2* —1A **52**
Slippers Pl. *SE16* —4D **55**
Sloane Av. *SW3* —5A **50**
Sloane Ct. E. *SW3* —1C **64**
Sloane Ct. W. *SW3* —1C **64**
Sloane Gdns. *SW1* —5C **50**
Sloane Sq. *SW1* —5C **50**
Sloane St. *SW1* —3B **50**
Sloane Ter. *SW1* —5C **50**
Sly St. *E1* —5D **41**
Smallbrook M. *W2* —5F **35**
Smalley Clo. *N16* —5B **12**
Smalley Rd. Est. *N16* —5B **12**
(off Smalley Clo.)
Smallwood Rd. *SW17* —4F **91**
Smart's Pl. *WC2* —5A **38**
Smart St. *E2* —2F **41**
Smeaton Ct. *SE1* —4E **53**
Smeaton Rd. *SW18* —5C **76**
Smeaton St. *E1* —2D **55**
Smedley St. *SW8 & SW4*
—5F **65**

Smeed Rd.—S. Quay Plaza

Smeed Rd. *E3* —4C **28**
Smiles Pl. *SE13* —5E **71**
Smith Clo. *SE16* —2F **55**
Smithfield St. *EC1* —4D **39**
Smithies Ct. *E15* —2E **49**
Smith's Ct. *W1* —1F **51**
  (off Gt. Windmill St.)
Smiths Point. *E13* —5C **30**
  (off Brooks Rd.)
Smith Sq. *SW1* —4A **52**
Smith St. *SW3* —1B **64**
Smith's Yd. *SW18* —2E **91**
Smith Ter. *SW3* —1B **64**
Smithwood Clo. *SW19* —1A **90**
Smithy St. *E1* —4E **41**
Smugglers Way. *SW18*
    —2D **77**
Smyrk's Rd. *SE17* —1A **68**
Smyrna Rd. *NW6* —4C **20**
Smythe St. *E14* —1D **57**
Snarsgate St. *W10* —4E **33**
Sneath Av. *NW11* —2B **6**
Sneyd Rd. *NW2* —1E **19**
Snowbury Rd. *SW6* —5D **63**
Snowden Dri. *NW9* —1A **4**
Snowden St. *EC2* —3A **40**
Snow Hill. *EC1* —4D **39**
Snow Hill Ct. *EC1* —5D **39**
Snowsfields. *SE1* —3F **53**
Snowshill Rd. *E12* —2F **31**
Soames St. *SE15* —1B **82**
Soho Sq. *W1* —5F **37**
Soho St. *W1* —5F **37**
Sojourner Truth Clo. *E8*
    —3D **27**
Solander Gdns. *E1* —1E **55**
Solarium Ct. *SE1* —5B **54**
  (off Alscot Rd.)
Soldene Ct. *N7* —3B **24**
  (off Georges Rd.)
Solebay St. *E1* —3A **42**
Solent Rise. *E16* —5D **47**
Solent Rd. *NW6* —2C **20**
Soley M. *WC1* —2C **38**
Solna Av. *SW15* —3E **75**
Solomon's Pas. *SE15* —2D **83**
Solon New Rd. *SW4* —2A **80**
Solon New Rd. Est. *SW4*
    —2A **80**
Solon Rd. *SW2* —2A **80**
Solway Clo. *E8* —3B **26**
  (off Queensbridge Rd.)
Solway Rd. *SE22* —2C **82**
Somali Rd. *NW2* —2B **20**
Somer Ct. *SW6* —2C **62**
  (off Anselm Rd.)
Somerfield Ho. *SE8* —1F **69**
Somerfield Rd. *N4* —4D **11**
Somerford Gro. *N16* —1B **26**
Somerford Gro. Est. *N16*
    —1B **26**
Somerford St. *E1* —3D **41**
Somerford Way. *SE16* —3A **56**
Somerleyton Pas. *SW9*
    —2D **81**
Somerleyton Rd. *SW9* —2C **80**
Somers Clo. *NW1* —1F **37**
Somers Cres. *W2* —5A **36**

Somerset Est. *SW11* —4F **63**
Somerset Gdns. *N6* —2C **8**
Somerset Gdns. *SE13* —5D **71**
Somerset Rd. *E17* —1C **14**
Somerset Rd. *SW19* —3F **89**
Somerset Sq. *W14* —3A **48**
Somers Pl. *SW2* —5B **80**
Somers Rd. *SW2* —4B **80**
Somerton Rd. *NW2* —5A **6**
Somerton Rd. *SE15* —2D **83**
Somertrees Av. *SE12*
    —2D **101**
Sonderburg Rd. *N7* —4A **10**
Sondes St. *SE17* —2F **67**
Sonia Gdns. *NW10* —1B **18**
Sonia Clo. *N7* —3B **24**
Sophia Clo. *N7* —3B **24**
Sophia Rd. *E10* —3D **15**
Sophia Rd. *E16* —5D **45**
Sophia Sq. *E16* —1A **56**
  (off Sovereign Cres.)
Sopwith Way. *SW8* —3D **65**
Sorensen Ct. *E10* —4D **15**
Sorrel Gdns. *E6* —4F **45**
Sorrel La. *E14* —5F **43**
Sorrell Clo. *SE14* —3A **70**
Sorrell Clo. *SW9* —5C **66**
Sotheby Rd. *N5* —5E **11**
Sotheran Clo. *E8* —5C **26**
Sotheron Rd. *SW6* —3D **63**
Soudan Rd. *SW11* —4B **64**
Souldern Rd. *W14* —4F **47**
S. Access Rd. *E17* —2A **14**
S. Africa Rd. *W12* —2D **47**
Southall Pl. *SE1* —4F **53**
Southam St. *W10* —3A **34**
S. Audley St. *W1* —1C **50**
South Av. *W10* —3E **33**
Southbank Bus. Cen. *SW8*
    —2F **65**
Southbank Bus. Cen. *SW11*
    —4B **64**
S. Birkbeck Rd. *E11* —5F **15**
S. Black Lion La. *W6* —1C **60**
S. Bolton Gdns. *SW5* —1E **63**
Southborough Rd. *E9* —5F **27**
Southbourne Gdns. *SE12*
    —3D **87**
S. Branch Av. *NW10* —3E **33**
Southbrook M. *SE12* —4B **86**
Southbrook Rd. *SE12* —4B **86**
S. Carriage Dri. *SW7 & SW1*
    —3F **49**
South Clo. *N6* —1D **9**
S. Colonnade. *E14* —2C **56**
Southcombe St. *W14* —5A **48**
Southcote Rd. *N19* —1E **23**
South Cres. *E16* —3F **43**
  (in two parts)

South Cres. *WC1* —4F **37**
Southcroft Rd. *SW17 & SW16*
    —5C **92**
S. Croxted Rd. *SE21* —3F **95**
Southdean Gdns. *SW19*
    —2B **90**
Southdown. *N7* —3A **24**
S. Eaton Pl. *SW1* —5C **50**
S. Edwardes Sq. *W8* —4B **48**
South End. *W8* —4D **49**
S. End Clo. *NW3* —1A **22**
S. End Grn. *NW3* —1A **22**
Southend La. *SE26 & SE6*
    —4B **98**
S. End Rd. *NW3* —1A **22**
Southend Rd. *Beck* —5C **99**
S. End Row. *W8* —4D **49**
Southerngate Way. *SE14*
    —3A **70**
Southern Gro. *E3* —2B **42**
Southern Rd. *E13* —1D **45**
Southern Row. *W10* —3A **34**
Southern St. *N1* —1B **38**
Southernwood Retail Pk. *SE1*
  (off Rowcross Pl.) —1B **68**
Southerton Rd. *W6* —5E **47**
S. Esk Rd. *E7* —3E **31**
Southey Ho. *SE17* —1E **67**
  (off Browning St.)
Southey M. *E16* —2D **59**
Southey Rd. *N15* —1A **12**
Southey Rd. *SW9* —4C **66**
Southfields M. *SW18*
    —4C **76**
Southfields Pas. *SW18*
    —4C **76**
Southfields Rd. *SW18* —4C **76**
Southgate Gro. *N1* —4F **25**
Southgate Rd. *N1* —5F **25**
South Gro. *E17* —1A **14**
South Gro. *N6* —3C **8**
South Gro. *N15* —1F **11**
South Gro. Ho. *N6* —3C **8**
S. Hill Pk. *NW3* —1A **22**
S. Hill Pk. Gdns. *NW3* —1A **22**
Southill St. *E14* —5D **43**
S. Island Pl. *SW9* —3B **66**
S. Kensington Sta. Arc. *SW7*
  (off Pelham St.) —5F **49**
S. Lambeth Pl. *SW8* —2A **66**
S. Lambeth Rd. *SW8* —3A **66**
Southlands Dri. *SW19* —2F **89**
South Lodge. *NW8* —2F **35**
Southmead Rd. *SW19* —1A **90**
S. Molton La. *W1* —5D **37**
S. Molton Rd. *E16* —5C **44**
S. Molton St. *W1* —5D **37**
Southmoor Way. *E9* —3B **28**
S. Oak Rd. *SW16* —4B **94**
Southolm St. *SW11* —4D **65**
Southover. *Brom* —5C **100**
South Pde. *SW3* —1F **63**
South Pde. *W4* —5A **46**
Sth. Pk. Cres. *SE6* —1B **100**
Sth. Pk. M. *SW6* —1D **77**
Sth. Pk. Rd. *SW19* —5D **91**
South Pl. *EC2* —4F **39**
South Pl. M. *EC2* —4F **39**
S. Quay Plaza. *E14* —3D **57**

South Rise. *W2* —1A **50**
(off St George's Fields)
South Rd. *SE23* —2F **97**
South Row. *SE3* —5B **72**
S. Sea St. *SE16* —4B **56**
South Side. *W6* —4B **46**
Southside Comn. *SW19*
—5E **89**
South Sq. *NW11* —1D **7**
South Sq. *WC1* —4C **38**
South St. *W1* —2C **50**
S. Tenter St. *E1* —1B **54**
South Ter. *SW7* —5A **50**
Southvale Rd. *SE3* —5A **72**
Southvale Av. *NW10* —2B **18**
Southview Clo. *SW17* —5C **92**
Southview Rd. *Brom* —4F **99**
South Vs. *NW1* —3F **23**
Southville. *SW8* —4F **65**
Southwark Bri. *SE1 & EC4*
—1E **53**
Southwark Bri. Office Village.
SE1 —2E **53**
Southwark Bri. Rd. *SE1*
—4D **53**
Southwark Gro. *SE1* —2E **53**
Southwark Pk. Rd. *SE16*
—5B **55**
Southwark Pk. Rd. Est. *SE1*
—5B **55**
Southwark St. *SE1* —2D **53**
Southwater Clo. *E14* —5B **42**
South Way. *E14* —4C **56**
Southway. *NW11* —1D **7**
Southwell Gdns. *SW7* —4E **49**
Southwell Gro. Rd. *E11* —4A **16**
Southwell Ho. *SE16* —5D **55**
(off Anchor St.)
Southwell Rd. *SE5* —1E **81**
S. W. India Dock Entrance. *E14*
—3E **57**
Southwest Rd. *E11* —3F **15**
S. Wharf Rd. *W2* —5F **35**
Southwick M. *W2* —5F **35**
Southwick Pl. *W2* —5A **36**
Southwick St. *W2* —5A **36**
Southwick Yd. *W2* —5A **36**
(off Titchborne Row)
Southwold Mans. *W9* —2C **34**
(off Widley Rd.)
Southwold Rd. *E5* —4D **13**
Southwood Av. *N6* —2D **9**
Southwood Ct. *EC1* —2D **39**
(off Wynyatt St.)
Southwood Ct. *NW11* —1D **7**
Southwood Hall. *N6* —1D **9**
Southwood Heights. *N6* —2D **9**
Southwood La. *N6* —3C **8**
Southwood Lawn Rd. *N6*
—2C **8**
Southwood Mans. *N6* —1C **8**
(off Southwood La.)
Southwood Pk. *N6* —2C **8**
Southwood Smith St. *N1*
—5D **25**
(off Old Royal Free Sq.)

S. Worple Av. *SW14* —1A **74**
Southwyck Ho. *SW9* —2D **81**
Sovereign Clo. *E1* —1D **55**
Sovereign Cres. *SE16* —1A **56**
Sovereign M. *E2* —1B **40**
Spa Ct. *SW16* —4B **94**
Spafield St. *EC1* —3C **38**
Spa Grn. Est. *EC1* —2D **39**
Spalding Ho. *SE4* —2A **84**
Spalding Rd. *NW4* —2E **5**
Spalding Rd. *SW17* —5D **93**
Spanby Rd. *E3* —3C **42**
Spaniards Clo. *NW11* —3F **7**
Spaniards End. *NW3* —3E **7**
Spaniards Rd. *NW3* —4E **7**
Spanish Pl. *W1* —5C **36**
Spanish Rd. *SW18* —3F **77**
Sparke Ter. *E16* —5B **44**
(off Clarkson Rd.)
Spa Rd. *SE16* —4B **54**
Sparrick's Row. *SE1* —3F **53**
Sparsholt Rd. *N19* —3A **10**
Sparta St. *SE10* —4E **71**
Speaker's Corner. *W2* —1B **50**
Speakman Ho. *SE4* —1A **84**
(off Arica Rd.)
Spear M. *SW5* —5C **48**
Spears Rd. *N19* —3A **10**
Spedan Clo. *NW3* —5E **7**
Speed Highwalk. *EC2* —4E **39**
(off Barbican)
Speed Ho. *EC2* —4F **39**
(off Barbican)
Speedwell St. *SE8* —3C **70**
Speedy Pl. *WC1* —2A **38**
(off Cromer St.)
Speldhurst Rd. *E9* —4F **27**
Speldhurst Rd. *W4* —4A **46**
Spellbrook Wlk. *N1* —5E **25**
(off Basire St.)
Spelman Ho. *E1* —4C **40**
(off Spelman St.)
Spelman St. *E1* —4C **40**
Spence Clo. *SE16* —3B **56**
Spencer Dri. *N2* —1F **7**
Spencer Ho. *NW4* —1D **5**
Spencer M. *SW6* —4B **66**
Spencer M. *W6* —2A **62**
Spencer Pk. *SW18* —3F **77**
Spencer Pas. *E2* —1D **41**
(off Coate St.)
Spencer Pl. *N1* —4D **25**
(off Tyndale Ter.)
Spencer Rise. *NW5* —1D **23**
Spencer Rd. *E6* —5F **31**
Spencer Rd. *N8* —1B **10**
(in two parts)
Spencer Rd. *SW18* —2F **77**
Spencer St. *EC1* —2D **39**
Spencer Wlk. *NW3* —1F **21**
Spencer Wlk. *SW15* —2F **75**
Spenlow Ho. *SE16* —4C **54**
(off Jamaica Rd.)
Spenser Gro. *N16* —2A **26**
Spenser M. *SE21* —2F **95**
Spenser Rd. *SE24* —3D **81**
Spenser St. *SW1* —4E **51**
Spensley Wlk. *N16* —5F **11**

Spert St. *E14* —1A **56**
Spey St. *E14* —4E **43**
Spezia Rd. *NW10* —1C **32**
Spice Ct. *E1* —1C **54**
Spicer Clo. *SW9* —5D **67**
Spindrift Av. *E14* —5C **56**
Spinney Gdns. *SE19* —5B **96**
Spinney, The. *SW13* —2D **61**
Spinney, The. *SW16* —3E **93**
Spirit Quay. *E1* —2C **54**
Spital Ga. *E1* —4A **40**
Spital St. *E1* —4C **40**
Spital Yd. *E1* —4A **40**
Splendour Wlk. *SE16* —1E **69**
(off Verne Rd.)
Spode Ho. *SE11* —4C **52**
(off Lambeth Wlk.)
Spode Wlk. *NW6* —2C **21**
Sportsbank St. *SE6* —5E **85**
Spratt Hall Rd. *E11* —1C **16**
Sprimont Pl. *SW3* —5B **50**
Springall St. *SE15* —3D **69**
Springbank Rd. *SE13* —4F **85**
Springbank Wlk. *NW1* —4F **23**
Spring Ct. *NW6* —3B **20**
Springdale M. *N16* —1F **25**
Springdale Rd. *N16* —1F **25**
Springfield. *E5* —3D **13**
Springfield Gdns. *E5* —3D **13**
Springfield Gdns. *NW9* —1A **4**
Springfield Gro. *SE7* —2E **73**
Springfield La. *NW6* —5D **21**
Springfield Rise. *SE26* —3D **97**
(in two parts)
Springfield Rd. *E15* —2A **44**
Springfield Rd. *E17* —1B **14**
Springfield Rd. *NW8* —5E **21**
Springfield Rd. *SE26* —5D **97**
Springfield Rd. *SW19* —5B **90**
Springfield Wlk. *NW6* —5D **21**
Spring Gdns. *N5* —2E **25**
Spring Gdns. *SW1* —2F **51**
Spring Hill. *E5* —2C **12**
Spring Hill. *SE26* —4E **97**
Springhill Clo. *SE5* —1F **81**
Spring La. *E5* —2D **13**
Spring M. *W1* —4B **36**
Spring Pk. Dri. *N4* —3E **11**
Spring Path. *NW3* —2F **21**
Spring Pl. *NW5* —2D **23**
Springrice Rd. *SE13* —4F **85**
Spring St. *W2* —5F **35**
Spring Tide Clo. *SE15* —4C **68**
Spring Vale Ter. *W14* —4F **47**
Spring Wlk. *E1* —4C **40**
Springwell Av. *NW10* —5B **18**
Springwell Clo. *SW16* —4B **94**
Springwell Rd. *SW16* —4C **94**
Sprowston M. *E7* —3C **30**
Sprowston Rd. *E7* —2C **30**
Spruce Ct. *E8* —4B **26**
Sprules Rd. *SE4* —5A **70**
Spurgeon St. *SE1* —5A **54**
Spurling Rd. *SE22* —2B **82**
Spur Rd. *E1* —3C **52**
Spur Rd. *SW1* —3E **51**
Spurstowe Rd. *E8* —3D **27**
Spurstowe Ter. *E8* —2D **27**

Square Rigger Row—Station Pas.

Square Rigger Row. *SW11*
—1E **77**

Square, The. *W6* —1E **61**

Squarey St. *SW17* —3E **91**

Squires Ct. *SW4* —4A **66**

Squires Ct. *SW19* —4C **90**

Squires Mt. *NW3* —5F **7**

Squirrels, The. *SE13* —1F **85**

Squirries St. *E2* —2C **40**

Stable M. *SE27* —5E **95**

Stables, The. W10 —5F **33**
(off Bassett Rd.)

Stables Way. *SE11* —1C **66**

Stable Way. *W10* —5E **33**

Stable Yd. SW1 —3E **51**
(off St James Pal.)

Stable Yd. *SW9* —5B **66**

Stable Yd. *SW15* —1E **75**

Stable Yd. *SW1* —3E **51**

Stacey Clo. *E10* —1F **15**

Stacey St. *N7* —5C **10**

Stacey St. *WC2* —5F **37**

Stackhouse St. SW3 —4B **50**
(off Pavilion Rd.)

Stacy Path. *SE5* —3A **68**

Stadium Rd. *NW4* —2E **5**

Stadium St. *SW10* —3E **63**

Staffa Rd. *E10* —3A **14**

Stafford Clo. *E17* —1B **44**

Stafford Clo. *NW6* —2C **34**

Stafford Ct. *SW8* —3A **66**

Stafford Cripps Ho. SW6
*(off Clem Attlee Ct.) —2B **62**

Stafford Pl. *SW1* —4E **51**

Stafford Rd. *E3* —1B **42**

Stafford Rd. *E7* —4E **31**

Stafford Rd. *NW6* —2C **34**

Staffordshire St. *SE15* —4C **68**

Stafford St. *W1* —2E **51**

Stafford Ter. *W8* —4C **48**

Staff St. *EC1* —2F **39**

Stag La. *SW15* —3B **88**

Stag Lane. (Junct.) —2B **88**

Stag Pl. *SW1* —4E **51**

Stainer St. *SE1* —2F **53**

Staining La. *EC2* —5E **39**

Stainsbury St. *E2* —1E **41**

Stainsby Pl. *E14* —5C **42**

Stainsby Rd. *E14* —5C **42**

Stainton Rd. *SE6* —4F **85**

Stalbridge St. *NW1* —4A **36**

Stalham St. *SE16* —4D **55**

Stamford Brook Av. *W6*
—4B **46**

Stamford Brook Gdns. *W6*
—4B **46**

Stamford Brook Mans. W6
*(off Goldhawk Rd.) —5B **46**

Stamford Brook Rd. *W6*
—4B **46**

Stamford Clo. NW3 —5E **7**
(off Heath St.)

Stamford Ct. *W6* —5C **46**

Stamford Gro. E. *N16* —3C **12**

Stamford Gro. W. *N16* —3C **12**

Stamford Hill. *N16* —4B **12**

Stamford Lodge. *N16* —2B **12**

Stamford Rd. *E6* —5F **31**

Stamford Rd. *N1* —4A **26**

Stamford St. *SE1* —2C **52**

Stamford Wharf. *SE1* —1C **52**

Stamp Pl. *E2* —1B **40**

Stanard Clo. *N16* —2A **12**

Stanborough Pas. *E8* —3B **26**

Stanbridge Rd. *SW15* —1E **75**

Stanbury Ct. *NW3* —3B **22**

Stanbury Rd. *SE15* —5D **69**
(in two parts)

Standard Pl. EC2 —2A **40**
(off Rivington St.)

Standard Rd. *NW10* —3A **32**

Standen Rd. *SW18* —5B **76**

Standish Ho. W6 —5C **46**
(off St Peter's Gro.)

Standish Rd. *W6* —5C **46**

Standlake Point. *SE23* —3F **97**

Stane Pas. *SW16* —5A **94**

Stane Way. *SE18* —3F **73**

Stanfield Rd. *E3* —1A **42**

Stanford Ct. *SW6* —4D **63**

Stanford Pl. *SE17* —5A **54**

Stanford Rd. *W8* —4D **49**

Stanford St. *SW1* —5F **51**

Stangate. SE1 —4B **52**
(off Royal St.)

Stanhope Clo. *SE16* —3F **55**

Stanhope Gdns. *N4* —1D **11**

Stanhope Gdns. *N6* —1D **9**

Stanhope Gdns. *SW7* —5E **49**

Stanhope Ga. *W1* —2C **50**

Stanhope Ho. SE8 —3B **70**
(off Adolphus St.)

Stanhope M. E. *SW7* —5E **49**

Stanhope M. S. *SW7* —5E **49**

Stanhope M. W. *SW7* —5E **49**

Stanhope Pde. *NW1* —2E **37**

Stanhope Pl. *W2* —1B **50**

Stanhope Rd. *E17* —1D **15**

Stanhope Rd. *N6* —1E **9**

Stanhope Row. *W1* —2D **51**

Stanhope St. *NW1* —2E **37**

Stanhope Ter. *W2* —1F **49**

Stanier Clo. *W14* —1B **62**

Stanlake M. *W12* —2E **47**

Stanlake Rd. *W12* —2E **47**

Stanlake Vs. *W12* —2E **47**

Stanley Clo. *SW8* —2B **66**

Stanley Cohen Ho. EC1 —3E **39**
(off Golden La. Est.)

Stanley Cres. *W11* —1B **48**

Stanley Gdns. *NW2* —2E **19**

Stanley Gdns. *W3* —3A **46**

Stanley Gdns. *W11* —1B **48**

Stanley Gdns. M. W11 —1B **48**
(off Kensington Pk. Rd.)

Stanley Gro. *SW8* —5C **64**

Stanley Pas. *NW1* —1A **38**

Stanley Rd. *E10* —1D **15**

Stanley Rd. *E12* —1F **31**

Stanley Rd. *E15* —5F **29**

Stanley Rd. *NW9* —2C **4**

Stanley Sidings. *NW1* —4D **23**

Stanley St. *SE8* —3B **70**

Stanley Ter. *N19* —4A **10**

Stanmer St. *SW11* —5A **64**

Stanmore Pl. *NW1* —5D **23**

Stanmore Rd. *E11* —3B **16**

Stanmore St. *N1* —5B **24**

Stannard Rd. *E8* —3C **26**

Stannary Pl. SE11 —1C **66**
(off Stannary St.)

Stannary St. *SE11* —2C **66**

Stansfeld Rd. *E6* —4F **45**

Stansfield Ho. SE1 —5B **54**
(off Balaclava Rd.)

Stansfield Rd. *SW9* —1B **80**

Stanstead Gro. *SE6* —1B **98**

Stanstead Rd. *E11* —1D **17**

Stanstead Rd. *SE23 & SE6*
—1F **97**

Stanswood Gdns. *SE5* —3A **68**

Stanthorpe Clo. *SW16* —5A **94**

Stanthorpe Rd. *SW16* —5A **94**

Stanton Rd. *SE26* —4B **98**

Stanton Rd. *SW13* —5B **60**

Stanton Sq. *SE26* —4B **98**

Stanton Way. *SE26* —4B **98**

Stanway Ct. *N1* —1A **40**

Stanway St. *N1* —1A **40**

Stanwick Rd. *W14* —5B **48**

Stanworth St. *SE1* —4B **54**

Stanyhurst. *SE23* —1A **98**

Staplefield Clo. *SW2* —1A **94**

Stapleford Clo. *SW19* —5A **76**

Staplehurst Rd. *SE13* —3A **86**

Staple Inn. WC1 —4C **38**
(off Staple Inn Bldgs.)

Staple Inn Bldgs. *WC1* —4C **38**

Staples Clo. *SE16* —2A **56**

Staples Corner. (Junct.) —3D **5**

Staples Corner Bus. Cen. *NW2*
—3D **5**

Staple St. *SE1* —3F **53**

Stapleton Hall Rd. *N4* —3B **10**

Stapleton Rd. *SW17* —3C **92**

Star All. EC3 —1A **54**
(off Fenchurch St.)

Starboard Way. *E14* —4C **56**

Starcross St. *NW1* —2E **37**

Starfield Rd. *W12* —3C **46**

Star La. *E16* —3A **44**

Star Pl. *E1* —1B **54**

Star Rd. *W14* —2B **62**

Star St. *W2* —5A **36**

Star Yd. *WC2* —5C **38**

Statham Gro. *N16* —1F **25**

Station App. *E7* —1D **31**

Station App. *NW10* —2B **32**

Station App. *SE3* —1D **87**

Station App. *SE26* —5B **98**
(Lower Sydenham)

Station App. *SE26* —4E **97**
(Sydenham)

Station App. *SW6* —1A **76**

Station App. *SW16* —5F **93**

Station App. Rd. *SE1* —3B **52**

Station Av. *SW9* —1D **81**

Station Ct. E10 —2D **15**
(off Kings Clo.)

Station Cres. *SE3* —1C **72**

Stationers' Hall Ct. *EC4*
—5D **39**

Station Pde. *NW2* —3F **19**

Station Pas. *SE15* —4E **69**

Stoughton Clo.—Sunderland Mt.

Stoughton Clo. *SW15* —1C **88**
Stourcliffe Clo. *W1* —5B **36**
(off Stourcliffe St.)
Stourcliffe St. *W1* —5B **36**
Stourhead Clo. *SW19* —5F **75**
Stour Rd. *E3* —4C **28**
Stowage. *SE8* —2C **70**
Stowe Ho. *NW11* —1E **9**
Stowe Rd. *W12* —3D **47**
Stracey Rd. *E7* —1C **30**
Stracey Rd. *NW10* —5A **18**
Stradbroke Rd. *N5* —1E **25**
Stradella Rd. *SE24* —4E **81**
Strafford St. *E14* —3C **56**
Strahan Rd. *E3* —2A **42**
Straightsmouth. *SE10* —3E **71**
Strait Rd. *E6* —1F **59**
Strakers Rd. *SE15* —2D **83**
Strale Ho. *N1* —5A **26**
(off Whitmore Est.)
Strand. *WC2* —1A **52**
Strand La. *WC2* —1B **52**
Strang Ho. *N1* —1E **25**
Strangways Ter. *W14* —4B **48**
Stranraer Way. *N1* —4B **24**
Strasburg Rd. *SW11* —4C **64**
Stratford Cen. *E15* —4F **29**
Stratford Gro. *SW15* —2F **75**
Stratford Mkt. *E15* —5F **29**
Stratford Office Village, The.
    E15 —4A **30**
(off Romford Rd.)
Stratford Pl. *W1* —5C **36**
Stratford Rd. *E13* —5B **30**
Stratford Rd. *W8* —4C **48**
Stratford Vs. *NW1* —4F **23**
Strathan Clo. *SW18* —4B **76**
Strathaven Rd. *SE12* —4D **87**
Strathblaine Rd. *SW11* —2F **77**
Strathdale. *SW16* —5B **94**
Strathdon Dri. *SW17* —3F **91**
Strathearn Pl. *W2* —5A **36**
Strathearn Rd. *SW19* —5C **90**
Stratheden Pde. *SE3* —3C **72**
Stratheden Rd. *SE3* —3C **72**
Strathleven Rd. *SW2* —3A **80**
Strathmore Gdns. *W8* —2C **48**
Strathmore Rd. *SW19* —3C **90**
Strathnairn St. *SE1* —5C **54**
Strathray Gdns. *NW3* —3A **22**
Strath Ter. *SW11* —2A **78**
Strathville Rd. *SW18* —2C **90**
Strattondale St. *E14* —4E **57**
Stratton St. *W1* —2D **51**
Strauss Rd. *W4* —3A **46**
Streakes Field Rd. *NW2* —4C **4**
Streatham Clo. *SW16* —2A **94**
Streatham Comn. N. *SW16*
    —5A **94**
Streatham Comn. S. *SW16*
    —5A **94**
Streatham Ct. *SW16* —3A **94**
Streatham High Rd. *SW16*
    —4A **94**
Streatham Hill. *SW2* —2A **94**
Streatham Pl. *SW2* —5A **80**
Streatham St. *WC1* —5A **38**

Streathbourne Rd. *SW17*
    —2C **92**
Streatley Pl. *NW3* —1E **21**
Streatley Rd. *NW6* —4B **20**
Streetfield M. *SE3* —1C **86**
Streimer Rd. *E15* —1E **43**
Strelley Way. *W3* —1A **46**
Strickland Ct. *SE15* —1C **82**
Strickland Row. *SW18* —5F **77**
Strickland St. *SE8* —4C **70**
Stride Rd. *E13* —1B **44**
Stringer Ho. *N1* —5A **26**
(off Whitmore Est.)
Strode Rd. *E7* —1C **30**
Strode Rd. *NW10* —3C **18**
Strode Rd. *SW6* —3A **62**
Strone Rd. *E7 & E12* —3E **31**
Stronsa Rd. *W12* —3B **46**
Stroud Cres. *SW15* —3C **88**
Stroud Grn. Rd. *N4* —3B **10**
Stroudley Wlk. *E3* —2D **43**
Stroud Rd. *SW19* —3C **90**
Strouts Pl. *E2* —2B **40**
Strudwick Ct. *SW4* —4A **66**
(off Binfield Rd.)
Strutton Ground. *SW1* —4F **51**
Strype St. *E1* —4B **40**
Stuart Av. *NW9* —2C **4**
Stuart Rd. *NW6* —2C **34**
(in two parts)
Stuart Rd. *SE15* —2E **83**
Stuart Rd. *SW19* —3C **90**
Stubbs Dri. *SE16* —1D **69**
Stubbs Point. *E13* —3D **45**
Stucley Pl. *NW1* —4D **23**
Studdridge St. *SW6* —5C **62**
Studd St. *N1* —5D **25**
Studholme Ct. *NW3* —1C **20**
Studholme St. *SE15* —3D **69**
Studio Pl. *SW1* —3B **50**
(off Kinnerton St.)
Studland Rd. *SE26* —5F **97**
Studland St. *W6* —5D **47**
Studley Clo. *E5* —2A **28**
Studley Dri. *Ilf* —1F **17**
Studley Est. *SW4* —4A **66**
Studley Rd. *E7* —3D **31**
Studley Rd. *SW4* —4A **66**
Stukeley Rd. *E7* —4D **31**
Stukeley St. *WC2* —5A **38**
Stumps Hill La. *Beck* —5C **98**
Sturdy Rd. *SE15* —5D **69**
Sturgeon Rd. *SE17* —1E **67**
Sturgess Av. *NW4* —2D **5**
Sturge St. *SE1* —3E **53**
Sturmer Way. *N7* —2B **24**
Sturminster Ho. *SW8* —3B **66**
(off Dorset Rd.)
Sturry St. *E14* —5D **43**
Sturt St. *N1* —1E **39**
Stutfield St. *E1* —5C **40**
Styles Gdns. *SW9* —1D **81**
Styles Ho. *SE1* —2D **53**
(off Eccles Pl.)
Sudbourne Rd. *SW2* —3A **80**
Sudbrooke Rd. *SW12* —4B **78**
Sudbury Clo. *E5* —1A **28**
Sudbury Ct. *SW8* —4A **66**

Sudbury Cres. *Brom* —5C **100**
Sudeley St. *N1* —1D **39**
Sudlow Rd. *SW18* —3C **76**
Sudrey St. *SE1* —3E **53**
Suffolk Ct. *E10* —2C **14**
Suffolk La. *EC4* —1F **53**
Suffolk Pl. *SW1* —2F **51**
Suffolk Rd. *E13* —2C **44**
Suffolk Rd. *N15* —1F **11**
Suffolk Rd. *NW10* —4A **18**
Suffolk Rd. *SW13* —3B **60**
Suffolk St. *E7* —1C **30**
Suffolk St. *SW1* —1F **51**
Sugar Bakers Ct. *EC3* —5A **40**
(off Creechurch La.)
Sugar Ho. La. *E15* —1E **43**
Sugar Loaf Wlk. *E2* —2E **41**
Sugar Quay. *EC3* —1A **54**
(off Lwr. Thames St.)
Sugar Quay Wlk. *EC3* —1A **54**
Sugden Rd. *SW11* —1C **78**
Sulby Ho. *SE4* —2A **84**
(off Turnham Rd.)
Sulgrave Gdns. *W6* —3E **47**
Sulgrave Rd. *W6* —4E **47**
Sulina Rd. *SW2* —5A **80**
Sulivan Ct. *SW6* —5C **62**
Sulivan Enterprise Cen. *SW6*
    —1C **76**
Sulivan Rd. *SW6* —1C **76**
Sullivan Av. *E16* —4F **45**
Sullivan Clo. *SW11* —1A **78**
Sullivan Ct. *N16* —2B **12**
Sullivan Rd. *SE11* —5D **53**
Sultan St. *SE5* —3E **67**
Sumatra Rd. *NW6* —2C **20**
Sumburgh Rd. *SW12* —4C **78**
Summercourt Rd. *E1* —5E **41**
Summerfield Av. *NW6* —1A **34**
Summerfield St. *SE12* —5B **86**
Summerhouse Rd. *N16*
    —4A **12**
Summerley St. *SW18* —2D **91**
Summersby Rd. *N6* —1D **9**
Summers St. *EC1* —3C **38**
Summerstown. *SW17* —3E **91**
Summit Av. *NW9* —1A **4**
Summit Clo. *NW2* —3A **20**
Summit Est. *N16* —2C **12**
Sumner Av. *SE15* —4B **68**
Sumner Bldgs. *SE1* —2E **53**
(off Sumner St.)
Sumner Ct. *SW8* —4A **66**
Sumner Est. *SE15* —3B **68**
Sumner Pl. *SW7* —5F **49**
Sumner Pl. M. *SW7* —5F **49**
Sumner Rd. *SE15* —2B **68**
(in two parts)
Sumner St. *SE1* —2D **53**
Sumpter Clo. *NW3* —3E **21**
Sunbeam Cres. *W10* —3E **33**
Sunbeam Rd. *NW10* —3A **32**
Sunbury Av. *SW14* —2A **74**
Sunbury La. *SW11* —4F **63**
Sun Ct. *EC3* —5F **39**
(off Cornhill)
Suncroft Pl. *SE26* —3E **97**
Sunderland Mt. *SE23* —2F **97**

Sunderland Rd.—Sycamore Wlk.

Sunderland Rd. *SE23* —1F **97**
Sunderland Ter. *W2* —5D **35**
Sunderland Way. *E12* —4F **17**
Sundew Av. *W12* —1C **46**
Sundorne Rd. *SE7* —1E **73**
Sundra Wlk. *E1* —3F **41**
Sun La. *SE3* —3D **73**
Sunlight Clo. *SW19* —5E **91**
Sunningdale Av. *W3* —1A **46**
Sunningdale Clo. *SE16* —1D **69**
(off Ryder Dri.)
Sunningdale Gdns. *W8* —4C **48**
(off Stratford Rd.)
Sunninghill Rd. *SE13* —5D **71**
Sunnydale Rd. *SE12* —3D **87**
Sunnydene St. *SE26* —4A **98**
Sunnyhill Clo. *E5* —1A **28**
Sunnyhill Rd. *SW16* —4A **94**
Sunnymead Rd. *NW9* —2A **4**
Sunnymead Rd. *SW15* —3D **75**
Sunnyside. *NW2* —5B **6**
Sunnyside. *SW19* —5A **90**
Sunnyside Houses. *NW2*
(off Sunnyside) —5B **6**
Sunnyside Pas. *SW19* —5A **90**
Sunnyside Rd. *E10* —3C **14**
Sunnyside Rd. *N19* —2F **9**
Sunny View. *NW9* —1A **4**
Sun Pas. *SE16* —4C **54**
(off Old Jamaica Rd.)
Sunray Av. *SE24* —2F **81**
Sunset Rd. *SE5* —2E **81**
Sun St. *EC2* —4F **39**
Sun St. Pas. *EC2* —4A **40**
Sun Wlk. *E1* —1B **54**
Sunwell Ct. *SE15* —4D **69**
Surma Clo. *E1* —3D **41**
Surrendale Pl. *W9* —3C **34**
Surrey Canal Rd. *SE15 & SE14*
—2E **69**
Surrey Gdns. *N4* —1E **11**
Surrey Gro. *SE17* —1A **68**
Surrey La. *SW11* —4A **64**
Surrey La. Est. *SW11* —4A **64**
Surrey M. *SE27* —4A **96**
Surrey Mt. *SE23* —1D **97**
Surrey Quays Rd. *SE16*
—4E **55**
Surrey Quays Shop. Cen. *SE16*
—4F **55**
Surrey Rd. *SE15* —3F **83**
Surrey Row. *SE1* —3D **53**
Surrey Sq. *SE17* —1A **68**
Surrey St. *E13* —2D **45**
Surrey St. *WC2* —1B **52**
Surrey Ter. *SE17* —1A **68**
Surrey Water Rd. *SE16*
—2F **55**
Surridge Ct. *SW9* —5A **66**
(off Clapham Rd.)
Surr St. *N7* —2A **24**
Susannah St. *E14* —5D **43**
Susan Rd. *SE3* —5D **73**
Sussex Clo. *N19* —4A **10**

Sussex Gdns. *N4* —1E **11**
Sussex Gdns. *N6* —1B **8**
Sussex Gdns. *W2* —1F **49**
Sussex Ga. *N6* —1B **8**
Sussex M. E. *W2* —5F **35**
(off Clifton Pl.)
Sussex M. W. *W2* —1F **49**
Sussex Pl. *NW1* —3B **36**
Sussex Pl. *W2* —5F **35**
Sussex Pl. *W6* —1E **61**
Sussex Sq. *W2* —1F **49**
Sussex St. *E13* —2D **45**
Sussex St. *SW1* —1D **65**
Sussex Wlk. *SW9* —2D **81**
Sussex Way. *N19 & N7*
—3A **10**
Sutcliffe Clo. *NW11* —1D **7**
Sutherland Av. *W9* —3C **34**
Sutherland Ct. *N16* —5F **11**
Sutherland Gdns. *SW14*
—1A **74**
Sutherland Gro. *SW18*
—4A **76**
Sutherland Ho. *W8* —4D **49**
Sutherland Pl. *W2* —5C **34**
Sutherland Point. *E5* —1D **27**
(off Tiger Way)
Sutherland Rd. *W4* —2A **60**
Sutherland Row. *SW1* —1D **65**
Sutherland Sq. *SE17* —1E **67**
Sutherland St. *SW1* —1D **65**
Sutherland Wlk. *SE17* —1E **67**
Sutlej Rd. *SE7* —3E **73**
Sutterton St. *N7* —3B **24**
Sutton Ct. Rd. *E13* —2E **45**
Sutton Est. *EC1* —2F **39**
(off City Rd.)
Sutton Est. *W10* —4E **33**
Sutton Est., The. *N1* —4D **25**
Sutton Est., The. *SW3* —1A **64**
Sutton Pl. *E9* —2E **27**
Sutton Rd. *E13* —3B **44**
Sutton Row. *W1* —5F **37**
Sutton Sq. *E9* —2E **27**
Sutton St. *E1* —1E **55**
Sutton's Way. *EC1* —3E **39**
Sutton Way. *W10* —3E **33**
Swaby Rd. *SW18* —1E **91**
Swaffield Rd. *SW18* —5D **77**
Swains La. *N6* —3C **8**
Swainson Rd. *Act V* —3B **46**
Swallands Rd. *SE6* —3C **98**
(in two parts)
Swallow Clo. *SE14* —4F **69**
Swallow Clo. *SE12* —5C **86**
Swallow Dri. *NW10* —3A **18**
Swallowfield Rd. *SE7* —1D **73**
Swallow Gdns. *SW16* —5F **93**
Swallow Pas. *W1* —5D **37**
(off Swallow Pl.)
Swallow Pl. *W1* —5D **37**
Swallow St. *W1* —1E **51**
Swanage Ho. *SW8* —3B **66**
(off Dorset Rd.)
Swanage Rd. *SW18* —4E **77**
Swan App. *E6* —4F **45**
Swan Cen., The. *SW17* —3E **91**
Swan Ct. *SW3* —1A **64**

Swandon Way. *SW18* —3D **77**
Swanfield St. *E2* —2B **40**
Swan La. *EC4* —1F **53**
Swan Mead. *SE1* —4A **54**
Swan M. *SW9* —4B **66**
Swan Pl. *SW13* —5B **60**
Swan Rd. *SE16* —3E **55**
Swan Rd. *SE18* —4F **59**
Swanscombe Ho. *W11* —2F **47**
(off St Ann's Rd.)
Swanscombe Point. *E16*
(off Clarkson Rd.) —4B **44**
Swanscombe Rd. *W4* —1A **60**
Swanscombe Rd. *W11* —2F **47**
Swans Pas. *E1* —1C **54**
(off Royal Mint St.)
Swan St. *SE1* —4E **53**
Swanton Gdns. *SW19* —1F **89**
Swan Wlk. *SW3* —2B **64**
Swanwick Clo. *SW15* —5B **74**
Swan Yd. *N1* —3D **25**
Swaton Rd. *E3* —3C **42**
Swaythling Rd. *SW15* —4B **74**
(off Tunworth Cres.)
Swedeland Ct. *E1* —4A **40**
(off Bishopsgate)
Swedenborg Gdns. *E1* —1D **55**
Sweden Ga. *SE16* —4A **56**
Swedish Quays Development.
SE16 —4A **56**
Sweeney Cres. *SE1* —3B **54**
Swell Ct. *E17* —1D **15**
Swete St. *E13* —1C **44**
Sweyn Pl. *SE3* —5C **72**
Swiftsden Way. *Brom*
—5A **100**
Swift St. *SW6* —4B **62**
Swinbrook Rd. *W10* —4A **34**
Swinburne Ct. *SE5* —2F **81**
(off Basingdon Way)
Swinburne Rd. *SW15* —2C **74**
Swindon St. *W12* —2D **47**
Swinford Gdns. *SW9* —1D **81**
Swinnerton St. *E9* —2A **28**
Swinton Pl. *WC1* —2B **38**
Swinton St. *WC1* —2B **38**
Swiss Cen. *W1* —1F **51**
(off Wardour St.)
Swiss Cottage. (Junct.)
—4F **21**
Swiss Ct. *WC2* —1F **51**
(off Panton St.)
Swiss Ter. *NW6* —4F **21**
Sybil M. *N4* —1D **11**
Sybil Phoenix Clo. *SE8* —1F **69**
Sybourn St. *E17* —2B **14**
Sycamore Clo. *E16* —3A **44**
Sycamore Clo. *W3* —2A **46**
Sycamore Ct. *E7* —3C **30**
Sycamore Ct. *NW6* —5C **20**
(off Bransdale Clo.)
Sycamore Gdns. *W6* —3D **47**
Sycamore Gro. *SE6* —4E **85**
Sycamore Ho. *W6* —3D **47**
Sycamore M. *SW4* —1E **79**
Sycamore Rd. *SW19* —5E **89**
Sycamore St. *EC1* —3E **39**
Sycamore Wlk. *W10* —3A **34**

Thessaly Rd.—Tilford Gdns.

Thessaly Rd. *SW8* —3E **65**
Theydon Rd. *E5* —4E **13**
Theydon St. *E17* —2B **14**
Third Av. *E13* —2C **44**
Third Av. *E17* —1C **14**
Third Av. *W3* —2B **46**
Third Av. *W10* —2A **34**
Thirleby Rd. *SW1* —4E **51**
Thirlmere Rd. *SW16* —4F **93**
Thirsk Rd. *SW11* —1C **78**
Thistle Gro. *SW10* —1E **63**
Thistlewaite Rd. *E5* —5D **13**
Thistlewood Clo. *N7* —4B **10**
Thomas Baines Rd. *SW11*
　　　　　　　—1F **77**
Thomas Dinwiddy Rd. *SE12*
　　　　　　　—2D **101**
Thomas Doyle St. *SE1* —4D **53**
Thomas La. *SE6* —5C **84**
Thomas More Highwalk. EC2
　(off Barbican) —4E **39**
Thomas More Ho. EC2 —4E **39**
　(off Barbican)
Thomas More Sq. *E1* —1C **52**
Thomas More St. *E1* —1C **54**
Thomas Neals Shop. Mall. *WC2*
　　　　　　　—5A **38**
Thomas N. Ter. E16 —4B **44**
　(off Barking Rd.)
Thomas Pl. *W8* —4D **49**
Thomas Rd. *E14* —5B **42**
Thomas Rd. Ind. Est. *E14*
　　　　　　　—4C **42**
Thompson Rd. *SE22* —4B **82**
Thompson's Av. *SE5* —3E **67**
Thomson Ho. SW1 —1F **65**
　(off Bessborough Pl.)
Thorburn Sq. *SE1* —5C **54**
Thoresby St. *N1* —2E **39**
Thornbury Clo. *N16* —2A **26**
Thornbury Ct. W11 —1C **48**
　(off Chepstow Vs.)
Thornbury Rd. *SW2* —4A **80**
Thornbury Sq. *N6* —3E **9**
Thornby Rd. *E5* —5E **13**
Thorncliffe Rd. *SW2* —4A **80**
Thorncombe Rd. *SE22* —3A **82**
Thorncroft St. *SW8* —3A **66**
Thorndean St. *SW18* —2E **91**
Thorndike Clo. *SW10* —3E **63**
Thorndike St. *SW1* —5F **51**
Thorne Clo. *E11* —1A **30**
Thorne Clo. *E16* —5C **44**
Thorne Pas. *SW13* —5A **60**
Thorne Rd. *SW8* —3A **66**
Thorne St. *SW13* —1A **74**
Thorney Ct. W8 —3E **49**
　(off Palace Ga.)
Thorney Cres. *SW11* —3F **63**
Thorney St. *SW1* —5A **52**
Thornfield Rd. *W12* —3D **47**
Thornford Rd. *SE13* —3E **85**
Thorngate Rd. *W9* —3C **34**
Thorngrove Rd. *E13* —5D **31**
Thornham Gro. *E15* —2F **29**
Thornham St. *SE10* —2D **71**
Thornhaugh M. *WC1* —3F **37**
Thornhaugh St. *WC1* —3F **37**

Thornhill Cres. *N1* —4B **24**
Thornhill Gdns. *E10* —4D **15**
Thornhill Gro. *N1* —4B **24**
Thornhill Ho. *N1* —4C **24**
Thornhill Ho. W4 —1A **60**
　(off Wood St.)
Thornhill Point. *E9* —4E **27**
Thornhill Rd. *E10* —4D **15**
Thornhill Rd. *N1* —4C **24**
Thornhill Sq. *N1* —4B **24**
Thornlaw Rd. *SE27* —4C **94**
Thornley Pl. *SE10* —1A **72**
Thornsbeach Rd. *SE6* —1E **99**
Thornsett Rd. *SW18* —1D **91**
Thorn Ter. *SE15* —1E **83**
Thornton Av. *SW2* —1F **93**
Thornton Av. *W4* —5A **46**
Thornton Gdns. *SW12* —1F **93**
Thornton Pl. *W1* —4B **36**
Thornton Rd. *E11* —4F **15**
Thornton St. *SW12* —5F **79**
Thornton Rd. *Brom* —5C **100**
Thorntree Rd. *SE7* —1F **73**
Thornville St. *SE8* —4C **70**
Thornwood Rd. *SE13* —3A **86**
Thornycroft Ho. W4 —1A **60**
　(off Fraser St.)
Thorogood Gdns. *E15* —2A **30**
Thorparch Rd. *SW8* —4F **65**
Thorpebank Rd. *W12* —2C **46**
Thorpe Clo. *W10* —5A **34**
Thorpedale Rd. *N4* —4A **10**
Thorpe Ho. N1 —5B **24**
　(off Barnsbury Est.)
Thorpe Rd. *E7* —1B **30**
Thorpe Rd. *N15* —1A **12**
Thorpewood Av. *SE26* —2D **97**
Thorsden Way. *SE19* —5A **96**
Thorverton Rd. *NW2* —5A **6**
Thoydon Rd. *E3* —1A **42**
Thrale Rd. *SW16* —5E **93**
Thrale St. *SE1* —2E **53**
Thrasher Clo. *E8* —5B **26**
Thrawl St. *E1* —4B **40**
Thrayle Ho. SW9 —1B **80**
　(off Benedict Rd.)
Threadgold Ho. N1 —3F **25**
　(off Dovercourt Est.)
Threadneedle St. *EC2* —5F **39**
Three Colt Corner. E2 & E1
　(off Cheshire St.) —3C **40**
Three Colts La. *E2* —3D **41**
Three Colt St. *E14* —5B **42**
Three Cranes Wlk. EC4 —1E **53**
　(off Bell Wharf La.)
Three Cups Yd. WC1 —4B **38**
　(off Sandland St.)
Three Kings Yd. *W1* —1D **51**
Three Mill La. *E3* —2E **43**
Three Oak La. *SE1* —3F **53**
Three Quays. *EC3* —1A **54**
　(off Tower Hill)
Three Quays Wlk. *EC3* —1A **54**
Threshers Pl. *W11* —1A **48**

Thriffwood. *SE26* —3E **97**
Thring Ho. *SW9* —5B **66**
　(off Stockwell Rd.)
Throckmorten Rd. *E16*
　　　　　　　—5D **45**
Throgmorton Av. *EC2* —5F **39**
Throgmorton St. *EC2* —5F **39**
Thrush St. *SE17* —1E **67**
Thruxton Way. *SE15* —3B **68**
Thurbarn Rd. *SE6* —5D **99**
Thurland Rd. *SE16* —4C **54**
Thurlby Rd. *SE27* —4C **94**
Thurleigh Av. *SW12* —4C **78**
Thurleigh Rd. *SW12* —5B **78**
Thurlestone Rd. *SE27* —3C **94**
Thurloe Clo. *SW7* —5A **50**
Thurloe Pl. *SW7* —5F **49**
Thurloe Pl. M. *SW7* —5F **49**
　(off Thurloe Pl.)
Thurloe Sq. *SW7* —5A **50**
Thurloe St. *SW7* —5F **49**
Thurlow Hill. *SE21* —1E **95**
Thurlow Ho. *SW16* —3A **94**
Thurlow Pk. Rd. *SE21* —2D **95**
Thurlow Rd. *NW3* —2F **21**
Thurlow St. *SE17* —1F **67**
Thurlow Ter. *NW5* —2C **22**
Thurlow Wlk. *SE17* —1A **68**
Thursley Gdns. *SW19* —2F **89**
Thursley Ho. SW2 —5B **80**
　(off Holmewood Gdns.)
Thurso Ho. *NW6* —1D **35**
Thurso St. *SW17* —4F **91**
Thurston Ind. Est. *SE13*
　　　　　　　—1D **85**
Thurston Rd. *SE13* —5D **71**
Thurtle Rd. *E2* —1B **40**
Tibbatts Rd. *E3* —3D **43**
Tibbenham Wlk. *E13* —1B **44**
Tibberton Sq. *N1* —4E **25**
Tibbet's Clo. *SW19* —1F **89**
Tibbet's Corner. (Junct.)
　　　　　　　—5F **75**
Tibbet's Ride. *SW15* —5F **75**
Tiber Gdns. *N1* —5A **24**
Ticehurst Rd. *SE23* —2A **98**
Tickford Ho. *NW8* —2A **36**
Tidal Basin Rd. *E16* —1B **58**
Tidemore Ho. SW8 —3E **65**
　(off Savona St.)
Tideswell Rd. *SW15* —2E **75**
Tideway Ind. Est. *SW8* —2E **65**
　(off Kirtling St.)
Tideway Wlk. *SW8* —2E **65**
Tidey St. *E3* —4C **42**
Tidworth Rd. *E3* —3C **42**
Tierney Rd. *SW2* —1A **94**
Tiger Way. *E5* —1D **27**
Tilbrook Rd. *SE3* —1E **87**
Tilbury Clo. *SE15* —3B **68**
Tilbury Rd. *E10* —2E **15**
Tildesley Rd. *SW15* —4E **75**
Tilehurst Rd. *SW18* —1F **91**
Tile Kiln La. *N6* —3D **9**
Tile Kiln Studios. *N6* —3E **9**
Tile Yd. *E14* —5B **42**
Tileyard Rd. *N7* —4A **24**
Tilford Gdns. *SW19* —1F **89**

Townmead Bus. Cen.—Trundley's Ter.

Townmead Bus. Cen. *SW6*
—1E 77
Townmead Rd. *SW6* —1D 77
Townsend La. *NW9* —2A 4
Townsend Rd. *N15* —1B 12
Townsend St. *SE17* —5A 54
Townsend Yd. *N6* —3D 9
Townshend Ct. NW8 —1B 36
(off Townshend Rd.)
Townshend Est. *NW8* —1A 36
Townshend Rd. *NW8* —5A 22
Towns Ho. *SW4* —1F 79
Towpath, The. *SW10* —4F 63
Towpath Wlk. *E9* —2B 28
Towton Rd. *SE27* —2E 95
Toynbee St. *E1* —4B 40
Toyne Way. *N6* —1B 8
Tracey Av. *NW2* —2E 19
Tracey St. *SE11* —1C 66
Tradescant Rd. *SW8* —3A 66
Tradewinds Ct. *E1* —1C 54
Trafalgar Av. *SE15* —1B 68
Trafalgar Clo. *SE16* —5A 56
Trafalgar Gdns. *E1* —4F 41
Trafalgar Gro. *SE10* —2F 71
Trafalgar Rd. *SE10* —2F 71
Trafalgar Sq. *WC2* —1C 51
Trafalgar St. *SE17* —1F 67
Trafalgar Way. *E14* —2E 57
Trafford Clo. *E15* —2D 29
Trafford Ho. N1 —1F 39
(off Cranston Est.)
Tralee Ct. SE16 —1D 69
(off Masters Dri.)
Tramway Av. *E15* —4A 30
Tranley M. *NW3* —1A 22
Tranmere Rd. *SW18* —2E 91
Tranquil M. *SE3* —5B 72
Tranquil Vale. *SE3* —5A 72
Transay Wlk. N1 —3F 25
Transept St. *NW1* —4A 36
Transom Clo. *SE16* —5B 56
Transom Sq. *E14* —1D 71
Tranton Rd. *SE16* —4C 54
Travers Rd. *N7* —5C 10
Travis Ho. *SE10* —4E 71
Treadgold St. *W11* —1F 47
Treadway St. *E2* —1D 41
Treasury Pas. SW1 —3A 52
(off Downing St.)
Treaty St. *N1* —5B 24
Trebeck St. *W1* —2D 51
Trebovir Rd. *SW5* —1C 62
Treby St. *E3* —3B 42
Trecastle Way. *N7* —1F 23
Tredegar M. *E3* —2B 42
Tredegar Rd. *E3* —1B 42
Tredegar Sq. *E3* —2B 42
Tredegar Ter. *E3* —2B 42
Trederwen Rd. *E8* —5C 26
Tredown Rd. *SE26* —5E 97
Tredwell Rd. *SE27* —4D 95
Treen Av. *SW13* —1B 74
Tree Rd. *E16* —5E 45
Treewall Gdns. Brom —4D 101
Trefil Wlk. *N7* —1A 24
Trefoil Rd. *SW18* —3E 77
Tregaron Av. *N8* —1A 10

Tregarvon Rd. *SW11* —2C 78
Trego Rd. *E9* —4C 28
Tregothnan Rd. *SW9* —1A 80
Tregunter Rd. *SW10* —2E 63
Treherne Ct. *SW9* —4D 67
Treherne Ct. *SW17* —4C 92
Trehern Rd. *SW14* —1A 74
Trehurst St. *E5* —2A 28
Trelawney Est. *E9* —3E 27
Trelawn Rd. *E10* —5E 15
Trelawn Rd. *SW2* —3C 80
Trellis Sq. *E3* —2B 42
Tremadoc Rd. *SW4* —2F 79
Tremaine Clo. *SE4* —5C 70
Trematon Ho. SE11 —1C 66
(off Kennings Way)
Tremlett Gro. *N19* —5E 9
Tremlett M. *N19* —5E 9
Trenchard Ct. *NW4* —1C 4
Trenchard St. *SE10* —1F 71
Trenchold St. *SW8* —2A 66
Trenmar Gdns. *NW10* —2D 33
Trentham St. *SW18* —1C 90
Trent Ho. *SE15* —2E 83
Trent Rd. *SW2* —3B 80
Treport Rd. *SW18* —5D 77
Tresco Ho. SE11 —1C 66
(off Sancroft St.)
Tresco Rd. *SE15* —2D 83
Tresham Cres. *NW8* —3A 36
Tresham Wlk. *E9* —2E 27
Tressell Clo. *N1* —4D 25
Tressider Ho. *SW4* —5F 79
Tressillian Cres. *SE4* —1C 84
Tressillian Rd. *SE4* —2B 84
Tress Pl. SE1 —2D 53
(off Blackfriars Rd.)
Trevanion Rd. *W14* —1A 62
Trevelyan Gdns. *NW10* —5E 19
Trevelyan Rd. *E15* —1B 30
Trevelyan Rd. *SW17* —5A 92
Trevenna Ho. SE23 —3F 97
(off Dacres Rd.)
Treveris St. *SE1* —2D 53
Treverton St. *W10* —4F 33
Treverton Towers. W10
(off Treverton St.) —4F 33
Treville St. *SW15* —5D 75
Treviso Rd. *SE23* —2F 97
Trevithick St. *SE8* —2C 70
Trevone Ct. SW2 —5A 80
(off Doverfield Rd.)
Trevor Pl. *SW7* —3A 50
Trevor Sq. *SW7* —3B 50
Trevor St. *SW7* —3A 50
Trevose Ho. SE11 —1B 66
(off Orsett St.)
Trewint St. *SW18* —2E 91
Trewsbury Rd. *SE26* —5F 97
Triangle Ct. *E16* —4F 45
Triangle Pl. *SW4* —2F 79
Triangle Rd. *E8* —5D 27
Triangle, The. *E8* —5D 27
Triangle, The. *EC1* —3D 39
Trident St. *SE16* —5F 55
Trig La. *EC4* —1E 53
Trigon Rd. *SW8* —3B 66
Trilby Rd. *SE23* —2F 97

Trinder Gdns. *N19* —3A 10
Trinder Rd. *N19* —3A 10
Trinidad St. *E14* —1B 56
Trinity Bus. Cen. *SE16* —3B 56
Trinity Chu. Pas. EC4 —5C 38
(off Fetter La.)
Trinity Chu. Pas. *SW13*
—2D 61
Trinity Chu. Rd. *SW13*
—2D 61
Trinity Chu. Sq. *SE1* —4E 53
Trinity Clo. *E8* —3B 26
Trinity Clo. *E11* —4A 16
Trinity Clo. *NW3* —1F 21
Trinity Clo. *SE13* —2F 85
Trinity Clo. *SW4* —2E 79
Trinity Ct. *N1* —5A 26
Trinity Ct. *SE7* —5F 59
Trinity Ct. *SE26* —3E 97
Trinity Ct. W2 —5F 35
(off Gloucester Ter.)
Trinity Cres. *SW17* —2B 92
Trinity Gdns. *SW9* —2B 80
Trinity Gro. *SE10* —4E 71
Trinity M. *W10* —5F 33
Trinity Path. *SE26* —3E 97
Trinity Pier. *E14* —1A 58
Trinity Pl. *EC3* —1B 54
Trinity Rise. *SW2* —1C 94
Trinity Rd. *SW18 & SW17*
—2E 77
Trinity Rd. *SW19* —5C 90
Trinity Sq. *EC3* —1A 54
Trinity St. *E16* —4B 44
Trinity St. *SE1* —3E 53
Trinity Wlk. *NW3* —3E 21
Trinity Way. *W3* —1A 46
Trio Pl. *SE1* —3E 53
Tristan Ga. *SE3* —1A 86
Tristram Rd. *Brom* —4B 100
Triton Sq. *NW1* —3E 37
Tritton Rd. *SE21* —3F 95
Trojan Ct. *NW6* —4A 20
Trojan Ind. Est. NW10 —3B 18
Troon Clo. *SE16* —1D 69
Troon St. *E1* —5A 42
Trossachs Rd. *SE22* —3A 82
Trothy Rd. *SE1* —5C 54
Trotman Ho. SE14 —4E 69
(off Pomeroy St.)
Trott St. *SW11* —4A 64
Troughton Rd. *SE7* —1D 73
Troutbeck Ho. NW1 —2D 37
(off Albany St.)
Troutbeck Rd. *SE14* —4A 70
Trouville Rd. *SW4* —4E 79
Trowbridge Rd. *E9* —3B 28
Troy Ct. W8 —4C 48
(off Kensington High St.)
Troy Town. *SE15* —1C 82
Trumans Rd. *N16* —2B 26
Trumpington Rd. *E7* —1B 30
Trump St. *EC2* —5E 39
Trundle St. SE1 —3E 53
(off Weller St.)
Trundley's M. *SE8* —1F 69
Trundley's Rd. *SE8* —1F 69
Trundley's Ter. *SE8* —5F 55

Union Sq.—Vaughan Rd.

Union Sq. *N1* —5E **25**
Union St. *E15* —1F **43**
Union St. *SE1* —2D **53**
Union Wlk. *E2* —2A **40**
Union Yd. *W1* —5D **37**
Unity Clo. *NW10* —4C **18**
Unity Clo. *SE19* —5E **95**
Unity Way. *SE18* —4F **59**
University St. *WC1* —3E **37**
Unwin Clo. *SE15* —2C **68**
Unwin Mans. W14 —2A **62**
(off Queen's Club Gdns.)
Unwin Rd. *SW7* —4F **49**
Upbrook M. *W2* —5E **35**
Upcerne Rd. *SW10* —3E **63**
Upgrove Mnr. Way. *SW2*
　　　　　　　　　—5C **80**
Upham Pk. Rd. *W4* —5A **46**
Upland Pk. *SE22* —3C **82**
Upland Rd. *E13* —3C **44**
Upland Rd. *SE22* —3C **82**
Uplands Rd. *N8* —1B **10**
Upnall Ho. *SE15* —2E **69**
Upnor Way. *SE17* —1A **68**
Up. Addison Gdns. *W14*
　　　　　　　　　—3A **48**
Up. Bardsey Wlk. N1 —5E **25**
(off Bardsey Wlk.)
Up. Belgrave St. *SW1* —4C **50**
Up. Berkeley St. *W1* —5B **36**
Up. Brockley Rd. *SE4* —1B **84**
Up. Brook St. *W1* —1C **50**
Up. Caldy Wlk. N1 —3E **25**
(off Caldy Wlk.)
Up. Camelford Wlk. W11
　　　　(off St Mark's Rd.) —5A **34**
Up. Cheyne Row. SW3 —2A **64**
Up. Clapton Rd. *E5* —4D **13**
Up. Clarendon Wlk. W11
　　　　(off Clarendon Rd.) —5A **34**
Up. Dengie Wlk. N1 —5E **25**
(off Basire St.)
Up. Grosvenor St. *W1* —1C **50**
Up. Ground. *SE1* —2C **52**
Up. Gulland Wlk. N1 —3E **25**
(off Oronsay Wlk.)
Up. Handa Wlk. N1 —3F **25**
(off Handa Wlk.)
Up. Harley St. *NW1* —3C **36**
Up. Hawkwell Wlk. N1 —5E **25**
(off Maldon Clo.)
Up. Hilldrop Est. *N7* —2F **23**
Up. James St. *W1* —1E **51**
Up. John St. *W1* —1E **51**
Up. Lismore Wlk. N1 —3E **25**
(off Clephane St.)
Up. Mall. *W6* —1C **60**
　　(in two parts)
Up. Marsh. *SE1* —4B **52**
Up. Montagu St. *W1* —4B **36**
Up. North St. *E14* —4C **42**
Up. Park Rd. *NW3* —2B **22**
Up. Phillimore Gdns. W8
　　　　　　　　　—3C **48**
Up. Ramsey Wlk. N1 —3F **25**
(off Ramsey Wlk.)
Up. Rawreth Wlk. N1 —5E **25**
(off Basire St.)

Up. Richmond Rd. *SW15*
　　　　　　　　　—2B **74**
Upper Rd. *E13* —2C **44**
Up. St Martin's La. *WC2*
　　　　　　　　　—1A **52**
Up. Sheppey Wlk. N1 —3E **25**
(off Skomer Wlk.)
Upper St. *N1* —1C **38**
Up. Tachbrook St. *SW1* —5E **51**
Upper Ter. *NW3* —5E **7**
Up. Thames St. *EC4* —1D **53**
Up. Tollington Pk. *N4* —3C **10**
　　(in two parts)
Upperton Rd. E. *E13* —2E **45**
Upperton Rd. W. *E13* —2E **45**
Up. Tooting Pk. *SW17* —2B **92**
Up. Tooting Rd. *SW17* —4B **92**
Up. Tulse Hill. *SW2* —5B **80**
Up. Wimpole St. *W1* —4C **36**
Up. Woburn Pl. *WC1* —2F **37**
Upstall St. *SE5* —4D **67**
Upton Av. *E7* —4C **30**
Upton La. *E7* —4C **30**
Upton Lodge. *E7* —3C **30**
Upton Pk. Rd. *E7* —4D **31**
Upwood Rd. *SE12* —4C **86**
Urlwin St. *SE5* —2E **67**
Urlwin Wlk. *SW9* —4C **66**
Urmston Dri. *SW19* —1A **90**
Ursula. *N4* —3E **11**
Ursula St. *SW11* —4A **64**
Urswick Rd. *E9* —2E **27**
Usborne M. *SW8* —3B **66**
Usher Rd. *E3* —5B **28**
Usher-Walker Ho. E16 —3F **43**
(off South Cres.)
Usk Rd. *SW11* —2E **77**
Usk St. *E2* —2F **41**
Uverdale Rd. *SW10* —3E **63**
Uxbridge Rd. *W12* —2C **46**
Uxbridge St. *W8* —2C **48**

Vale Clo. *W9* —2E **35**
Vale Ct. *W3* —2B **46**
Vale Ct. W9 —2E **35**
(off Maida Vale)
Vale Cres. *SW15* —4A **88**
Vale End. *SE22* —2B **82**
Vale Est., The. W3 —2A **46**
Vale Gro. *N4* —2E **11**
Vale Gro. *W3* —3A **46**
Vale Lodge. *SE23* —2E **97**
Valentia Pl. *SW9* —2C **80**
Valentine Ct. *SE23* —2F **97**
　　(in two parts)
Valentine Pl. *SE1* —3D **53**
Valentine Rd. *E9* —3F **27**
Valentine Row. *SE1* —3D **53**
Vale of Health. *NW3* —5F **7**
Valerian Way. *E15* —2A **44**
Vale Rise. *NW11* —3B **6**
Vale Rd. *E7* —3D **31**
Vale Rd. *N4* —2E **11**
Vale Row. *N5* —5D **11**
Vale Royal. *N7* —4A **24**
Vale St. *SE27* —3F **95**
Valeswood Rd. *Brom* —5B **100**

Vale Ter. *N4* —1E **11**
Vale, The. *NW11* —4A **6**
Vale, The. *SW3* —2F **63**
Vale, The. *W3* —2B **46**
Valetta Gro. *E13* —1C **44**
Valetta Rd. *W3* —3A **46**
Valette St. *E9* —3E **27**
Vallance Rd. *E2 & E1* —2C **40**
Valleyfield Rd. *SW16* —5B **94**
Valley Gro. *SE7* —1E **73**
Valley Rd. *SW16* —5B **94**
Valliere Rd. *NW10* —2C **32**
Valmar Rd. *SE5* —4E **67**
Valmar Trad. Est. *SE5* —4E **67**
Valnay St. *SW17* —5B **92**
Valonia Gdns. *SW18* —4B **76**
Vanbrugh Clo. *E16* —4F **45**
Vanbrugh Ct. SE11 —5C **52**
(off Wincott St.)
Vanbrugh Fields. *SE3* —2B **72**
Vanbrugh Hill. *SE10 & SE3*
　　　　　　　　　—1B **72**
Vanbrugh Pk. *SE3* —3B **72**
Vanbrugh Pk. Rd. *SE3* —3B **72**
Vanbrugh Pk. Rd. W. *SE3*
　　　　　　　　　—3B **72**
Vanbrugh Rd. *W4* —4A **46**
Vanbrugh Ter. *SE3* —4B **72**
Vancouver Rd. *SE23* —2A **98**
Vanderbilt Rd. *SW18* —1D **91**
Vandome Clo. *E16* —5D **45**
Vandon Pas. *SW1* —4E **51**
Vandon St. *SW1* —4E **51**
Vandyke Clo. *SW15* —5F **75**
Vandyke Cross. *SE9* —3F **87**
Vandy St. *EC2* —3A **40**
Vane Clo. *NW3* —2F **21**
Vane St. *SW1* —5E **51**
Van Gogh Ct. *E14* —4F **57**
Vanguard Clo. *E16* —4C **44**
Vanguard St. *SE8* —4C **70**
Vanoc Gdns. *Brom* —4C **100**
Vansittart Rd. *E7* —1B **30**
Vansittart St. *SE14* —2A **70**
Vanston Pl. *SW6* —3C **62**
Vantrey Ho. SE11 —5C **52**
(off Marylee Way)
Vant Rd. *SW17* —5B **92**
Vanweck Sq. *SW15* —3C **74**
Varcoe Rd. *SE16* —1D **69**
Vardens Rd. *SW11* —2F **77**
Varden St. *E1* —5D **41**
Vardon Clo. *W3* —5A **32**
Vardon Rd. *SE10* —4E **71**
Varley Rd. *E16* —5D **45**
Varna Rd. *SW6* —3A **62**
Varndell St. *NW1* —2E **37**
Vartry Rd. *N15* —1F **11**
Vassall Rd. *SW9* —3C **66**
Vauban Est. *SE16* —4B **54**
Vauban St. *SE16* —4B **54**
Vaudeville Ct. *N4* —4C **10**
Vaughan Av. *NW4* —1C **4**
Vaughan Av. *W6* —5D **46**
Vaughan Est. E2 —2B **40**
(off Diss St.)
Vaughan Ho. *SW4* —5E **79**
Vaughan Rd. *E15* —3B **30**

Vaughan Rd. *SE5* —5E *67*
Vaughan St. *SE16* —3B *56*
Vaughan Way. *E1* —1C *54*
Vaughan Williams Clo. *SE8*
　—3C *70*
Vauxhall Bri. *SW1 & SE1*
　—1A *66*
Vauxhall Bri. Rd. *SW1* —4E *51*
Vauxhall Cross. *SE1* —1A *66*
Vauxhall Cross. (Junct.)
　—1A *66*
Vauxhall Gro. *SW8* —2B *66*
Vauxhall St. *SE11* —1B *66*
Vauxhall Wlk. *SE11* —1B *66*
Vawdrey Clo. *E1* —3E *41*
Veda Rd. *SE13* —2C *84*
Velde Way. *SE22* —3A *82*
Venables St. *NW8* —4F *35*
Vencourt Pl. *W6* —5C *46*
Venetian Rd. *SE5* —5E *67*
Venetia Rd. *N4* —1D *11*
Venner Rd. *SE26* —5E *97*
Venn Ho. *N1* —5B *24*
　(off Barnsbury Est.)
Venn St. *SW4* —2E *79*
Ventnor Rd. *SE14* —3F *69*
Venture Ct. *SE12* —5C *86*
Venue St. *E14* —4E *43*
Vera Lynn Clo. *E7* —1C *30*
Vera Rd. *SW6* —4A *62*
Verbena Clo. *E16* —3B *44*
Verbena Gdns. *W6* —1C *60*
Verdant Ct. *SE6* —5A *86*
　(off Verdant La.)
Verdant La. *SE6* —5A *86*
Verdun Rd. *SW13* —2C *60*
Vereker Rd. *W14* —1A *62*
Vere St. *W1* —3C *37*
Verity Clo. *W11* —1A *48*
Ver Meer Ct. *E14* —4F *57*
Vermont Rd. *SW18* —4D *77*
Verney Rd. *SE16* —2C *68*
Verney St. *NW10* —5A *4*
Verney Way. *SE16* —1D *69*
Vernon Clo. *NW2* —5B *6*
Vernon Ho. *SE11* —1B *66*
　(off Vauxhall St.)
Vernon M. *W14* —5A *48*
　(off Vernon St.)
Vernon Pl. *WC1* —4A *38*
Vernon Rise. *WC1* —2B *38*
Vernon Rd. *E3* —1B *42*
Vernon Rd. *E11* —3A *16*
Vernon Rd. *E15* —4A *30*
Vernon Rd. *SW14* —1A *74*
Vernon Sq. *WC1* —2B *38*
Vernon St. *W14* —5A *48*
Vernon Yd. *W11* —1B *48*
Verona Rd. *E7* —4C *30*
Veronica Ho. *SE4* —1B *84*
Veronica Rd. *SW17* —2D *93*
Verran Rd. *SW12* —5D *79*
Verulam Av. *E17* —1B *14*
Verulam Bldgs. *WC1* —4B *38*
　(off Grays Inn)
Verulam Ct. *NW9* —2C *4*
Verulam St. *WC1* —4C *38*
Veryan Ct. *N8* —1F *9*

Vesage Ct. *EC1* —4C *38*
　(off Leather La.)
Vesey Path. *E14* —5D *43*
Vespan Rd. *W12* —3C *46*
Vesta Rd. *SE4* —5A *70*
Vestris Rd. *SE23* —2F *97*
Vestry M. *SE5* —4A *68*
Vestry Rd. *SE5* —4A *68*
Vestry St. *N1* —2F *39*
Vevey St. *SE6* —2B *98*
Viaduct Bldgs. *EC1* —4C *38*
Viaduct Pl. *E2* —2D *41*
Viaduct St. *E2* —2D *41*
Vian St. *SE13* —1D *85*
Vibart Gdns. *SW2* —5B *80*
Vibart Wlk. *N1* —5A *24*
　(off Outram Pl.)
Vicarage Av. *SE3* —3C *72*
Vicarage Ct. *W8* —3D *49*
Vicarage Cres. *SW11* —4E *63*
Vicarage Gdns. *W8* —2C *48*
Vicarage Ga. *W8* —2D *49*
Vicarage Gro. *SE5* —4F *67*
Vicarage La. *E15* —4A *30*
Vicarage Path. *N8* —2F *9*
Vicarage Rd. *E10* —2C *14*
Vicarage Rd. *E15* —4B *30*
Vicarage Rd. *NW4* —1C *4*
Vicarage Rd. *SW14* —3A *74*
Vicarage Wlk. *SW11* —4F *63*
Vicarage Way. *NW10* —5A *4*
Vicar's Clo. *E9* —5E *27*
Vicars Clo. *E15* —5C *30*
Vicar's Hill. *SE13* —2D *85*
Vicars Oak Rd. *SE19* —5A *96*
Vicar's Rd. *NW5* —2C *22*
Viceroy Ct. *NW8* —1A *36*
　(off Prince Albert Rd.)
Viceroy Rd. *SW8* —4A *66*
Vicery Ct. *E13* —2E *39*
　(off Bartholomew Sq.)
Victoria Arc. *SW1* —4D *51*
　(off Victoria St.)
Victoria Av. *E6* —5A *31*
Victoria Av. *EC2* —4A *40*
Victoria Ct. *SE26* —5E *97*
Victoria Cres. *N15* —1A *12*
Victoria Cres. *SE19* —5A *96*
Victoria Dock Rd. *E16* —5A *44*
Victoria Dri. *SW19* —5F *75*
Victoria Embkmt. *SW1, WC2 &
　EC4* —3A *52*
Victoria Gdns. *W11* —2C *48*
Victoria Gro. *W8* —4E *49*
Victoria Gro. M. *W2* —1C *48*
Victoria Ho. *N1* —5B *24*
　(off High Rd.)
Victoria Ho. *SW8* —3A *66*
　(off S. Lambeth Rd.)
Victoria M. *NW6* —5C *20*
Victoria M. *SW4* —2D *79*
Victoria M. *SW18* —1E *91*
Victorian Gro. *N16* —1A *26*
Victorian Rd. *N16* —5B *12*

Victoria Pk. Ind. Cen. *E9*
　(off Rothbury Rd.) —4C *28*
Victoria Pk. Rd. *E2 & E9*
　—5E *27*
Victoria Pk. Sq. *E2* —2E *41*
Victoria Pas. *NW8* —3F *35*
　(off Fisherton St.)
Victoria Pl. Shop. Cen. *SW1*
　—5D *51*
Victoria Point. *E13* —1C *44*
　(off Victoria Rd.)
Victoria Rise. *SW4* —1D *79*
Victoria Rd. *E11* —1A *30*
Victoria Rd. *E13* —1C *44*
Victoria Rd. *N4* —2B *10*
Victoria Rd. *NW6* —1B *34*
Victoria Rd. *NW10* —4A *32*
Victoria Rd. *W8* —4E *49*
Victoria Sq. *SW1* —4D *51*
Victoria St. *E15* —4A *30*
Victoria St. *SW1* —4E *51*
Victoria Ter. *N4* —3C *10*
Victoria Ter. *NW10* —3B *32*
Victoria Way. *SE7* —1D *73*
Victoria Wharf. *E14* —1A *56*
　(off Narrow St.)
Victoria Works. *NW2* —4E *5*
Victor Rd. *NW10* —2D *33*
Victory Pl. *E14* —1A *56*
Victory Pl. *SE17* —5F *53*
Victory Sq. *SE5* —3F *67*
Victory Wlk. *SE8* —4C *70*
Victory Way. *SE16* —3A *56*
View Clo. *N6* —2B *8*
View Cres. *N8* —1F *9*
Viewfield Rd. *SW18* —4B *76*
View Rd. *N6* —2B *8*
Vigilant Clo. *SE26* —4C *96*
Vigo St. *W1* —1E *51*
Viking Clo. *E3* —1A *42*
Viking Ct. *SW6* —2C *62*
Viking Gdns. *E6* —3F *45*
Viking Ho. *SE5* —5E *67*
Viking Pl. *E10* —3B *14*
Village Clo. *NW3* —2F *21*
　(off Belsize La.)
Village Ct. *SE3* —1A *86*
　(off Hurren Clo.)
Village, The. *SE7* —2F *73*
Village Way. *NW10* —1A *18*
Village Way. *SE21* —4F *81*
Villa Rd. *SW9* —1C *80*
Villas on the Heath. *NW3*
　—5E *7*
Villa St. *SE17* —1F *67*
Villa Wlk. *SE17* —1F *67*
Villiers Clo. *E10* —4C *14*
Villiers Rd. *NW2* —3C *18*
Villiers St. *WC2* —2A *52*
Vincent Clo. *SE16* —3A *56*
Vincent Clo. *SW9* —4B *66*
Vincent Ct. *N4* —3A *10*
Vincent Gdns. *NW2* —5B *4*
Vincent M. *E3* —1C *42*
Vincent Sq. *SW1* —5F *51*
Vincent St. *E16* —4B *44*
Vincent St. *SW1* —5F *51*
Vincent Ter. *N1* —1D *39*

Vince St.—Walterton Rd.

Vince St. *EC1* —2F **39**
Vine Ct. *E1* —4C **40**
Vinegar St. *E1* —2D **55**
Vinegar Yd. *SE1* —3A **54**
  (off St Thomas St.)
Vine Hill. *EC1* —3C **38**
Vine La. *E1* —2A **54**
Vineries, The. *SE6* —1C **98**
Vine Rd. *E15* —4B **30**
Vine Rd. *SW13* —1B **74**
Vinery Way. *W6* —4D **47**
Vine Sq. *W14* —1B **62**
  (off Star Rd.)
Vine St. *EC3* —5B **40**
Vine St. *W1* —1E **51**
Vine St. Bri. *EC1* —3C **38**
Vine Yd. *SE1* —3E **53**
  (off Sanctuary St.)
Vineyard Clo. *SE6* —1C **98**
Vineyard Hill Rd. *SW19*
  —4C **90**
Vineyard M. *EC1* —3C **38**
  (off Vineyard Wlk.)
Vineyard Wlk. *EC1* —3C **38**
Viney Rd. *SE13* —1D **85**
Vining St. *SW9* —2C **80**
Vintners Clo. *EC4* —1E **53**
Vintners Hall. *EC4* —1E **53**
  (off Up. Thames St.)
Vintner's Pl. *EC4* —1E **53**
Viola Sq. *W12* —1B **46**
Violet Clo. *E16* —3A **44**
Violet Hill. *NW8* —1E **35**
Violet Rd. *E3* —3D **43**
Violet Rd. *E17* —1C **14**
Violet St. *E2* —2D **41**
Virgil Pl. *W1* —4B **36**
Virgil St. *SE1* —4B **52**
Virginia Rd. *E2* —2B **40**
Virginia St. *E1* —1C **54**
Virginia Wlk. *SW2* —4B **80**
Viscount St. *EC1* —3E **39**
Vista Dri. *Ilf* —1F **17**
Vista, The. *SE9* —5F **87**
Vivian Av. *NW4* —1D **5**
Vivian Mans. *NW4* —1D **5**
  (off Vivian Av.)
Vivian Rd. *E3* —1A **42**
Vivian Sq. *SE15* —1D **83**
Vogans Wharf. *SE1* —3B **54**
Vollasky Ho. *E1* —4C **40**
  (off Daplyn St.)
Voltaire Rd. *SW4* —1F **79**
Voluntary Pl. *E11* —1C **16**
Vorley Rd. *N19* —4E **9**
Voss St. *E2* —2C **40**
Voyager Bus. Est. *SE16*
  —4C **54**
Vulcan Rd. *SE4* —5B **70**
Vulcan Sq. *E14* —5C **56**
Vulcan Ter. *SE4* —5B **70**
Vulcan Way. *N7* —3B **24**
Vyner Rd. *W3* —1A **46**
Vyner St. *E2* —5D **27**

Wadding St. *SE17* —5F **53**
Waddington Rd. *E15* —2F **29**

Waddington St. *E15* —3F **29**
Wade Ho. *SE1* —3C **54**
  (off Dickens Est.)
Wade Rd. *E16* —5E **45**
Wadeson St. *E2* —1D **41**
Wade's Pl. *E14* —1D **57**
Wadham Gdns. *NW3* —5A **22**
Wadham Rd. *SW15* —2A **76**
Wadhurst Rd. *SW8* —4E **65**
Wadhurst Rd. *W4* —4A **46**
Wadley Rd. *E11* —2A **16**
Wager St. *E3* —3B **42**
Waghorn Rd. *E13* —5E **31**
Waghorn St. *SE15* —1C **82**
Wagner St. *SE15* —3E **69**
Wainford Clo. *SW19* —5F **75**
Waite Davies Rd. *SE12* —5B **86**
Waite St. *SE15* —2B **68**
Wakefield Ct. *SE26* —5E **97**
Wakefield Gdns. *Ilf* —1F **17**
Wakefield M. *WC1* —2A **38**
Wakefield Rd. *N15* —1B **12**
Wakefield St. *E6* —5F **31**
Wakefield St. *WC1* —3A **38**
Wakeham St. *N1* —3F **25**
Wakehurst Rd. *SW11* —3A **78**
Wakeling St. *E14* —5A **42**
Wakelin Ho. *SE23* —5A **84**
Wakelin Rd. *E15* —1A **44**
Wakeman Rd. *NW10* —2E **33**
Wakley St. *EC1* —2D **39**
Walberswick St. *SW8* —3A **66**
Walbrook. *EC4* —1F **53**
Walbrook Wharf. *EC4* —1E **53**
  (off Bell Wharf La.)
Walburgh St. *E1* —5D **41**
Walcorde Av. *SE17* —5E **53**
Walcot Gdns. *SE11* —5C **52**
  (off Kennington Rd.)
Walcot Sq. *SE11* —5C **52**
Walcott St. *SW1* —5E **51**
Waldeck Gro. *SE27* —3D **95**
Waldemar Av. *SW6* —4A **62**
Waldemar Rd. *SW19* —5C **90**
Walden Ct. *SW8* —4F **65**
Waldenshaw Rd. *SE23* —1E **97**
Walden St. *E1* —5D **41**
Waldo Clo. *SW4* —3E **79**
Waldo Rd. *NW10* —2C **32**
Waldram Cres. *SE23* —1E **97**
Waldram Pk. Rd. *SE23* —1F **97**
Waldram Pl. *SE23* —1E **97**
Waldron M. *SW3* —2F **63**
Waldron Rd. *SW18* —3E **91**
Walerand Rd. *SE13* —5E **71**
Waleran Flats. *SE1* —5A **54**
Wales Farm Rd. *W3* —4A **32**
Waley St. *E1* —4A **42**
Walford Rd. *N16* —1A **26**
Walham Grn. Ct. *SW6* —3D **63**
  (off Waterford Rd.)
Walham Gro. *SW6* —3C **62**
Walham Rise. *SW19* —5A **90**
Walham Yd. *SW6* —3C **62**
Walker's Ct. *W1* —1F **51**
  (off Brewer St.)
Walkerscroft Mead. *SE21*
  —1E **95**

Walkers Pl. *SW15* —2A **76**
Walkford Way. *SE15* —3B **68**
Wallace Ho. *N7* —3B **24**
  (off Caledonian Rd.)
Wallace Rd. *N1* —3E **25**
Wallace Way. *N19* —4F **9**
  (off St John's Way)
Wallbutton Rd. *SE4* —5A **70**
Wallcote Av. *NW2* —3F **5**
Wall Ct. *N4* —3B **10**
  (off Stroud Grn. Rd.)
Waller Rd. *SE14* —4F **69**
Wallflower St. *W12* —1B **46**
Wallgrave Rd. *SW5* —5D **49**
Wallgrave Ter. *SW5* —5C **48**
  (off Redfield La.)
Wallingford Av. *W10* —5F **33**
Wallis All. *SE1* —3E **53**
  (off Marshalsea Rd.)
Wallis Clo. *SW11* —1F **77**
Wallis Rd. *E9* —3B **28**
Wallis's Cotts. *SW2* —5A **80**
Wallorton Gdns. *SW14*
  —2A **74**
Wallside. *EC2* —4E **39**
  (off Barbican)
Wall St. *N1* —3F **25**
Wallwood Rd. *E11* —2F **15**
Wallwood St. *E14* —4B **42**
Walmer Pl. *W1* —4B **36**
  (off Walmer St.)
Walmer Rd. *W10* —5E **33**
Walmer Rd. *W11* —1A **48**
Walmer St. *W1* —4B **36**
Walm La. *NW2* —3E **19**
Walney Wlk. *N1* —3E **25**
Walnut Clo. *SE8* —2B **70**
Walnut Ct. *W8* —4D **49**
  (off St Marys Ga.)
Walnut Gdns. *E15* —1A **30**
Walnut Rd. *E10* —4C **14**
Walnut Tree Clo. *SW13*
  —4B **60**
Walnut Tree Cotts. *SW19*
  —5A **90**
Walnut Tree Rd. *SE10* —1A **72**
  (in two parts)
Walnut Tree Wlk. *SE11*
  —5C **52**
Walpole M. *NW8* —5F **21**
Walpole Rd. *E6* —4E **31**
Walpole Rd. *SE14* —3B **70**
Walpole Rd. *SW19* —5F **91**
Walpole St. *SW3* —1B **64**
Walsham Clo. *N16* —3C **12**
Walsham Rd. *SE14* —5F **69**
Walsham Rd. *SE14* —5F **69**
Walsingham. *NW8* —5F **21**
Walsingham Pl. *SW11* —4C **78**
Walsingham Rd. *E5* —5C **12**
Walter Grn. Ho. *SE15* —4E **69**
  (off Lausanne Rd.)
Walters Clo. *SE17* —5E **53**
  (off Brandon St.)
Walter St. *E2* —2F **41**
Walters Way. *SE23* —4F **83**
Walter Ter. *E1* —5F **41**
Walterton Rd. *W9* —3B **34**

Woodget Clo. *E6* —5F **45**
Woodgrange Rd. *E7* —1D **31**
Woodhall Av. *SE21* —3B **96**
Woodhall Dri. *SE21* —3B **96**
Woodham Rd. *SE6* —3E **99**
Woodhatch Clo. *E6* —4F **45**
Woodhayes Rd. *SW19* —5E **89**
Woodheyes Rd. *NW10* —2A **18**
Woodhouse Gro. *E12* —3F **31**
Woodhouse Rd. *E11* —5B **16**
Woodin St. *E14* —4D **43**
Woodison St. *E3* —3A **42**
Woodland Clo. *SE19* —5A **96**
Woodland Cres. *SE16* —2A **72**
Woodland Gro. *SE10* —1A **72**
Woodland Hill. *SE19* —5A **96**
Woodland Rd. *SE19* —5A **96**
Woodlands. *NW11* —1A **6**
Woodlands Av. *E11* —3D **17**
Woodlands Clo. *NW11* —1A **6**
Woodlands Ct. *SE23* —5D **83**
Woodlands Ga. *SW15* —3B **76**
Woodlands Ho. *NW6* —4A **20**
Woodlands Pk. Rd. *N15*
  —1D **15**
Woodlands Pk. Rd. *SE10*
  —2A **72**
Woodlands Rd. *E11* —4A **16**
Woodlands Rd. *SW13* —1B **74**
Woodlands St. *SE13* —5F **85**
Woodlands, The. *N5* —1E **25**
Woodlands, The. *SE13* —5F **85**
Woodland St. *E8* —3B **26**
Woodlands Way. *SW15*
  —3B **76**
Woodland Ter. *SE7* —5F **59**
Woodland Wlk. *NW3* —2A **22**
Woodland Wlk. *SE10* —1A **72**
Woodland Wlk. *Brom* —4A **100**
  (in two parts)
Wood La. *N6* —1D **9**
Wood La. *NW9* —2A **4**
Wood La. *W12* —5E **33**
Woodlawn Clo. *SW15* —3B **76**
Woodlawn Rd. *SW6* —3F **61**
Woodlea Rd. *N16* —5A **12**
Woodleigh Gdns. *SW16*
  —3A **94**
Woodmans Gro. *NW10*
  —2B **18**
Woodman's M. *W12* —4D **33**
Woodmere Clo. *SW11* —1C **78**
Woodnook Rd. *SW16* —5D **93**
Woodpecker Rd. *SE14* —2A **70**
Woodquest Av. *SE24* —3E **81**
Woodridge Clo. *NW2* —5D **5**
Woodriffe Rd. *E11* —2F **15**
Woodrush Clo. *SE14* —3A **70**
Woodseer St. *E1* —4B **40**
Woodsford Sq. *W14* —3A **48**
Woodside. *SW19* —5B **90**
Woodside Av. *N6 & N10*
  —1B **8**
Woodside Ct. *E12* —3E **17**
Woodside Rd. *E13* —3E **45**
Woods M. *W1* —1C **50**
Woodsome Rd. *NW5* —5C **8**
Wood's Pl. *SE1* —4A **54**

246 Mini London

Woodspring Rd. *SW19* —2A **90**
Woods Rd. *SE15* —4D **69**
Woodstock Av. *NW11* —2A **6**
Woodstock Ct. *SE11* —1B **66**
Woodstock Ct. *SE12* —4C **86**
Woodstock Gro. *W12* —3F **47**
Woodstock M. *W1* —4C **36**
  (off Westmoreland St.)
Woodstock Rd. *E7* —4E **31**
Woodstock Rd. *N4* —3C **10**
Woodstock Rd. *NW11* —2B **6**
Woodstock Rd. *W4* —5A **46**
Woodstock St. *E16* —5A **44**
Woodstock St. *W1* —5D **37**
Woodstock Ter. *E14* —1D **57**
Wood St. *E16* —1D **59**
Wood St. *EC2* —5E **39**
Wood St. *W4* —1A **60**
Woodsyre. *SE26* —4B **96**
Woodthorpe Rd. *SW15*
  —2D **75**
Wood Vale. *N10* —1E **9**
Wood Vale. *SE23* —1D **97**
Wood Vale Est. *SE23* —5D **83**
Woodvale Wlk. *SE27* —5E **95**
Woodvale Way. *NW11* —5F **5**
Woodview Clo. *N4* —2D **11**
Woodview Clo. *SW15* —4A **88**
Woodville. *SE3* —4D **73**
Woodville Clo. *SE12* —3C **86**
Woodville Gdns. *NW11* —2F **5**
Woodville Rd. *E11* —3B **16**
Woodville Rd. *N16* —2A **26**
Woodville Rd. *NW6* —1B **34**
Woodville Rd. *NW11* —2F **5**
Woodward Av. *NW4* —1C **4**
Woodwarde Rd. *SE22* —4A **82**
Woodwell St. *SW18* —3E **77**
Wood Wharf Bus. Pk. *E14*
  —2D **57**
Woodyard Clo. *NW5* —2C **22**
Woodyard La. *SE21* —5A **82**
Woodyates Rd. *SE12* —4C **86**
Woolacombe Rd. *SE3* —5E **73**
Wooler St. *SE17* —1F **67**
Woolf M. *WC1* —3F **37**
  (off Burton Pl.)
Woolgar M. *N16* —2A **26**
  (off Gillett St.)
Woollaston Rd. *N4* —1D **11**
Woolley Ho. *SW9* —1D **81**
  (off Loughborough Rd.)
Woolmead Av. *NW9* —2C **5**
Woolmore St. *E14* —1E **57**
Woolneigh St. *SW6* —1D **77**
Woolridge Way. *E9* —4E **27**
Woolstaplers Way. *SE16*
  —4C **54**
Woolstone Rd. *SE23* —2A **98**
Woolwich Chu. St. *SE18*
  —4F **59**
Woolwich Rd. *SE10 & SE7*
  —1B **72**
Wooster Gdns. *E14* —5F **43**
Wootton St. *SE1* —2C **52**
Worcester Dri. *W4* —3A **46**
Worcester Ho. *SW9* —3C **66**
  (off Cranmer Rd.)

Worcester M. *NW6* —3D **21**
Worcester Rd. *SW19* —5B **90**
Wordsworth Av. *E12* —4F **31**
Wordsworth Pl. *NW5* —2B **22**
Wordsworth Rd. *N16* —1A **26**
Wordsworth Rd. *SE1* —5B **54**
Worfield St. *SW11* —3A **64**
Worgan St. *SE11* —1B **66**
Worgan St. *SE16* —5F **55**
Worland Rd. *E15* —4A **30**
Worlds End Est. *SW10* —3F **63**
World's End Pas. *SW10*
  —3F **63**
World's End Pl. *SW10* —3F **63**
World Trade Cen. *E1* —1B **54**
  (off E. Smithfield)
Worlidge St. *W6* —1E **61**
Worlingham Rd. *SE22* —2B **82**
Wormholt Rd. *W12* —1C **46**
Wormwood St. *EC2* —5A **40**
Wornington Rd. *W10* —3A **34**
  (in two parts)
Woronzow Rd. *NW8* —5F **21**
Worple Rd. *SW19* —5B **90**
Worple Rd. M. *SW19* —5B **90**
Worple St. *SW14* —1A **74**
Worship St. *EC2* —3F **39**
Worslade Rd. *SW17* —4F **91**
Worsley Bri. Rd. *SE26 & Beck*
  —4B **98**
Worsley Ho. *SE23* —2D **97**
Worsley Rd. *E11* —1A **30**
Worsopp Dri. *SW4* —3E **79**
Worth Gro. *SE17* —1F **67**
  (off Liverpool Gro.)
Worthing Clo. *E15* —5A **30**
Wortley Rd. *E6* —4F **31**
Wotton Rd. *NW2* —5E **5**
Wotton Rd. *SE8* —2B **70**
Wouldham Rd. *E16* —5B **44**
Wragby Rd. *E11* —5A **16**
Wrayburn Ho. *SE16* —3C **54**
  (off Llewellyn St.)
Wray Cres. *N4* —4A **10**
Wren Av. *NW2* —1E **19**
Wren Clo. *E16* —5B **44**
Wren Landing. *E14* —2C **56**
Wren Rd. *SE5* —4F **67**
Wren's Pk. Ho. *E5* —4D **13**
Wren St. *WC1* —3B **38**
Wrentham Av. *NW10* —1F **33**
Wrenthorpe Rd. *Brom*
  —4A **100**
Wrestlers Ct. *EC3* —5A **40**
  (off Clark's Pl.)
Wrexham Rd. *E3* —1C **42**
Wricklemarsh Rd. *SE3* —4D **73**
  (in two parts)
Wrigglesworth St. *SE14*
  —3F **69**
Wright Clo. *SE13* —2F **85**
Wright Rd. *N1* —3A **26**
Wrights Grn. *SW4* —2F **79**
Wright's La. *W8* —4D **49**
Wright's Rd. *E3* —1B **42**
Wrotham Rd. *NW1* —4E **23**
Wrottesley Rd. *NW10* —1C **32**
Wroughton Rd. *SW11* —4B **78**

HOSPITALS, HEALTH CENTRES and HOSPICES
covered by this atlas
with their map square reference

N.B. Where Hospitals and Health Centres are not named on the map, the reference given is for the road in which they are situated.

Albion Street Health Centre —3E 55
87 Albion St., London. SE16 1JX
Tel: (0171) 231 2296

ATHLONE HOUSE —3B 8
Hampstead La., Highgate,
London. N6 4RX
Tel: (0181) 348 5231

Aylesbury Health Centre —1F 67
Taplow House, Thurlow St.,
London. SE17 2UN
Tel: (0171) 701 4251

Balham Health Centre —2D 93
120 Bedford Hill, Balham,
London. SW12 9HP
Tel: (0181) 700 0600

BARNES HOSPITAL —1A 74
South Worple Way,
London. SW14 8SU
Tel: (0181) 878 4981

Barton House Health Centre —5F 11
233 Albion Rd., Stoke Newington,
London. N16 9JT
Tel: (0171) 249 5511

Bath Street Health Centre —2E 39
60 Bath St., London. EC1V 9JX
Tel: (0171) 253 2806

BEECHLAWN DAY HOSPITAL —5E 79
Belthorn Cres., Weir Rd., London. SW12 0NS
Tel: (0181) 675 3415

Belsize Priory Health Centre —5D 21
208 Belsize Rd., London. NW6 4DJ
Tel: (0171) 530 2600

BELVEDERE DAY HOSPITAL —5D 19
341 Harlesden Rd., London. NW10 3RX
Tel: (0181) 459 3562

Bermondsey Health Centre —5B 54
108 Grange Rd., London. SE1 2BW
Tel: (0171) 231 9031

Bethnal Green Health Centre —2C 40
60 Florida St., Bethnal Green,
London. E2 6LL
Tel: (0171) 739 1440

BLACKHEATH HOSPITAL —1B 86
40-42 Lee Ter., Blackheath,
London. SE3 9UD
Tel: (0181) 318 7722

BOLINGBROKE HOSPITAL —3A 78
Bolingbroke Gro., Wandsworth Common,
London. SW11 6HN
Tel: (0171) 223 7411

B.P.A.S. ST ANN'S —1E 10
Ward K2, St Ann's Hospital,
St Ann's Rd., South Tottenham,
London. N15 3TH
Tel: (0181) 809 6600

Bridge Lane Health Centre —4A 64
20 Bridge La., Battersea,
London. SW11 3AD
Tel: (0171) 441 0730

BRITISH HOME & HOSPITAL FOR INCURABLES
—5D 95
Crown La., Streatham, London. SW16 3JB
Tel: (0181) 670 8261

Brocklebank Health Centre —5D 77
249 Garratt La., Wandsworth,
London. SW18 4DU
Tel: (0181) 870 1341

CAMDEN MEWS DAY HOSPITAL —4E 23
5 Camden Mews, London. NW1 9DB
Tel: (0171) 530 4780

Central Lewisham Health Centre —4D 85
410 Lewisham High St.,
London. SE13 6LL
Tel: (0181) 690 9723

CHARING CROSS HOSPITAL —2F 61
Fulham Palace Rd., London. W6 8RF
Tel: (0181) 383 0000

CHARTER NIGHTINGALE HOSPITAL —4A 36
11-19 Lisson Gro., London. NW1 6SH
Tel: (0171) 258 3828

CHELSEA & WESTMINSTER HOSPITAL —2E 63
369 Fulham Rd., Chelsea,
London. SW10 9NH
Tel: (0181) 746 8000

Chiswick Health Centre —5A 46
Fishers La., Chiswick, London. W4 1RX
Tel: (0181) 995 8051

Chrisp Street Health Centre —5D 43
100 Chrisp St., London. E14 6PG
Tel: (0171) 515 4860

CHURCHILL CLINIC —4C 52
80 Lambeth Rd., London. SE1 7PW
Tel: (0171) 928 5633

Colville Health Centre —5B 34
51 Kensington Pk. Rd., London. W11 1PA
Tel: (0171) 221 2650

COTTAGE DAY HOSPITAL —3A 92
Springfield University Hospital,
61 Glenburnie Rd., London. SW17 7DJ
Tel: (0181) 682 6514

Hospitals, Health Centres & Hospices

Covent Garden Health Centre —5A **38**
8-12 Neal St., London. WC2H 9LZ
Tel: (0171) 240 8484

Craven Park Health Centre —5A **18**
Shakespeare Cres., London. NW10 8XW
Tel: (0181) 965 0151

CROMWELL HOSPITAL, THE —5D **49**
162-174 Cromwell Rd., London. SW5 0TU
Tel: (0171) 460 2000

Crouch End Health Centre —1A **10**
45 Middle La., London. N8 8PH
Tel: (0181) 341 2045

Crowndale Health Centre —1E **37**
59 Crowndale Rd., London. NW1 1TY
Tel: (0171) 530 3800

DEVONSHIRE HOSPITAL —4C **36**
29 Devonshire St., London. W1N 1RF
Tel: (0171) 486 7131

EAST HAM MEMORIAL HOSPITAL —4F **31**
Shrewsbury Rd., Forest Gate,
London. E7 8QR
Tel: (0181) 586 5000

EASTMAN DENTAL HOSPITAL & EASTMAN
DENTAL INSTITUTE, THE —3B **38**
256 Gray's Inn Rd., London. WC1X 8LD
Tel: (0171) 915 1000

Edenhall Marie Curie Centre —2F **21**
11 Lyndhurst Gdns., Hampstead,
London. NW3 5NS
Tel: (0171) 794 0066

Elsdale Street Health Centre —4E **27**
28 Elsdale St., Hackney,
London. E9 6QY
Tel: (0181) 533 0031

Finsbury Health Centre —3C **38**
Pine St., London. EC1R 0JH
Tel: (0171) 530 4200

FLORENCE HOUSE DAY HOSPITAL —4A **36**
1 Harewood Row, London. NW1 6SE
Tel: (0171) 724 5430

Fountayne Road Health Centre —4C **12**
Fountayne Rd., London. N16 7EA
Tel: (0181) 806 3311

Gill Street Health Centre —1B **56**
11 Gill St., London. E14 8HQ
Tel: (0171) 987 4433

Goodinge Health Centre —3A **24**
Goodinge Clo., North Rd., London. N7 9EW
Tel: (0171) 530 4900

GORDON HOSPITAL —5F **51**
Bloomburg St., London. SW1V 2RH
Tel: (0181) 746 8710

GREAT ORMOND STREET HOSPITAL FOR
CHILDREN —3A **38**
Gt. Ormond St., London. WC1N 3JH
Tel: (0171) 405 9200

GREENWICH DISTRICT HOSPITAL —1A **72**
Vanbrugh Hill, Greenwich, London. SE10 9HE
Tel: (0181) 858 8141

GUY'S HOSPITAL —2F **53**
St Thomas St., London. SE1 9RT
Tel: (0171) 955 5000

GUY'S NUFFIELD HOUSE —3F **53**
Newcomen St., London. SE1 1YR
Tel: (0171) 955 5000

HAMMERSMITH HOSPITAL —5D **33**
Du Cane Rd., London. W12 0HS
Tel: (0171) 383 1000

HARLEY STREET CLINIC, THE —4D **37**
35 Weymouth St., London. W1N 4BJ
Tel: (0171) 935 7700

HEART HOSPITAL, THE —4C **36**
Westmoreland St., London. W1M 7HN
Tel: (0171) 573 8888

Heathside Health Centre —4E **71**
Landale Ct., Sparta St.,
London. SE10 8DY
Tel: (0181) 692 1757

Highbury Grange Health Centre —1E **25**
Highbury Grange, London. N5 2QB
Tel: (0171) 530 2888

HIGHGATE PRIVATE HOSPITAL —1B **8**
17-19 View Rd., Highgate,
London. N6 4DJ
Tel: (0181) 341 4182

HOMERTON HOSPITAL —2F **27**
Homerton Row, Homerton,
London. E9 6SR
Tel: (0181) 919 5555

Honor Oak Health Centre —2A **84**
20 Turnham Rd., London. SE4 2LA
Tel: (0181) 639 8811

HORNSEY CENTRAL HOSPITAL —1F **9**
Park Rd., Crouch End, London. N8 8JL
Tel: (0181) 219 1702

Hornsey Rise Health Centre —2A **10**
Hornsey Rise, London. N19 3YU
Tel: (0181) 530 2400

HOSPITAL FOR TROPICAL DISEASES —5F **23**
4 St Pancras Way, London. NW1 0PE
Tel: (0171) 530 3500

HOSPITAL OF ST JOHN & ST ELIZABETH —1F **35**
60 Grove End Rd., St John's Wood,
London. NW8 9NH
Tel: (0171) 286 5126

Hunter Street Health Centre —3A **38**
8 Hunter St., London. WC1N 1BN
Tel: (0171) 530 4300

Island Health Centre —4D **57**
145 East Ferry Rd., Isle of Dogs,
London. E14 3BQ
Tel: (0171) 363 1111

Hospitals, Health Centres & Hospices

Jenner Health Centre —1A **98**
201 Stanstead Rd.,
London. SE23 1HU
Tel: (0171) 771 4110

John Scott Health Centre —3E **11**
Green Lanes, London. N4 2NU
Tel: (0181) 800 0111

Kentish Town Health Centre —3E **23**
2 Bartholomew Rd., London. NW5 2AJ
Tel: (0171) 530 4700

KING EDWARD VII'S HOSPITAL —4C **36**
Beaumont House, 10 Beaumont St.,
London. W1N 2AA
Tel: (0171) 486 4411

KING'S COLLEGE HOSPITAL —5F **67**
Denmark Hill, London. SE5 9RS
Tel: (0171) 737 4000

KING'S COLLEGE HOSPITAL, DULWICH —2A **82**
East Dulwich Gro., London. SE22 8PT
Tel: (0171) 737 4000

LANGTHORNE HOSPITAL —1F **29**
1 Langthorne Rd., London. E11 4HJ
Tel: (0181) 539 5511

LATIMER DAY HOSPITAL —4E **37**
40 Hanson St., London. W1P 7DE
Tel: (0171) 380 9187

Lee Health Centre —3B **86**
2 Handen Rd., London. SE12 8NE
Tel: (0181) 318 4431

Lewin Road Community Mental Health Centre
—5F **93**
55-57 Lewin Rd., London. SW16 6JZ
Tel: (0171) 664 6406

LEWISHAM HOSPITAL —3D **85**
Lewisham High St., Lewisham,
London. SE13 6LH
Tel: (0181) 333 3000

Lisson Grove Health Centre —3A **36**
Gateforth St., London. NW8 8EG
Tel: (0171) 724 2391

Lister Health Centre —4B **68**
1 Camden Sq., London. SE15 5LW
Tel: (0171) 701 6291

LISTER HOSPITAL, THE —1D **65**
Chelsea Bridge Rd.,
London. SW1W 8RH
Tel: (0171) 730 3417

LONDON BRIDGE HOSPITAL —2F **53**
27 Tooley St., London. SE1 2PR
Tel: (0171) 407 3100

LONDON CHEST HOSPITAL —1E **41**
Bonner Rd., London. E2 9JX
Tel: (0181) 980 4433

LONDON CLINIC, THE —3C **36**
20 Devonshire Pl., London. W1N 2DH
Tel: (0171) 935 4444

LONDON FOOT HOSPITAL —3E **37**
33 Fitzroy Sq., London. W1P 6AY
Tel: (0171) 530 4500

LONDON INDEPENDENT HOSPITAL —4F **41**
1 Beaumont Sq., Stepney Green,
London. E1 4NL
Tel: (0171) 790 0990

London Lighthouse —5A **34**
111-117 Lancaster Rd., Ladbroke Gro.,
London. W11 1QT
Tel: (0171) 792 1200

LONDON WELBECK HOSPITAL —4D **37**
27 Welbeck St., London. W1M 7PG
Tel: (0171) 224 224

Lord Lister Health Centre —1C **30**
121 Woodgrange Rd., Forest Gate,
London. E7 0EP
Tel: (0181) 250 7200

Lower Clapton Health Centre —2E **27**
36 Lower Clapton Rd., Clapton,
London. E5 0PQ
Tel: (0181) 986 7111

MAITLAND DAY HOSPITAL —1D **27**
143-153 Lower Clapton Rd.,
Clapton, London. E5 8EQ
Tel: (0181) 919 5600

Manor Gardens Health Centre —5A **10**
6-9 Manor Gdns., London. N7 6LA
Tel: (0171) 275 4231

Manor Health Centre —1F **79**
Clapham Manor St.,
London. SW4 6EB
Tel: (0171) 622 2293

MANOR HOUSE HOSPITAL —3D **7**
North End Rd., Golders Green,
London. NW11 7HX
Tel: (0181) 455 6601

Marvels Lane Health Centre —2D **101**
37 Marvels La., Grove Park,
London. SE12 9PN
Tel: (0171) 857 0042

MAUDSLEY HOSPITAL, THE —5F **67**
Denmark Hill, London. SE5 8AZ
Tel: (0171) 703 6333

Mawbey Brough Health Centre —3A **66**
39 Wilcox Clo., London. SW8 2UD
Tel: (0171) 627 4444

MIDDLESEX HOSPITAL, THE —4E **37**
Mortimer St., London. W1N 8AA
Tel: (0171) 636 8333

Mildmay Mission Hospital —2B **40**
Hackney Rd., Bethnal Green,
London. E2 7NA
Tel: (0171) 739 2331

Milson Road Health Centre —4F **47**
1-13 Milson Rd., London. W14 0LJ
Tel: (0181) 846 6262

Hospitals, Health Centres & Hospices

MOORFIELDS EYE HOSPITAL —2F **39**
162 City Rd., London. EC1V 2PD
Tel: (0171) 253 3411

Mortimer Market Centre —3E **37**
Mortimer Mkt., London. WC1E 6AU
Tel: (0171) 530 5000

Myatts Field Health Centre —4D **67**
Patmos Rd., London. SW9 6SE
Tel: (0171) 735 9171

NATIONAL HOSPITAL FOR NEUROLOGY &
NEUROSURGERY, THE —3A **38**
Queen Sq., London. WC1N 3BG
Tel: (0171) 837 3611

NATIONAL TEMPERANCE HOSPITAL —2E **37**
108-110 Hampstead Rd.,
London. NW1 2LT
Tel: (0171) 530 3000

Newby Place Health Centre —1E **57**
21 Newby Pl., Poplar,
London. E14 0EY
Tel: (0171) 515 8893

NEWHAM GENERAL HOSPITAL —3E **45**
Glen Rd., Plaistow,
London. E13 8SL
Tel: (0181) 476 4000

OBSTETRIC HOSPITAL, THE —3E **37**
Huntley St., London. WC1E 6DH
Tel: (0171) 387 9300

PADDINGTON COMMUNITY HOSPITAL —4C **34**
7a Woodfield Rd., London. W9 2BB
Tel: (0171) 286 6669

PARKSIDE HOSPITAL —3F **89**
53 Parkside, Wimbledon,
London. SW19 5NX
Tel: (0181) 971 8000

Parson's Green Health Centre —4C **62**
5-7 Parson's Grn., London. SW6 4UL
Tel: (0181) 846 6767

Paxton Green Health Centre —4A **96**
1 Alleyn Pk., London. SE21 8AU
Tel: (0181) 761 1923

PLAISTOW HOSPITAL —1E **45**
Samson St., Plaistow,
London. E13 9EH
Tel: (0181) 586 6200

PORTLAND HOSPITAL FOR WOMEN &
CHILDREN, THE —3D **37**
209 Gt. Portland St.,
London. W1N 6AH
Tel: (0171) 580 4400

PRINCESS GRACE HOSPITAL —3C **36**
42-52 Nottingham Pl.,
London. W1M 3FD
Tel: (0171) 486 1234

PRINCESS LOUISE HOSPITAL —4F **33**
St Quintin Av., London. W10 6DL
Tel: (0181) 969 0133

PRIORY HOSPITAL —2B **74**
Priory La., Roehampton,
London. SW15 5JJ
Tel: (0181) 876 8261

PUTNEY HOSPITAL —1E **75**
Commondale, Lower Richmond Rd.,
Putney, London. SW15 1HW
Tel: (0181) 789 6633

QUEEN CHARLOTTE'S & CHELSEA HOSPITAL
—4C **46**
Goldhawk Rd., London. W6 0XG
Tel: (0181) 383 1111

QUEEN ELIZABETH HOSPITAL —3F **73**
Stadium Rd., Woolwich,
London. SE18 4QH
Tel: (0181) 856 5533

QUEEN ELIZABETH HOSPITAL FOR CHILDREN
—1C **40**
Hackney Rd., London. E2 8PS
Tel: (0171) 377 7000

QUEEN MARY'S HOSPITAL —5E **7**
124 Heath St., Hampstead,
London. NW3 1DU
Tel: (0171) 431 4111

QUEEN MARY'S UNIVERSITY HOSPITAL —4C **74**
Roehampton La., Roehampton,
London. SW15 5PN
Tel: (0181) 789 6611

Queen's Park Health Centre —2A **34**
Dart St., London. W10 4LD
Tel: (0181) 968 8899

Railton Road Health Centre —3D **81**
143-149 Railton Rd.,
London. SE24 0LT
Tel: (0171) 274 1083

Rathmell Drive Health Centre —4F **79**
9A Rathmell Dri.,
London. SW4 8JG
Tel: (0181) 674 7400

River Place Health Centre —4E **25**
River Pl., Essex Rd.,
London. N1 2DE
Tel: (0171) 530 2900

ROYAL BROMPTON HOSPITAL —1A **64**
Sydney St., London. SW3 6NP
Tel: (0171) 352 8121

ROYAL BROMPTON HOSPITAL (ANNEXE)
—1F **63**
Fulham Rd., London. SW3 6HP
Tel: (0171) 352 8121

ROYAL FREE HOSPITAL, THE —2A **22**
Pond St., London. NW3 2QG
Tel: (0171) 794 0500

ROYAL HOSPITAL FOR NEURO-DISABILITY
—4A **76**
West Hill, Putney,
London. SW15 3SW
Tel: (0181) 780 4500

Hospitals, Health Centres & Hospices

ROYAL LONDON HOMOEOPATHIC HOSPITAL,
THE —4A **38**
Gt. Ormond St., London. WC1N 3HR
Tel: (0171) 833 7220

ROYAL LONDON HOSPITAL MILE END —3F **41**
Bancroft Rd., London. E1 4DG
Tel: (0171) 377 7000

ROYAL LONDON HOSPITAL ST CLEMENT'S
—2B **42**
3a Bow Rd., London. E3 4LL
Tel: (0171) 377 7000

ROYAL LONDON HOSPITAL WHITECHAPEL
—4D **41**
Whitechapel Rd., London. E1 1BB
Tel: (0171) 377 7000

ROYAL MARSDEN HOSPITAL (FULHAM), THE
—1F **63**
Fulham Rd., London. SW3 6JJ
Tel: (0171) 352 8171

ROYAL NATIONAL ORTHOPAEDIC HOSPITAL
(OUTPATIENTS) —3D **37**
45-51 Bolsover St.,
London. W1P 8AQ
Tel: (0171) 387 5070

ROYAL NATIONAL THROAT, NOSE & EAR
HOSPITAL —2B **38**
330 Gray's Inn Rd., London. WC1X 8DA
Tel: (0171) 915 1300

ST ANDREW'S HOSPITAL —3D **43**
Devons Rd., Bow, London. E3 3NT
Tel: (0171) 476 4000

ST ANN'S HOSPITAL —1E **11**
St Ann's Rd., Sth. Tottenham,
London. N15 3TH
Tel: (0181) 442 6000

ST BARTHOLOMEW'S AT SMITHFIELD —4D **39**
West Smithfield, London. EC1A 7BE
Tel: (0171) 601 8888

ST CHARLES HOSPITAL —4F **33**
Exmoor St., London. W10 6DZ
Tel: (0181) 969 2488

St Christopher's Hospice —5E **97**
51 Lawrie Pk. Rd., Sydenham,
London. SE26 6DZ
Tel: (0171) 778 9252

ST GEORGE'S HOSPITAL —5F **91**
Blackshaw Rd., Tooting,
London. SW17 0QT
Tel: (0181) 672 1255

St James Health Centre —1A **14**
47 St James's St.,
London. E17 7NH
Tel: (0181) 520 9286

St John's Hospice —1F **35**
Hospital of St John & St Elizabeth,
60 Grove End Rd., St John's Wood,
London. NW8 9NH
Tel: (0171) 286 5126 ext 321

St Joseph's Hospice —5D **27**
Mare St., Hackney,
London. E8 4SA
Tel: (0181) 985 0861

St Leonards Primary Care Centre —1A **40**
Nuttall St., London. N1 5LZ
Tel: (0171) 790 4711

ST LUKE'S HOSPITAL FOR THE CLERGY —3E **37**
14 Fitzroy Sq., London. W1P 6AH
Tel: (0171) 388 4954

ST MARY'S HOSPITAL —5F **35**
Praed St., London. W2 1NY
Tel: (0171) 725 6666

ST PANCRAS HOSPITAL —5F **23**
4 St Pancras Way, London. NW1 0PE
Tel: (0171) 530 3500

St Quintin Avenue Health Centre —4F **33**
St Quintin Av., London. W10 6PU
Tel: (0181) 960 5677

ST THOMAS' HOSPITAL —4B **52**
Lambeth Palace Rd., London. SE1 7EH
Tel: (0171) 928 9292

Shrewsbury Road Health Centre —4F **31**
East Ham Memorial Hospital,
Shrewsbury Rd., Forest Gate,
London. E7 8QP
Tel: (0181) 586 5142

Solent Road Health Centre —3C **20**
9 Solent Rd., London. NW6 1TP
Tel: (0171) 530 2550

Somerford Grove Health Centre —1B **26**
Somerford Gro.,
London. N16 7UA
Tel: (0171) 249 2071

Sorsby Health Centre —1A **28**
Mandeville St.,
London. E5 0DH
Tel: (0181) 985 7671

South Kensington & Chelsea Mental Health
Centre —2E **63**
1 Nightingale Pl., London. SW10 8RP
Tel: (0181) 846 6025

South Lewisham Health Centre —4E **99**
50 Conisborough Cres.,
London. SE6 2SP
Tel: (0181) 698 8921

SOUTH WESTERN HOSPITAL —1A **80**
108 Landor Rd., London. SW9 9NT
Tel: (0171) 346 5400

South Westminster Health Centre —5F **51**
St George's House, 82 Vincent Sq.,
London. SW1P 2PF
Tel: (0181) 746 5757

SOUTHWOOD HOSPITAL —2C **8**
70 Southwood La., Highgate,
London. N6 5SP
Tel: (0181) 340 8778

Hospitals, Health Centres & Hospices

Speedwell Mental Health Centre —3C **70**
  Speedwell St., Deptford,
  London. SE8 4AT
  Tel: (0181) 691 4535

Spindrift Medical Centre —5C **56**
  100 Spindrift Av., Isle of Dogs,
  London. E14 9WU
  Tel: (0171) 537 0071

Spitalfields Health Centre —4B **40**
  9-11 Brick La., London. E1 6PU
  Tel: (0171) 247 8251

SPRINGFIELD UNIVERSITY HOSPITAL —3A **92**
  61 Glenburnie Rd.,
  London. SW17 7DJ
  Tel: (0181) 672 9911

Steel's Lane Health Centre —5E **41**
  384-388 Commercial Rd.,
  London. E1 0LR
  Tel: (0171) 790 7171

STEPNEY DAY HOSPITAL —5E **41**
  Ronald St., London. E1 0DT
  Tel: (0171) 702 8199

Surrey Docks Health Centre —3A **56**
  Downtown Rd.,
  London. SE16 1NP
  Tel: (0171) 231 3085

Sydenham Green Health Centre —4A **98**
  26 Holmshaw Clo.,
  London. SE26 4TH
  Tel: (0181) 778 1333

Tavistock Clinic —3F **21**
  120 Belsize La., London. NW3 5BA
  Tel: (0171) 435 7111

Temple Fortune Health Centre —1C **6**
  23 Temple Fortune La.,
  London. NW11 7TE
  Tel: (0181) 458 4431

Trinity Hospice —2D **79**
  30 Clapham Comn. N. Side,
  Clapham, London. SW4 0RN
  Tel: (0171) 622 9481

Tudor Lodge Health Centre —1F **89**
  8c Victoria Dr., Wimbledon Park,
  London. SW19 6AE
  Tel: (0181) 788 1525

UNITED ELIZABETH GARRETT ANDERSON &
  SOHO HOSPITALS FOR WOMEN —2F **37**
  144 Euston Rd., London. NW1 2AP
  Tel: (0171) 387 2501

UNIVERSITY COLLEGE HOSPITAL —3E **37**
  Gower St., London. WC1E 6AU
  Tel: (0171) 387 9300

Vanbrugh Hill Health Centre —1B **72**
  Vanbrugh Hill, Greenwich,
  London. SE10 9HE
  Tel: (0181) 853 3434

Waldron Health Centre —3B **70**
  Stanley St., London. SE8 4BS
  Tel: (0181) 691 4621

Wapping Health Centre —2D **55**
  22 Wapping La., London. E1 9RL
  Tel: (0171) 488 0404

WELLINGTON HOSPITAL, THE —2F **35**
  Wellington Pl., London. NW8 9LE
  Tel: (0171) 586 5959

Wellington Way Health Centre —2C **42**
  1a Wellington Way, London. E3 4NE
  Tel: (0181) 980 3510

West Beckton Health Centre —4F **45**
  90 Lawson Clo., West Beckton,
  London. E16 3LU
  Tel: (0171) 445 7080

WESTERN OPHTHALMIC HOSPITAL —4B **36**
  Marylebone Rd.,
  London. NW1 5QH
  Tel: (0171) 402 4211

WHIPPS CROSS HOSPITAL —1F **15**
  Whipps Cross Rd., Leytonstone,
  London. E11 1NR
  Tel: (0181) 539 5522

White City Health Centre —1D **47**
  Australia Rd., London. W12 7PH
  Tel: (0181) 846 6464

WHITTINGTON HOSPITAL —4E **9**
  Highgate Hill, London. N19 5NF
  Tel: (0171) 272 3070

Wick Health Centre —3A **28**
  200 Wick Rd., Hackney,
  London. E9 5AN
  Tel: (0181) 986 6341

WILLESDEN COMMUNITY HOSPITAL —4C **18**
  Harlesden Rd., Willesden,
  London. NW10 3RY
  Tel: (0181) 459 1292

World's End Health Centre —3E **63**
  529 King's Rd., London. SW10 0UD
  Tel: (0181) 846 6333

RAIL, CROYDON TRAMLINK, DOCKLANDS LIGHT RAILWAY AND LONDON UNDERGROUND STATIONS

with their map square reference

Index to Stations

Mini London 255

Index to Stations